Diccionario de expresiones malsonantes del español

Diccionario de expresiones malsonantes del español

Léxico descriptivo

Jaime Martín Martín

Colección
Fundamentos 44

Madrid
Ediciones ISTMO

Portada:
Javier Mudarra

© Jaime Martín Martín, 1974.
© *Ediciones Istmo* para España y todos los países de lengua castellana.
Calle General Pardiñas, 26, Madrid-1.
I. S. B. N.: 84-7090-058-7.
Depósito legal: M. 18299 - 1974.
Impreso en España por Gráficas Dirección,
Alonso Núñez, 31 (Madrid).
Printed in Spain.

INDICE

8

NOTA PRELIMINAR

El insigne filólogo y maestro Dámaso Alonso, en una ponencia presentada al Congreso de Instituciones Hispánicas (Madrid, junio de 1963), al hablar de algunos problemas de léxico que presenta el español, mencionaba el de la diversificación de las voces malsonantes en nuestra comunidad lingüística. Decía textualmente:

«Esto nos lleva a considerar brevemente uno de los capítulos más tristes de nuestra vida común idiomática. Me refiero al de las palabras malsonantes. Varias veces he insistido (en un docto cuerpo) sobre la necesidad de tratar abiertamente esta cuestión y sin remilgos de pudibundez. Imaginad qué pasaría en medicina si los médicos negaran su atención a muchas de las inmundicias (físicas y morales) que tienen que considerar. No he conseguido vencer el criterio de abstención *pudoris causa*. Creo necesario que alguien haga un estudio serio y documentado, que sería tanto más fértil cuanto más ampliamente se planteara el problema. Porque aquí sí que hay problema.»

Más adelante, después de señalar los diferentes procesos de sexualización y desexualización de ciertas voces, añadía:

«Hay otro aspecto de la cuestión de las voces malsonantes que especialmente nos interesa: la degradación de las palabras sexualizadas. No sólo es que el que viaja por todo el mundo hispánico tiene que ir aprendiendo a suprimir una parte de su léxico cuando está en Méjico, otra cuando está en la República Argentina, otra cuando está en España, etc., sino que es necesario tener muy en cuenta que cualquier cambio en un punto del tesoro léxico, produce una serie de reacciones en cadena...»

En efecto, creo que la lingüística, que es esencialmente (no lo olvidemos) ciencia que estudia el lenguaje, no debe estar nunca condicionada ni subordinada al pudor ni a la moral. Es preciso que lo procaz, chabacano o escatológico sea tratado por la semántica y la lexicología. Pues a decir verdad, las palabras, consideradas «en sí mismas», no son ni buenas ni malas, ni indecentes ni delicadas. Las expresiones malsonantes lo son por los conceptos que designan y, más que nada, por el dictamen desfavorable que sobre ellas hace la propia comunidad hablante. Porque el lenguaje está al servicio de la vida social, es un «hecho» social. Esto es algo innegable. Pero sucede que la misma sociedad, de una manera sutil e imperceptible, va fomentando multitud de palabras y acortando la existencia de otras muchas.

Unas veces, la tradición, el buen gusto o la

10

estética, la distinción, el pudor o el tabú actúan poderosamente para su exclusión; otras, simplemente la arbitrariedad, el capricho, la ignorancia o el azar. Las palabras, igual que los seres humanos, están sometidas a leyes naturales y a circunstancias imprevisibles. Y esa especie de «mancha» que cae sobre un vocablo se extiende también a su familia léxica y origina a menudo la desaparición, por desuso u olvido. Es más, ni siquiera las buenas palabras (los vocablos nobles del idioma)[1] están a salvo del envilecimiento semántico, lo cual no sólo es penoso y desagradable, sino incluso peligroso para el vocabulario. Paradójicamente, hay casos en que el uso excesivo de una palabra o frase malsonante, da lugar a un desgaste o cambio de la significación y hace que aquélla adquiera curso legal o se transforme en efusión abstracta.

Ante tal desgaste de la expresión, la dinámica lingüística exige una constante innovación. Nuevos giros sustituyen a los antiguos, giros que, por lo general, son más ricos y afortunados en la forma que en el contenido. Los diversos grupos profesionales y el hombre de la calle tienden a crear una terminología propia, que se inserta poco a poco en el seno de la vida social. Surge así, de las jergas y del argot, un gran caudal de recursos expresivos caracterizados por la especialidad y el sentido metafórico. Ahora bien, ello nos puede llevar a un terreno delicado: los diferentes derroteros y significados que, por razones histórico-geográficas, ha tomado el español en ambos mundos en muchos vocablos y expre-

[1] QUERIDO, BUENA, ACORDARSE, AMIGA, entre otros.

siones, son con frecuencia fuente de bochornosos desaciertos, cuando no de molestas situaciones de incomprensión. A evitar o disminuir la diversificación y las circunstancias embarazosas intenta contribuir la presente obra.

He ido recogiendo del habla viva el «marginado y problemático» léxico en que encuentran proyección afectos, sentimientos, reacciones y aun lo subconsciente y reprimido. Respecto a esto, V. García de Diego, en sus *Lecciones de lingüística española*, dice:

«Los estudios modernos de la afectividad dejan vírgenes los terrenos más fecundos, porque investigan la afectividad en la lengua escrita, cuando el campo apropiado y rico es la lengua oral actual...»

La advertencia del ilustre académico es doblemente provechosa, si se aplica a las expresiones malsonantes. La afectividad, que se distingue sobre todo por la espontaneidad y la improvisación, alcanza aquí un relieve particular a través de la entonación[2], el ademán, la mímica y otros importantes medios expresivos. Lo natural, lo espontáneo y la referencia al presente más inmediato, son característicos del lenguaje coloquial, cuyo contenido es principalmente subjetivo y afectivo. Quiere esto decir que, independientemente de la valoración socio-moral que reciban aquéllas, cumplen una función lingüística, son portadoras de una significación y, en definitiva, son «expresivas». Y me he decidido a recogerlas,

---

[2] Algunas palabras que figuran en la obra pueden, en principio, no parecer vulgares o achuladas, pero es precisamente la entonación lo que les da ese carácter. Es el caso de CHATA, PRENDA O RICO.

12

porque creo que era conveniente como aportación al conocimiento, estudio o uso de la lengua española.

Se trata, pues, de un estudio sincrónico hecho sobre fuentes orales. Soy consciente de que no agoto en él todos los procedimientos requeridos por la lexicografía moderna. Es, en realidad, un léxico descriptivo recopilado entre los años 1970 y 1973, en el cual ha sido prácticamente imposible señalar los límites socio-culturales de las expresiones, dada la incesante interferencia de uso por parte de los hablantes. El material utilizado para la elaboración del diccionario procede del habla del centro de España o, más exactamente, de Madrid, que es órgano receptor, difusor y nivelador del español. Ello no da pie, claro está, a que se le juzgue como diccionario de madrileñismos ni, por consiguiente, a que se le objete falta de rigor y de precisión en la delimitación de uso.

Como criterio básico, esta obra estudia sólo las expresiones malsonantes del español peninsular, de modo que quedan fuera de ella las usuales en los diversos países de Hispanoamérica y en los demás de habla hispana. Y si en alguna ocasión se observara coincidencia de uso o de significado, sería por motivos ajenos a dicho objeto de estudio; los artículos que la componen no llevan etimología ni ejemplo de tipo literario [3]; por último, en ellos se mantiene un riguroso orden alfabético.

En la primera parte y bajo el calificativo de

[3] Los ejemplos han sido tomados, como queda dicho, del habla viva.

13

malsonantes [4], se incluyen las expresiones groseras, obscenas [5] e indelicadas; los «tacos», insultos e interjecciones inconvenientes; palabras y frases que aluden a lo velado o prohibido, usadas en el argot [6] y en la jerga de prostitutas; ciertos gitanismos, expresiones achuladas y rufianescas; vulgarismos y vocablos que denotan incivismo o mala educación; finalmente, expresiones informales o descuidadas, así como determinadas palabras y frases equívocas. La segunda parte se refiere a los campos semánticos de los conceptos más importantes, donde está comprendida la casi totalidad de artículos de la primera. Aunque la obra no es etimológica ni la etimología desempeña papel importante para los campos semánticos, he incluido en términos afines los derivados y compuestos, porque guardan de alguna manera afinidad con el concepto base y pueden dar una idea más exacta de su esfera de relación.

Con el diccionario intento, en primer lugar, llenar en la medida posible la laguna existente en esa parcela del español; después, proporcionar a hispanistas y a extranjeros hispanohablantes o estudiantes de lengua o literatura española, la posibilidad de conocer «directamente» este tipo de vocabulario, cosa no siempre factible.

EL AUTOR.

---

[4] Estimo que es el término más adecuado.
[5] Un buen número de las que llevan la acotación de vulgar son, además, obscenas.
[6] Entiendo por argot el lenguaje de los bajos fondos sociales y el habla del bajo pueblo.

14

acep.	acepción.
achul.	achulado o achuladamente.
adj.	adjetivo, -a.
adv.	adverbio o adverbial.
alg.	alguien.
aplíc.	aplícase o aplicado.
arg.	argot.
art.	artículo.
a. t. a. m.	aplicado también a la mujer.
D.	consta en el Diccionario de la Real Academia Española (19.ª edición).
del.	delincuente.
desp.	despectivo o despectivamente.
det.	determinado.
díc.	dícese.
etc.	etcétera.
excl.	exclamación o exclamativa.
expr.	expresión.
f.	femenino.
fam.	familiar.

fig.	figurado.
fr.	frase.
frec.	frecuente o frecuentemente.
gen.	genital[es].
genrlm.	generalmente.
germ.	germanía.
git.	gitanismo (caló).
gros.	grosero o groseramente.
íd.	ídem.
ind.	indeterminado.
inf.	informal o descuidado.
interj.	interjección o interjectiva.
interr.	interrogativa.
irón.	irónico o irónicamente.
j.	jerga.
joc.	jocoso; burlesco, festivo o humorístico.
loc.	locución.
m.	masculino.
m. sign.	el mismo significado.
muj.	mujer[es].
n.	nombre sustantivo.
n. cal.	nombre calificativo.
neg.	negativo o negativamente.
obsc.	obsceno u obscenamente.
órg.	órgano[s].
p. adj.	participio adjetivado.
pers.	persona.
pl.	plural.
pond.	ponderativo o ponderativamente.
pron.	verbo pronominal.
prost.	prostitutas.
ref.	referido o referente.
s.	singular.

t.	también.
tr.	verbo transitivo.
ús.	úsase o usado.
v.	véase.
vulg.	vulgar o vulgarmente.

1.ª) 2.ª) 3.ª)	Indica las diversas acepciones de un artículo.
◆	Separa subacepciones o matices distinguibles en una acepción.
I) II)	Señala los diferentes significados de una locución o frase que no es artículo.
' '	Se emplea delante y detrás de las expresiones usadas como ejemplos.
« »	Con mayúscula inicial la palabra acompañante que, en la construcción de la frase, precede a la palabra del encabezamiento: CANUTAS («Pasarlas —»). Con minúscula, si la sigue: AHUECAR («el ala»).
( )	Elemento que completa frase. BIBLIA («La — (en verso)»).
[ ]	1) Una expresión que puede sustituir con equivalencia a otra que precede al paréntesis: FARDÓN, -A

[T. Fardero]. 2) Variante de la expresión antecedente: DIÑARLA[s], CHANGAR[SE], RAYO («¡Que te [le, os, etc.] parta un —!»).

( ) Vocablo o frase equívocos.

Notas:

Los signos «ch» y «ll» deben considerarse como dobles.

En los campos semánticos aparece en cursiva la palabra que remite (como las demás en versalitas) al orden alfabético de la primera parte o que va seguida de expresión sinónima.

ABORTO (arg.) (n. cal.). Dícese de una mujer fea. 'No sé qué ha visto de atractivo en ella. ¡Si es un *aborto*!' '¡Jó, qué *aborto* me habéis traspasa(d)o!'

ACERA («De la — de enfrente») (arg.). Se aplica a un hombre afeminado. '¿Ahora te enteras que ése es *de la acera de enfrente*?' 'Pues a él le han dicho que el Julián es *de la acera de enfrente*.'

ACHANTADO, -A (inf.) (p. adj.) («Estar, Quedarse, Tener»). Intimidado, acobardado. 'Desde que le paré los pies, está bastante *achanta(d)o*.' 'Se quedó *achanta(d)o* cuando vio venir a su padre.'

ACHANTAMIENTO (inf.) (n.). Acción de achantar[se]. [T. Achante.] 'En estos casos no caben *achantamientos*.' 'Su *achantamiento* dio que hablar.'

ACHANTAR (inf.) (tr.). Intimidar. Quitar la presunción o hacer callar a alg., haciéndole sentir la propia superioridad o fuerza. (D.) 'Por mucho que grites, no vas a *achantarles*.' 'Déjalo de mi cuenta, que a ése le *achanto* yo.'

ACHANTARSE (inf.) (pron.). 1.ª) Esconderse o agazaparse mientras dura un peligro. (D.) 'El muy cagueta *se achanta* siempre que hay marejada.' '*Se achantó* al oír los disparos.' 2.ª) Achicarse. Abandonar la actitud arrogante o permanecer callado. [T. Achantarse como un muerto.] 'Parece muy jaquetón y tal, pero luego se *achanta*.' 'Verás como *se achantan* a las primeras de cambio.'

ACLARARSE (arg.) (pron.). 1.ª) Darse cuenta, percatarse. Usado en frase negativa generalmente, para aludir al despiste, atolondramiento o ingenuidad de una persona. '¡A ver si te espabilas, chaval, que no *te aclaras*!' 'Se lo he dicho dos veces y el tío que no *se aclara*.' 2.ª) Dar el dinero consabido. 'Aunque quiso hacerse el sueco, al final *se aclaró*.' 'Pensé que *se aclararía* el viejo.'

ACOJONACIÓN (vulg.). V. ACOJONAMIENTO.

ACOJONADO, -A (vulg.). 1.ª) (p. adj.) («Estar, Quedarse, Tener»). Acobardado, atemorizado (a. t. a. m.). 'La verdad es que nos tiene a todos *acojona(d)os*.' 'Los chicos estaban un rato *acojona(d)os*.' 2.ª) (íd.). Sorprendido, impresionado (a. t. a. m.). 'Cuando les mostró el fajo de billetes, se quedaron *acojona(d)itos*.' 'Te quedas *acojona(d)o* con cualquier simpleza.' 3.ª) (n. cal.) («Ser»). Cobarde o pusilánime. 'Ya no tienes ni palabra ni ná. Eres un *acojona(d)o*.' '¡Pero si sois una panda de *acojona(d)os*!'

ACOJONADOR, -A (vulg.). V. ACOJONANTE.

ACOJONAMIENTO (vulg.) (n.). Acción y efecto de acojonar[se]. 'No ve uno más que *acojonamiento* por todas partes.' '¿A qué viene tanto *acojonamiento?*'

ACOJONANTE (vulg.) (adj.). 1.ª) Tremendo, impresionante. 'Cada lunes y cada martes arman unas trifulcas *acojonantes.*' 'Esta gente de mar tiene una fuerza *acojonante.*' 2.ª) Estupendo, formidable. 'Dice que no tiene un chavo, pero vive en una casa *acojonante.*' 'Vienen equipa(d)os con un motor *acojonante.*'

ACOJONAR (vulg.) (tr.). 1.ª) Acobardar o inspirar temor a alguien. 'Simplemente su presencia los *acojona* que no veas.' 'No nos *acojona*, por buenas agarraderas que tenga.' 2.ª) Impresionar, deslumbrar. 'Un hombre así, con esa verborrea, *acojona* a cualquiera.' 'Son unos berzas. La menor pijada les *acojona.*'

ACOJONARSE (vulg.) (pron.). Acobardarse, amilanarse. 'Espero que no *os acojonéis* a última hora.' 'Es mejor no contar con ellos. Ya sabes que *se acojonan* por nada.'

ACOJONO (vulg.). V. ACOJONAMIENTO. [T. Acojone.]

ACOQUINAMIENTO (inf.) (n.). Acción y efecto de acoquinar[se]. (D.). '¡Vaya un *acoquinamiento* el vuestro!' '¡Y dice que no sabe lo que es *acoquinamiento!*'

ACOQUINAR (inf.) (tr.) Amilanar. Hacer que alg. tenga miedo. (D.). 'Tiene un vozarrón que *acoquina* a los chavales de todas todas.' '¡Así quién no *acoquina* a la gente, puñetas!'

ACOQUINARSE (inf.) (pron.). Acobardarse, atemorizarse. (D.). 'No es extraño que *se acoquinen*, después de lo que pasó.' 'Por esas amenazas no debemos *acoquinarnos.*'

23

ACORDARSE («de alg.») (vulg.) (pron.). Us. como expresión de amenaza o de insulto grave, cuando va seguido de la palabra padre, madre o familia. v. CAGARSE. 'Como me haga esa faena, *me voy a acordar de* su padre.' 'A mí me dice eso y *me acuerdo de* su madre, fíjate.'

ACOSTARSE («con») (inf.) (pron.). Fornicar. [T. Acostarse juntos.] 'No creas que ella se anda con miramientos. *Se acuesta con* cualquiera.' '*Se había acosta(d)o* ya *con* varias de la pensión.'

ADMITE («De —») (arg.). v. TRAGONA.

ADMITIR (arg.). v. TRAGAR.

AFANAR (arg.) (tr.). Hurtar algo a alg. o despojarle de ello con habilidad, sin violencia. (D.). 'Preocúpate de que no nos *afanen* nada en los vestuarios.' 'Le *afanaron* la cartera en el Metro.'

AFLOJAR (arg.) (tr.). Entregar dinero. (¿D?). 'Ganó el juicio y le *aflojaron* sesenta de los grandes.' 'Tuvo que *aflojar* cinco mil pesetas por la reparación.'

AGAFAR (arg.) (tr.). Robar o hurtar algo. 'Te lo *agafan* antes de lo que piensas.' 'Me han *agafa(d)o* el tomavistas en mis propias narices.'

AGALLAS (fig. e inf.) (n. pl.) («Tener; con»). Se emplea para manifestar valentía o ánimo. (D.). '¿Tú crees que *tendrá agallas* para decírmelo a la cara?' 'Es un hombre *con agallas* y dispuesto a todo.'

AGILIPOLLADO, -A (vulg.) (p. adj.) («Estar»). 1.ª) Alelado, atolondrado. '¡Qué *agilipolla(d)os estáis* hoy, leche!' 'El Emilio lleva una temporada que *está agilipolla(d)o*' 2.ª) Engreído, envanecido. 'No tendrán dos perras gordas, pero

24

están agilipolla(d)os de narices.' *'Estás agilipolla(d)o* desde que te has echa(d)o novia.'

AGILIPOLLARSE (vulg.) (pron.). 1.ª) Atontarse, aturdirse. 'Tan enmadra(d)o está que un día le dejan que salga solo a la calle y *se agilipolla.'* '¡Mira tú que *agilipollarse* por tan poquita cosa!' 2.ª) Engreírse, darse importancia. 'Son de los que, en cuanto hacen algo de dinero, *se agilipollan.'* '¡Es increíble cómo *se agilipolla* la gente!'

AGUA («Cambiar el — al canario») (arg. y joc.). Orinar. [T. Cambiar [Mudar] el agua a las castañas.] 'Espera un momento, que *cambie el agua al canario.'* '¿Otra vez *cambiando el agua al canario*, míster?'

AGUJERO (obsc.) (n.). Órgano genital de la mujer. 'Al fin y al cabo todas tienen el *agujero* en el mismo sitio.' 'Sí, tú con tal de que tengan *agujero...*, ¡qué bestia eres!'

AHUECAR («el ala») (fig. e inf.). Marcharse. Se usa mucho en imperativo. (D.). 'A ti no te han invita(d)o. Así que *ahueca el ala.'* 'Tendremos que *ahuecar el ala*, si no hay más remedio.'

¡AJO Y AGUA! (vulg. y joc.). Expresión abreviada de ¡A joderse y aguantarse!, con que se indica la necesidad de soportar una cosa fastidiosa o molesta. '¡A ver qué vida, Teo! *¡Ajo y agua!'* 'Pues nada, muchacho, ya sabes, *¡ajo y agua!'*

ALA («Las del —») (arg.). Las pesetas consabidas. 'Recibió en mano *las* doscientas mil *del ala.'* 'Al fin le soltaron *las* quinientas *del ala.'*

ALBONDIGUILLAS (gros.) (n. pl.) («Hacer»). Pelotillas de moco seco. 'Su madre le ha pega(d)o, porque estaba *haciendo albondiguillas.'* '¡Qué asco me da que *haga albondiguillas*, chica!'

25

ALEGRÍAS (arg. y joc.) (n. pl.). Genitales masculinos. 'Como el bañador le estaba grande, se le veían las *alegrías* al viejo.' 'Le quitaron la toalla. No tenía con qué taparse las *alegrías*.'

ALIGARLA (arg.). Pisar un excremento. '¡Qué rabia da que vaya uno andando tan tranquilo y *la aligue!'* '¡Ya *la has aligao!* No me ha da(d)o tiempo a avisarte.'

ALMEJA (obsc.). Órg. gen. femenino. '¿Qué tiene de particular, idiota, que en los libros de Gine fotografíen la *almeja?'* '¡Que se le ve hasta la *almeja*, te lo juro!' Mojar (la) almeja. Hacer el acto sexual. ◆ Fornicar. 'Lleva mucho tiempo sin *mojar almeja*.' '¡Tú te lo has soña(d)o eso de *mojar la almeja*, macho!'

AMA (j. prost.) (n.). Dueña de un burdel. 'Al *ama* no le interesaba lo más mínimo que se largaran.' 'Estaba en muy buenas relaciones con el *ama*.'

AMARICONADO, -A (vulg.) (p. adj.) («Ser, Estar»). Afeminado. [T. Amaricado.] (D.). 'Viviendo en ese ambiente no es raro que *esté amaricona(d)o*.' 'Es un tipo la mar de sospechoso. Hace gestos muy *amaricona(d)os*.'

AMARICONARSE (vulg.) (pron.). Hacerse afeminado. 'Con ese carácter débil y maleable *se amariconan* fácilmente.' 'Unos *se amariconan* por naturaleza, pero otros por vicio.'

AMARIPOSADO, -A (fig. e inf.) (p. adj.) Afeminado. 'Da la impresión de ser un poquito *amariposa(d)o*.' '¿Y decís que no es *amariposa(d)o* el tipo ese?'

AMARIPOSARSE (fig. e inf.) (pron.). Afeminarse. 'Están en una edad en que pueden *amariposarse* sin darse cuenta.' 'No concibo cómo *se*

26

amariposan algunos, con lo ricas que están ellas.'

AMIGO, -A (). Amante. Persona que mantiene con otra relaciones amorosas irregulares. (D.). 'Ella no sabe que su marido se cita con *la amiga* en la cafetería.' 'La viuda tenía *un amigo* con el que pasaba algunas temporadas.' 'El gachó tenía *una amiga* en Torremolinos.'

AMOLAR (vulg.) (tr.). Fastidiar o molestar. Expr. achulada usada en forma interjectiva, genrlm. (D.). 'Ahora quiere que le eche una mano, *¡no te amola!*' 'Nos dijo que rindiéramos más en el trabajo. *¡Nos ha amola(d)o!*'

AMOLARSE (vulg.) (pron.). Aguantarse, fastidiarse. Ús. genrlm. en imperativo, en tono desconsiderado o insultante. v. JODERSE. '*¡Amólate*, macho, que yo también he pasa(d)o por ello!' 'Se tiene bien merecido el despido. ¡Anda y que *se amole!*' ¡Hay que amolarse! Expresión interjectiva que denota enfado, fastidio, admiración o sorpresa. '¡Que no puede uno ni abrir la boca, *hay que amolarse!*' '¡Y venga a ganar pasta! *¡Hay que amolarse!*'

AMONTONARSE (fig. y vulg.) (pron.). Amancebarse. (D.). '*Se amontonan*, eso sí, pero nunca piensan en casarse.' '¿Y a ti qué te importa que, fuera, *se amontonen?*'

AMOR («Hacerse el —») (). Practicar el coito. ◆ Fornicar. 'Se refiere a cuando *os hacéis el amor.*' 'Una cosa es gustarse y otra *hacerse el amor.*' '¡Que *se estaban haciendo el amor* junto a la tapia, puñetas!'

AMOS (vulg.). Usado por vamos en locuciones interjectivas (por lo general, achuladas) de incre-

27

dulidad, burla o rechazo: '¡*Amos* pira!', '¡*Amos* corta!', '¡*Amos* venga ya!', '¡*Amos* anda!'...

ANDA (inf.). Ús. en expresiones despectivas o achuladas: '¡*Anda*, rica!', '¡*Anda* ya!', '¡*Anda*, niño!'...

ANDOBA (git. e inf.) (desp.). 1.ª) Hombre. [T. Andoval.] 'El *andoba* estaba dispuesto a pirárselas.' '¡Valiente *andoba* estás tú hecho!' 2.ª) Persona a la que se ha hecho referencia, el aludido. (D.). 'Me agarró de la solapa. Quería sacudirme el *andoba*.' 'Ya se había encargao de soplarlo el *andoba*.'

ANDORRERA (inf. y desp.). Mujer que se dedica a callejear. [T. Andorra.] (D.). '¡Habráse visto! ¡Dejarlo todo por una *andorrera!*' 'Estaba de mala leche la *andorrera*.'

ANGINAS (arg.) (n. pl.). Pecho de una mujer. Ús. genrlm. entre gente joven. 'Salió al tablao una con unas *anginas* que pa(ra) qué.' 'Se quedaría bizco mirando las *anginas*, seguro.'

ANGUSTIA («De puta —») (vulg.). Por casualidad, de suerte. 'La jugada le salió bien *de puta angustia*.' '¡Pues si encontramos las gafas será *de puta angustia!*'

ANORMAL (vulg.) (adj.). Usado despectivamente o como insulto equivalente a imbécil o idiota. 'Que te lo dijo en broma, no seas *anormal*.' '¿No encuentras mejor distracción, *anormal*, que darle cogotazos?'

ANUNCIAR (vulg.). En la frase achulada '¿Qué anuncia[s]?', usada jocosamente para referirse a una persona que está en una actitud o postura que llama la atención. '¿Se puede saber *qué anuncias*, macho?' '¡Andá la leche! ¿Y *qué anuncia* el pollo ese?'

28

AÑO («Estar de buen—») (vulg.). Se dice, groseramente, de una mujer atractiva o de formas exuberantes. v. BUENA. 'Antipática y todo lo que quieras, pero *está de buen año.' 'Está de buen año* la Puri, ¿eh, tú?'

APANDAR (arg.). v. AFANAR. (D.).

APAÑAR (arg.) (tr.). Coger algo para apropiárselo. (D.). '*Apañaron* un montón de cosas en los almacenes.' 'Déjalo en el guardarropa, que te lo *apañan.*'

APAÑO (inf. o vulg.) (n.). 1.ª) Relaciones amorosas irregulares con una persona de otro sexo. v. PLAN, 2.ª acep. (¿D?). 'Se le acabó el *apaño* con la criada.' 'Si tirásemos de la manta, cuántos *apaños* descubriríamos.' 2.ª) Novio, -a. Usado por el bajo pueblo. 'Mi hijo gana un buen jornal y además ya tiene *apaño.* ¿Qué más puede pedir?' 'Le trae a mal traer su *apaño.* ¡Consumidito le tiene!

APARATO (arg. y joc.). Órg. gen. masculino o femenino. 'Buen *aparato* tiene el crío, ¿eh?' '¡Qué va! El *aparato* de ellas es mucho más delica(d)o que el nuestro.'

APECHUGAR («¡Sin —!») (vulg. y joc.). Expr. interj. achulada con que una persona se queja o advierte a otra que lo apremia o empuja. '¡Sin *apechugar,* compadre, que todos hemos de salir!'

APIOLAR (fig. e inf.) (tr.). 1.ª) Prender o apresar a alg. (D.). 'Para tu conocimiento te diré que ya les *han apiola(d)o.'* 'De seguro que le *apiolan* en unos días.' 2.ª) Matar. (D.). 'No asoméis la jeta, que os *apiolan* de inmediato.' 'Le *apiolaron* durante la guerra.'

APOQUINAR (inf.) (tr.). Pagar o dar cierta cantidad

29

de dinero; genrlm., se entiende de mala gana. (D.). 'Le llegó una letra y nada, a *apoquinar* cuatro verderones.' '¡Manda narices! ¿De qué van a *apoquinar* ellos?'

APROVECHARSE (inf. o vulg.) (pron.). Propasarse. Aprovechar un hombre la proximidad de una mujer o su trato para buscar contactos físicos con ella. v. Meter MANO. '¡Será cerdo! ¡Pues no intentaba *aprovecharse* de mi hija con estas apreturas!' 'Más tonto será él, si no *se aprovecha* de la ligona.'

AQUÍ («De — te espero») (inf. o vulg.). Se emplea como locución adjetiva ponderativa, equivalente a tremendo o extraordinario. 'Le echaron una bronca *de aquí te espero*.' 'Estaba fumándose un puro *de aquí te espero*.' Tenerlos aquí. v. Con los COJONES.

ARMAS («Pasarla por las —») (arg.). Ref. a una mujer, poseerla sexualmente. 'Se las lleva a su finca y allí *las pasa por las armas*.' '¡Hala, a *pasarla por las armas*! Se creen que el monte es orégano.'

¡ARREA! (vulg). Exclamación de asombro, sorpresa o admiración. (D.). '*¡Arrea*, qué minifalda lleva!' '*¡Arrea*, si ya son las tres!' '*¡Arrea*, la que han arma(d)o!'

ARREAR (vulg.). 1.ª) Apresurarse. (D.). 'Diles que *arreen*, que vamos mal de tiempo.' '¡Que te dejan aquí planta(d)o, *arrea!* 2.ª) Pegar, asestar un golpe. (D.). '¡Te voy a *arrear* un soplamocos que ya verás!' 'Me harté y le *arreé* un guantazo.'

ARREGLO (inf.). v. APAÑO, 1.ª acep. (D.).

ARREJUNTADO, -A (inf. o vulg.) («Estar, Vivir»). Amancebado. 'Fue la chica quien dijo que *es-*

30

taban arrejunta(d)os.' 'Hace mucho que viven arrejunta(d)os.'

ARREJUNTARSE (inf. o vulg.) (pron.). Amancebarse. 'Queriéndose, no me parece mal que *se arrejunten.' 'No puso peros en lo de arrejuntarse.'*

ARRIMARSE (vulg.) (pron.). Buscar una persona en el baile contactos físicos con otra de distinto sexo. Ref. frec. a una mujer. 'Anda, baila con aquélla, que *se arrima* todo lo que quiere.' 'Conmigo sí *se arrima*. Os voy a hacer una demostración.'

ASCO («Morirse de —») (fig. y vulg.). Aburrirse mucho. 'Se marchó del pueblo porque *se moría de asco.' 'Te mueres de asco,* como te caiga Pamplona.'

ASUNTO (arg.) 1.ª) Órg. gen. del hombre o de la mujer. 'La tía aquella no se tapó el *asunto* en ningún momento.' '¿Por qué no te tocas el *asunto* un ratito, majete?' 2.ª) Coito. ◆ Fornicación. 'Hay que olvidarse de las preocupaciones durante el *asunto.' 'Para el asunto,* él se apunta siempre el primero.' 3.ª) v. APAÑO, 1.ª, acep. 4.ª) Dinero. 'Faltando el *asunto,* no hay tu tía.' 'Vienes en busca del *asunto,* ¿no es cierto?'

AÚPA («De —») (inf.) (loc. adj.). Expr. usada para calificar de extraordinaria una cosa. 'Nos dio un susto *de aúpa.' 'Les ofrecieron un almuerzo de aúpa.'*

AVASALLAR («¡Sin —!») (vulg.). v. APECHUGAR.

AVÍO (vulg.) (no frec.). Novio, -a. Usado por el bajo pueblo. 'Se quedó sin el *avío* por culpa de una frescales.' 'Y teniendo *avío,* ¿por qué no te casas, chica?'

AVIÓN («Hacer el —») (inf. o vulg.). Fastidiar o causar un perjuicio a alg. v. Hacer la PUÑETA.

31

'¿No ves que te puede *hacer el avión*, gilí?' 'Le *hacemos el avión* al desgracia(d)o del capataz.'

AZOTEA (fig. e inf.). Cabeza. 'Ni pensarlo, porque se le sube a la *azotea* el título.' 'Muchos mirlos blancos tienes tú en la *azotea*.' No estar bien de la azotea. Estar loco, chiflado. 'Ya decía yo que *no estaba bien de la azotea*.' 'Vosotros dos *no estáis bien de la azotea*. ¡Vaya par de merluzos!'

BANDA («Coger a alg. por —») (inf.). Obligarle a hacer un trabajo o tarea molesta. *'Le cogió por banda* el brigada.' *'Me han cogido por banda* y no salgo hasta que no acabe esto.' ¡Como te [le, os, ...] coja por banda! Locución con que una persona expresa el deseo de ajustar las cuentas a otra.

BANDERA (inf.) (n. cal.). Estupendo, magnífico. Suele aplicarse a una mujer garrida o atractiva. [T. De bandera.] (¿D?). 'Unas cuantas chorbas *bandera* y ligeritas de ropa.' 'Las que te sirven el aperitivo están *bandera.'*

BANQUETE («Darse el —») (vulg.). v. Darse el FILETE.

BÁRBARAMENTE (inf. o vulg.) (adv.). Muy bien, estupendamente. 'Comes *bárbaramente* por muy poquito dinero.' 'Nosotros en la discoteca del barrio lo pasamos *bárbaramente.'*

BÁRBARO, -A (inf. o vulg.) (adj. y adv.). Formidable, extraordinario. 'El traje de chaqueta le sienta *bárbaro*.' 'Teníamos un plan *bárbaro* para el fin de semana.'

BARRIO («El otro —») (fig. e inf.). El otro mundo. (D.). Ús. en las expresiones siguientes: Irse al otro barrio. Morirse. '*Te vas al otro barrio*, sin remisión.' 'Oye, que *se fue al otro barrio* en unos días.' Mandar al otro barrio. Matar. 'En cuanto le descubran, le *mandan al otro barrio*.' 'Tú lo que quieres es que nos *manden al otro barrio*.'

BARULLO («A —») (inf.). En cantidad, abundantemente. 'Allí encuentras setas *a barullo*.' 'Había chavalas en bikini *a barullo*.'

BASE («A — de bien») (inf. o vulg.) (loc. adv.). Muy bueno o muy bien hecho; mucho, en abundancia. 'En el hotel cenamos *a base de bien*.' 'Les pusieron un menú *a base de bien*.'

BASTEZ (vulg.). Bastedad, ordinariez. 'Ha dicho que les huele el sobaco. Fíjate qué *bastez*.' 'Eso que has dicho es una *bastez* como un piano.'

BASTO, -A (vulg. y joc.). En las siguientes frases comparativo-ponderativas: Ser más *basto* que el forro de los cojones de un carabinero. Ser más *basto* que matar un cerdo a besos. Ser más *basto* que pegar a un padre (con un calcetín suda(d)o). Ser más *basto* que unas bragas de esparto.

BEBERCIO (inf. o joc.). Bebida. 'Le gusta con locura el *bebercio*.' '¡Qué sufrimientos a costa del *bebercio!*'

BELFO («Aplaudir el — a alg.») (achul.). Abofetearle. '¡Ojalá te *aplauda el belfo*, imbécil!' '¡Dejarme, jobar, que merece que le *aplauda el belfo!*' 'Por menos *he aplaudido el belfo* a unos cuantos.'

34

BEMOLES («Tener una cosa *(muchos)*—») (inf. o vulg.). 1.ª) Ser difícil. (D.). 'Te advierto que *la cosa tiene bemoles.*' 'No creas, que *la cosa tiene bemoles.*' 2.ª) Se dice con enfado de una acción abusiva. 'Lleva tres meses sin cobrar. ¡Tiene *bemoles la cosa!*'

BENEFICIÁRSELA (arg.). v. Darse el FILETE.

BEO (obsc.) (n. m.). Órgano genital femenino. 'Va Jaimito y le pregunta que dónde tiene el *beo.*' 'Habían pinta(d)o en la pared una gachí con *beo* y todo.'

BERZAS (vulg.) (n. cal.). Se aplica a una persona bruta, torpe o ignorante; también, se emplea como insulto. (D.). [T. Berzotas.] '¡Que no se soluciona a martillazos, *berzas!*' '¡Mira que eres *berzas,* chacho!'

BESTIA (fig. e inf.) (n. cal. us. con art. m. y f.). 1.ª) Dícese de la persona que usa palabras o modales groseros o que hace más uso de la fuerza que de otra cualidad. Se aplica, además, a una persona torpe e ignorante. Se emplea como insulto. (D.). '¡Hombre, no seas *bestia,* que hay mujeres delante!' 'Sabiendo que es un *bestia,* ¿por qué juegas con él?' 2.ª (vulg.) («Estar, Ponerse»). Dominado por el deseo sexual. 'El perfume que lleva *me pone bestia.*' '¡Anda, que cuando *os ponéis bestias...!*' Estar hecho un bestia. I) Se dice de una persona, robusta, fuerte o musculosa. 'A ver quién le reconoce ahora. *Está hecho un bestia.*' II) Por-antífrasis, se aplica a una persona muy traba-jadora, estudiosa o inteligente. 'Cuatro matrí-culas y dos sobresalientes. *¡Estás hecho un bestia!*' Ser una mala bestia. I) Aplícase a la persona de malas intenciones, que procura hacer daño. 'Da unas palizas de espanto a los muchachos. *Es una mala bestia.*' II) v. Estar hecho un bestia, 2.ª acep.

BESTIAL (vulg.) (adj.). 1.ª) Tremendo, descomunal. (¿D?). 'Ponme pronto la comida, que tengo un hambre *bestial.*' 'Conduciría muy bien, pero el despiste es *bestial.*' 2.ª) Magnífico, extraordinario. (D.). 'Le han propuesto un negocio *bestial.*' 'Os dan unas comisiones *bestiales.*' 3.ª) Se dice, frecuentemente, de una mujer que impresiona por su belleza o su buen tipo. '¿Te has fija(d)o en la gachí que acaba de pasar? ¡Está *bestial!*' 'Vente al teatro, que salen unas tías *bestiales.*'

BESTIALMENTE (vulg.) (adv.). Formidable, estupendamente. 'Cada vez que nos reunimos a contar chistes, lo pasamos *bestialmente.*' 'Les han trata(d)o *bestialmente.* Mejor, imposible.'

BIBLIA («La — (en verso)») (vulg. o inf.). El colmo, el summum. Se aplica a lo extraordinario en sentido ambiguo: encomiable, elogioso, o bien, censurable, desfavorable. 'Les enseñaron unas miniaturas talladas en marfil, que eran *la Biblia en verso.*' 'Nos hicieron revisar los dos librotes de contabilidad. *¡La Biblia!*'

BIENHECHO, -A (vulg.). 1.ª Se dice de una persona guapa o de buen tipo. Se usa como requiebro plebeyo. 'Reconoce que su prima está *bienhecha.*' '¡Cuánto tiempo sin verte, *bienhecha!*' 2.ª) (irón.). Aplícase a una persona fea, desproporcionada, etc. '¿Por qué no sales tú con la *bienhecha,* majo?' '¿Qué os decía el *bienhecho* ese?' 3.ª) Usado como apelativo amistoso por el bajo pueblo. 'Acércate a tomar

36

algo, *bienhecho*.' '¿Qué hay tú, *bienhecho*? ¿Qué te cuentas?'

BIGOTE[s] («De —») (inf.). Locución adjetiva usada con el significado de enorme, tremendo o importante. 'La última vez se metió en un lío *de bigote*.' 'Nos creará unos problemas *de bigotes*.'

BILLETE (inf.). Por antonomasia, billete de mil pesetas. V. VERDE. 'He soltado diez *billetes* esta mañana.'

BIRLAR (inf.) (tr.). Quitar algo a alguien con engaño o dejándole chasqueado. (D.). 'Le *birlaron* la moto mientras se tomaba una caña.' 'Tiene un cabreo mayúsculo con eso de que le *han birla(d)o* la novia.'

BIRLÁRSELA (arg.). Ref. a una mujer, poseerla sexualmente. ◆ Fornicar. 'No lo pensó dos veces. *Se la birló* y asunto concluido.' '*Se la han birla(d)o* ya, ¡qué sé yo!, la tira.'

BOCA («Partir a alg. la —») (vulg.). Golpearle en la cara, abofetearle. Se usa, genrlm. como expr. hiperbólica de amenaza. [T. Romper la cara.] '¡A ese majadero le voy a *partir la boca* por chivato!' '¡Ganas de *partirle la boca*, mecagüen!'

BOCAZAS (vulg.) (n. cal.). Persona que habla más de lo que es discreto. (D.). 'Está claro que es un *bocazas*.' '¡No seas *bocazas*, Julio!'

BOCERAS (inf.) (n. cal.). 1.ª) Aplíc. a la persona que habla más de lo que es prudente o que presume de lo que no hace o no es capaz de hacer. (D.). 'No le puedes confiar nada. Es un *boceras*.' 2.ª) Se aplica con desprecio a una persona. (D.). '¡Que te calles ya, *boceras*!'

BOFIA (j. del. y vulg.). Policía. 'Dejó el asunto de

37

las drogas porque no quería jaleos con la *bofía.*' '¿De cuándo acá esa amistad entre la *bofia* y estos parias?'

BOLAMEN (vulg. y joc.). Testículos. '¡Coño, no tiene ninguna gracia que te inspeccionen el *bolamen!*' '¡Qué infección sería que tenía el *bolamen* a reventar!'

BOLAS (vulg.) (n. pl.). Testículos. v. COJONES 'Escapa(d)o te extirpan las *bolas* y te quedas como un eunuco de ésos.' 'Le va a caer la noticia como una patada en las *bolas.*'

BOLO (fig. y vulg.). 1.ª) Genitales masculinos. 'Me dio un balonazo en todo el *bolo.*' 'Bien repanchingao y llevándose la mano al *bolo* a ratos.' 2.ª) Moneda de cinco pesetas. 'Le han da(d)o un *bolo* de propi.' 'Mientras no metas un *bolo* en la máquina, no funciona.' Estar con el bolo colgando. Se dice de un hombre en cueros. *'Estaba con el bolo colgando,* paseándose por la playa, como si tal cosa.' Estar tocándose el bolo. I) Estar ocioso o no trabajar lo debido. '¡Decir que pringan, cuando *están tocándose el bolo* la mañana entera!' II) Estar distraído, atolondrado. '¡Hombre, que *esté tocándose el bolo* y luego me diga que no lo entiende!'

BOLSA (arg.). Escroto. (D.). 'Siempre se ponen una protección para la *bolsa.*' 'Un extremo del manillar le jodió prácticamente la *bolsa.*'

BOMBA (inf. o vulg.) (adv.). Muy bien, estupendamente (Es expr. malsonante, de creación reciente y bastante usada entre gente joven). 'El domingo en su casa lo vamos a pasar *bomba.*' 'Lo pasa uno *bomba* en los carnavales.'

BOMBO (fig. y vulg.). Vientre abultado por embarazo. Ús. principalmente en las siguientes fra-

38

ses: Estar con *bombo*. Dejar con *bombo*. Tener *bombo*. v. TRIPA. 'Antes de irse a la mili, la *dejó con bombo*.' '¿Que si se nota, dices? Tiene un *bombo* de aquí te espero.'

BOTAS («Ponerse las —») (vulg.). v. Darse el FILETE.

BOTE («Dar el —») (vulg.). Echar fuera a alg. o despedirlo. 'Por lo menos no des motivos para que te *den el bote*.' 'A la mañana siguiente le *dieron el bote*.' Darse el bote. Irse, marcharse con cierta precipitación. 'Venga, *date el bote*, que no quiero líos.' '*Se dio el bote* el cabrón, que si no...' Chupar del bote. Comer y/o beber a costa de otro. En general, obtener algo sin méritos o sin esfuerzos. 'Mi cuñada viene a casa a *chupar del bote*.' '¡Qué menos que *chupar del bote*, oye!'

BRAGA («Estar [Dejar] hecho una —») (vulg.). Estar muy cansado, agotado. v. Hecho una MIERDA. 'El viaje le ha deja(d)o *hecho una braga*.' 'Estoy reventao. Lo que se dice *hecho una braga*.' En bragas. I) («Estar»). Sin dinero. 'No sé con qué vamos a comer. *Estoy en bragas*.' II) («Coger, Pillar»). Sin estar preparado o listo para algo. v. PELOTA '¿Qué hará que siempre le *coge en bragas?*' III) (íd.; íd.). Entre estudiantes, no saber nada de una lección o materia de examen. [T. Ir en bragas.] 'La prueba de Biología me *pilló en bragas*.' Enseñar [Vérsele] las bragas. Se dice de una mujer que está en una postura indecorosa o que va vestida impúdicamente. 'Desde aquí *se le ven las bragas*.' 'Fíjate, qué manera de *enseñar las bragas*.'

BRAGAZAS (fig. e inf.) (n. cal.). Hombre sin carácter, que se deja dominar fácilmente, en espe-

39

cial por su mujer. (D.). '¿Quién puede sentir admiración y respeto por un *bragazas* como tú?' '¡Pronto se te ha olvidado que eres el cabeza de familia! ¡Ay, *bragazas!*'

BRAGUETA («Oír por la — (como los gigantes)») (vulg.). Ser tardo de oído o entender mal algo. '¡Leñe, parece que *oyes por la bragueta.*' Ser hombre de bragueta. I) Ser lujurioso o fornicador. 'Los que frecuentan estos tugurios *son hombres de bragueta.*' II) (no frec.). Ser valiente, decidido. v. COJONUDO. 'Entérate bien. Sólo *hombres de bragueta* acometen semejantes empresas.'

BRAGUETAZO («Dar el —») (vulg.). I) Hecho de casarse un hombre pobre o humilde con una mujer rica o de clase social más elevada. (D.). 'Hasta que no *dio el braguetazo,* su familia no prosperó.' 'El mayor chollo de su vida fue *dar el braguetazo* con la alemana.' II) (no frec.). Fornicar. 'Se supo que allí *daban el braguetazo* personas muy importantes.' '¡No hay sitio donde *dar el braguetazo* en esta puta ciudad!'

BRAGUETERO (vulg.). 1.ª) Lujurioso. (D.). 'Es una clientela de tipos *bragueteros,* naturalmente.' 'Son filmes especialmente hechos para *bragueteros,* que nunca escasean.' 2.ª) Mujeriego. 'Le ha da(d)o por decir que su novio es un *braguetero.*' 'A sus cincuenta años era un *braguetero* de órdago.'

BRONCE («Ligar —») (arg.). Broncearse al sol. 'Vuelven de la playa hartitas de *ligar bronce.*' 'Se pasó el verano *ligando bronce* en la piscina.'

BRUTO («Estar [Ponerse] —») (vulg.). Dominado por el deseo sexual. '*Os ponéis brutos* y no

40

reparáis en nada.' 'Lleva unos días que *está* muy *bruto*.'

BUCHE (fig. e inf.). Estómago. (D.). 'Mete el *buche*, que así no puedo probarte.' '¡Vaya *buche* que tiene el amigo!'

BUDA («¡Me cago en los cojones de —!») (vulg.). Fr. interj. con que se expresa ira, enojo, fastidio o enfado. '*¡Me cago en los cojones de Buda!* ¡Otra vez se me ha roto!'

BUENA («Estar —») (obsc.). Se dice de una mujer guapa o hermosa. [T. Buenaza, Buenorra, Buenona.] '*¡Qué buena estaba* la intérprete!' 'Las tres hijas *están muy buenas*.' ¡Tía buena! Aplicado a una mujer como apelativo o requiebro soez. [T. Tía pulpo.] '*¡Eso es garbo y lo demás es cuento, tía buena!*'

BUJARRA (arg.). Homosexual activo. [T. Bujarrón.] (D.). 'Estaban metidos en el ajo algunos *bujarras*.' 'Se rumoreaba que había un *bujarra* entre los del ballet.'

BUJERO (vulg.). Agujero. 'Quería hacer un *bujero* en la madera con un destornillador.' 'Aunque el *bujero* sea más grande, no importa.'

BUREO (inf.). 1.ª) («Irse de —»). Juerga, francachela. (¿D?). 'A la salida de la oficina *se van de bureo*.' '*Se fueron de bureo* después de la junta.' 2.ª) («Darse un —»). Paseo, vuelta. 'Vamos a *darnos un bureo*, a ver qué pasa.' '*Date un bureo*, pero no vayas muy lejos.'

BURRADA («Una —») (vulg. o inf.). Locución adverbial equivalente a mucho o muchísimo. 'Le gusta *una burrada* bailar.' '¡Cómo no le va a sentar mal, si come *una burrada!*'

BURREAR (vulg.). 1.ª) En el fútbol y entre chicos, regatear. 'Éste *burrea* a todo el que se ponga

41

delante.' 'Le *burrea* dos veces seguidas y marca un gol.' 2.ª) Superar o aventajar a alg. fácilmente. v. MEAR. 'La temporada pasada les *burrearon* a base de bien.' 'Ni que decir tiene que le *burrea* a más y mejor.'

BURREO («Hacer un —») (vulg.). v. BURREAR, 1.ª acep.

BURRO («Estar [Ponerse] —») (vulg.). Ardiente sexualmente. v. CACHONDO. 'El alcohol enseguida *le pone burro*.' 'El novio *estaba* más *burro* que la mar.' No ver tres en un burro (inf). Ver muy poco. 'El chico de la Justina *no ve tres en un burro*. Pa qué nos vamos a engañar.'

BUSA («Tener —») (inf.). Hambre. 'Me suenan las tripas de la *busa* que *tengo*.' 'Oye, ¿no decías que *tenías* tanta *busa?*'

BUSCONA (inf. o vulg.) (adj.). Prostituta. (D.). 'Empinaba el codo la *buscona* de una forma...' '¡Menudo pitote le armó la *buscona!*'

BUTEN («De —») (vulg.). Buenísimo, excelente. (D.). 'Desde luego el jamón estaba *de buten*.' 'Le ha salido *de buten* la ternera mechada.'

C

CABRA («Como una —») (fig.; vulg. o inf.) («Estar»). Loco, chiflado. 'Está *como una cabra* su abuela.' 'Hace las cosas más extrañas que he visto. Está *como una cabra*.'

CABREADO, -A (fig. y vulg.) («Estar»). 1.ª) Irritado, enfadado o molesto. '¿*Estarán cabrea(d)os* entonces, no?' 'No le han ido bien las ventas. Por eso *está cabrea(d)o*.' 2.ª) Receloso, desconfiado. 'Lo noto algo *cabrea(d)o* a Ortiz.' 'Háblale con tiento, porque *está cabrea(d)o* desde que le cambiasteis de puesto.'

CABREANTE (fig. y vulg.) (p. adj.). Se dice de una persona o de una cosa que cabrea. 'Continuamente está hablando de sí mismo. De verdad que es un tipo *cabreante*.' 'Es *cabreante* que, después del palizón que me he da(d)o, no me dejen entrar.'

CABREAR (fig. y vulg.). Amostazar. Hacer que alg. se irrite o enfade. (D.). 'No te puedes imaginar lo que *cabrea* tanto papeleo.' 'Es que me *cabrea* muchísimo que siempre se haga su voluntad.'

43

CABREARSE (fig. y vulg.) (pron.). 1.ª) Enfadarse o irritarse. (D.). 'A eso le respondí que él tenía la culpa y se *cabreó* un montón.' 'Y eso lo haces para que *se cabreen*, ¿no?' 2.ª) Ponerse receloso o desconfiado. (D.). 'Si delante de ella hablas con uno en voz baja, *se cabrea*.' 'Díselo personalmente, con el fin de que no se *cabree*.'

CABREO (fig. y vulg.). Efecto de cabrear[se]. (D.). '¡Vaya un *cabreo* que tiene por la escapada de su hijo!' 'El *cabreo* le va a durar hasta mañana.' Entrarle a alg. el cabreo. Cabrearse. 'Es de temer como *le entre el cabreo*.' 'Que *le entró el cabreo*. Eso es todo.'

CABRITADA (fig. y vulg.) (n.). v. CABRONADA, 3.ª acep.

CABRITO (vulg.). 1.ª) Dícese del hombre que consiente el adulterio de su mujer. (D.). '¿Es preciso recordarte que eres un *cabrito?*' 'Me dan lástima los *cabritos*. Y ya me entiendes.' 2.ª) (a. t. a. m.). Persona malintencionada o que causa un gran perjuicio. 'Siete años trabajando para él y ahora quiere echarlo. ¡Será *cabrito!*' '¡Que se lo he roba(d)o, dice la tía *cabrita!*' 3.ª) Se aplica como insulto violento a un hombre, contra el cual tiene quien se lo aplica graves motivos de irritación. '¡Que es un paso de cebra, *cabrito!*' '¡Me estás haciendo daño, *cabrito!*' 4.ª) Entre amigos, mala persona. 'No será por falta de dinero, *cabrito*' 'Venga, acompáñame al estanco, no seas *cabrito*.' 5.ª) Entre prostitutas, cliente. (D.). 'Nunca tuve problemas con el *cabrito*.' 'Como el *cabrito* es el que paga, pues a mandar.' Hacerlo un cabrito. Ser infiel la mujer al marido. v. Ponerle los CUERNOS. 'El pueblo entero supo que *le hizo un ca-*

44

brito.' 'Le ha hecho un cabrito al año de casa(d)os.' Hecho un cabrito. I) Fastidiado, aburrido o harto. 'Tú tranquilamente en Aranjuez, mientras yo te espero aquí *hecho un cabrito.'* II) Se dice del hombre que trabaja mucho, que hace un gran esfuerzo por lograr algo o que vive mal. [T. Como un cabrito.] 'Estar siempre entre cuatro paredes, *hecho un cabrito,* eso no es vida.' Olerse el cabrito. Sospechar un hombre la infidelidad de su mujer. 'Bastó ese simple detalle, para que *se oliera el cabrito.'* 'Regresó a casa más pronto, porque *se olió el cabrito.'*

CABRÓN (vulg.). 1.ª) Se aplica al hombre a quien su mujer es infiel, particularmente cuando es con su consentimiento. (D.). 'Todavía no sabe que es un *cabrón.* Ya se enterará por las vecinas.' 'De acuerdo que es un *cabrón.* Pero como dice el refrán: «Sarna con gusto, no pica».' 2.ª) (T. ús. en f.). Persona de malas intenciones o que causa un gran daño. (D.). [T. Cabrón con pintas.] 'Se burla de nuestros derechos y de nuestras súplicas. ¡Es un *cabrón!*' '¡Venga a murmurar y murmurar! ¡Mira que es *cabrona* esa mujer!' '¡Son unos *cabrones* de primera!' 3.ª) Se aplica como insulto grave (a. t. a. m.). '¡No tienes el menor sentido de la dignidad, *cabrón!*' '¡Ojalá se arruine, tía *cabrona!*' '¡Vete a la mierda, *cabrón!*' 4.ª) Ús. entre amigos con el significado de mala persona. 'No seas *cabrón,* hombre, que el chavea no lo hizo a caso hecho.' 'Podías haberte acordao, *cabrón,* de nosotros.' 5.ª) (con. art. det. m.). Se usa con referencia a una persona ya mencionada. 'Pues se saltó la zanja *el cabrón* con una agilidad tremenda.' 'Casi nos deja sin ensaladilla. ¡Y dice *el cabrón* que no tiene ganas!'

CABRONADA (vulg.). 1.ª) Conformidad de un marido con la infidelidad de su mujer. (¿D?). 'No sólo admite la *cabronada*, sino que incluso la favorece.' 'Por muy enamora(d)o que estuviera de ella, jamás pasaría por la *cabronada*.' 2.ª) Por extensión, conformidad con cualquier vejación. (¿D?). 3.ª) Acción malintencionada y generalmente injusta, que fastidia mucho o causa un gran perjuicio. (D.). 'Le robaron el coche, le quitaron la radio que llevaba, le destrozaron el motor... En fin, una *cabronada*.' ¡Hacerme ir andando doce kilómetros! ¡Qué *cabronada!*'

CABRONAMENTE (vulg.). 1.ª) Con mala intención o de forma malvada. 'Es gente amargada y resentida, que actúa *cabronamente*.' 'Le atacó *cabronamente* a través de un editorial.' 2.ª) («Vivir»). Mal, miserablemente. 'Nada, que estamos condena(d)os a *vivir cabronamente*.' 'De no haber sido por él, estaría *viviendo* yo *cabronamente* en cualquier parte.'

CABRONAZO (vulg.). 1.ª) Aumentativo de cabrón. [T. El muy cabrón.] '¡Que me haya quita(d)o horas de sueño por ti, *cabronazo!*' '¡Qué pandilla de *cabronazos* son, coño!' 2.ª) A veces, se usa como expresión cariñosa entre amigos. '¿Conque querías marcharte sin invitarnos, eh, *cabronazo?*' 'Anda, *cabronazo*, sorpréndenos con esos puros especiales.'

CABRONCETE (vulg.). 1.ª) Diminutivo enfático de cabrón. 'Alguna que otra vez se comportó como un *cabroncete*, pero por lo demás...' 'Tenía mejor conceptua(d)o a ese *cabroncete*, ¿sabes?'

46

2.ª) Hombre sin valor, un pobre diablo. 'Algunos *cabroncetes* paga(d)os repartirían las octavillas.' 'Toda su vida ha sido un *cabroncete*, a pesar de su apellido.'

CABRONZUELO (vulg.). v. CABRONCETE, 1.ª acep. (D.).

CACA (fig. y vulg.). Cosa de poco valor o mal hecha. 'Son una *caca* la mayoría de sus cuadros.' 'Se compró un coche de segunda mano que era una *caca*.'

CACHAS. 1.ª) (fig. y vulg.). Nalgas. (D.). 'Tiene más *cachas* la representante española, sí.' 'No hay vez que se suban las chicas a la escalera que no les mire las *cachas*.' 2.ª) (vulg.) (adj.) («Estar»). Persona fuerte y musculosa. 'De tanta gimnasia como hacen *están cachas*.' '¡Jo, qué *cachas están* estos dos naaddores!'

CACHONDAMENTE (vulg.). 1.ª) De modo lujurioso o incitante. 'La mujer aquella se contoneaba *cachondamente* por delante del cuartel.' 'La fiesta acabó *cachondamente*, cambiándose uno con otro la esposa.' 2.ª) De manera divertida, graciosa o burlona. (¿D?). 'Se lo pasaban *cachondamente* en su chalet.' 'Las votaciones se hicieron *cachondamente*.'

CACHONDEARSE (vulg.). Burlarse, reírse de alg. (D.). 'Vais listos si pretendéis *cachondearos* de mí.' 'Estos niños *se cachondean* del más pinta(d)o, te lo aseguro.'

CACHONDEO (vulg.). 1.ª) Acción o efecto de cachondearse. '¿Es acaso aceptable el *cachondeo* respecto a sentimientos íntimos?' 'El *cachondeo* puede traer malas consecuencias.' 2.ª) Juerga, diversión. 'Estuvieron de *cachondeo* por los mesones típicos.' 'Tenías que haberle visto bailar. ¡Qué *cachondeo!*' 3.ª) Jaleo, alboroto. 'Se

47

dedican a armar *cachondeo* en los cines.' 'Está deseandito que haya *cachondeo*.' 4.ª) Burla, chacota. [T. Cachondeíto.] 'No me vengas con *cachondeos*, que la cosa es bastante seria.' 'Dejad el *cachondeo* para cuando estéis con vuestra familia.'

CACHONDEZ (vulg.). Estado de cachondo. 'En cuestión de segundos llegaba a una *cachondez* impresionante.' 'Por favor, no confundas la *cachondez* con el amor.'

CACHONDO, -A (vulg.) (adj.). 1.ª) («Estar, Ponerse»). Se aplica a la persona rijosa, dominada por el apetito sexual. (D.). *'Se puso cachonda* con el vino y las cosquillitas.' 'Aquel día *estaba* yo *cachondo*.' 2.ª) («Ser»). Lujurioso o que excita el deseo sexual. 'Sobre todo, le gustaban las mujeres *cachondas*.' 'Al cabo de unos meses se convenció de que su novio era *cachondo*.' 3.ª) (íd.). Juerguista, jaranero. 'Por ser demasia(d)o *cachondos* se vieron en chirona.' 'No son malos chicos. Unicamente algo *cachondos*.' 4.ª) Burlón, gracioso o chistoso. (D.). 'Se ríe de su sombra. Es un *cachondo*.' 'Tenía un taconeo *cachondo* la niña.' 5.ª) Cachondo mental. Aplícase a la persona que dice o hace algo disparatado, absurdo o inoportuno. 'Siendo tan *cachondo mental*, no te lo toman en serio.' '¡Qué *cachondo mental* este Jorge!'

CACHONDÓN, -A (vulg.). Aumentativo de cachondo. 'Se le da de perlas distinguir a las hembras *cachondonas*.' 'Se puso de un *cachondón* tremendo.'

CADENAS (arg.) (n. cal.). Presuntuoso, jactancioso. v. FANTASMA. 'No te creas nada de lo que te

48

diga, que es un *cadenas*.' 'Otra cosa será, pero *cadenas*, nada.'

CADERAMEN (inf. y joc.). Caderas muy anchas, especialmente las de una mujer. '¡Vaya *caderamen* que tiene la del cuarto!' '¿Pero hay faja para un *caderamen* de ese calibre?'

CAFÉ («Estar de mal —») (fig. e inf.). Estar enfadado, de mal humor. [T. Estar de mal yogur.] '¿Y qué culpa tengo yo que *esté* él *de mal café?*' 'Se levanta de la siesta *de mal café*.' Tener mal café. I) Tener mal carácter. 'Ya se ve que *tiene mal café* su hijo.' II) Tener mala intención. 'El volantazo que dio *tenía mal café*.'

CAGADA (gros.). 1.ª) Excrementos expulsados al hacer de vientre cada vez. (D.). 'Echa cada *cagada* que te quedas bizco.' 'Llevan ahí esas *cagadas* una porrada de tiempo.' 2.ª) (no frec.). Desacierto, disparate (¿D?). 'Resultó una *cagada* su propuesta.' 'Es una *cagada* confiarle al pelagatos ese gestión tan importante.'

CAGADERO (gros.). Sitio donde la gente acostumbra a ir a hacer de vientre. (D.). 'Si pusieran una flechita, encontraríamos más pronto el *cagadero*.' 'Han hecho obra en el *cagadero*. Está más decentito.'

CAGADO, -A (fig. y vulg.) (adj.). 1.ª) («Ser»). Cobarde o pusilánime. (D.). '¡A buena hora se da cuenta de que *son unos caga(d)os!*' 'Si no lo haces, *eres un caga(d)o*.' 2.ª) («Estar»). Acobardado, asustado. 'Avanzamos mucho, a sabiendas de que los otros *estaban caga(d)os*.' 'El tío *está cagao* por esa carta amenazadora.'

CAGALERA (gros.). Diarrea. (D.). [T. Cagaleta.] '¿Con qué se me podría cortar esta *cagalera*, tú?' 'Después te entra una *cagalera* que no quieras tú ver.'

CAGAR (gros.). 1.ª) Hacer de vientre. (D.). 'Se puso a *cagar* detrás de las motos.' '¡Tenéis unas horas más raras de *cagar!* 2.ª) (fig.). Estropear cualquier cosa; material o no materialmente. (D.). '¡Todavía vas a *cagar* el viaje que teníamos proyecta(d)o!' '¿Qué te va a que le *cagan* el rollo de película?

CAGARLA (fig. y vulg.). 1.ª) Cometer una torpeza, indiscreción o desacierto. Ús. genrlm. en frase interjectiva. '¡Ay, amigo! ¡Te casaste, *la cagaste!*' 'Eso había que decírselo después de que nos diera el dinero. ¡Ya *la has caga(d)o*, estúpido!' 2.ª) A veces, se emplea para expresar la frustración de un asunto por algún imprevisto o contratiempo. v. JODERLA. 'Se nos ha pasa(d)o el plazo de matrícula. *¡La hemos caga(d)o!*' 'Se ha puesto a llover. *¡La cagamos!*'

CAGARRUTA (fig. y vulg.). Cosa mal hecha o despreciable. 'Tu hermano no trae más que *cagarrutas* a esta casa.' '¡Sólo faltaba que la canción fuera una *cagarruta!*'

CAGARSE (gros.) (pron.). 1.ª) Hacerse de vientre; evacuar excrementos involutariamente o en cierto sitio o circunstancias que se expresan (¿D?). v. PATA. 'Hace un poco le he puesto en el orinal. ¡Pues *se ha cagao!*' 'El pobre viejo incluso *se cagaba* en la cama.' 2.ª) («de miedo»). Tener mucho miedo. Acobardarse o achicarse. 'Ya verás como *se caga de miedo* en cuanto se lo digas.' 'Apenas los vean aparecer, *se cagan.*' 3.ª) («en»). Se emplea en exclamaciones groseras de enfado o irritación o en blasfemias.

50

De insulto o imprecativas:
'¡Me cago en la leche que te [le, os] han da(d)o!' '¡Me cago en la madre que te [le, os] parió [echó]!' '¡Me cago en tu [su, vuestra] madre!' (Más grave aún si a madre le precede el epíteto puta). '¡Me cago en tu [su, vuestro] padre!' [T. '¡Me cago en el padre que te [le, os] hizo!']. '¡Me cago en toda tu [su, vuestra] familia!' '¡Me cago en tu estampa [sombra]!' '¡Me cago en tus [sus, vuestros] muertos!' De enfado, irritación o admiración:
'¡Me cago en...!' [¡Me cagüen!]. '¡Me cago en diez!' '¡Me cago en la leche!' [T. '¡Me cago en la leche puta [jodía]!']. '¡Me cago en la mar (salada)!' '¡Me cago en la mierda!' '¡Me cago en la porra!' '¡Me cago en la puta [de oros; de bastos]!' '¡Me cago en los cojones [de Mahoma; de Buda]!' '¡Me cago en su madre [padre]!' 4.ª) Que se caga la perra. Locución con que se califica algo de extraordinario o sorprendente. 'Les hago un árbol de Navidad *que se caga la perra.*' 'Llegas allí en yate y es *que se caga la perra.*'

CAGATINTAS (vulg.). Chupatintas. Oficinista de poca importancia. (D.). 'Sus aspiraciones se reducen a ser un *cagatintas* toda su puta vida.' 'El grupo de *cagatintas* es el más numeroso.'

CAGATORIO (gros. y joc.). Retrete. (D.). 'Que te vienen ganas de ir al *cagatorio* y estás perdido.' 'Es el segundo que me pregunta por el *cagatorio.*'

CAGÓN, -A (gros.). 1.ª) Se aplica al que hace muchas veces de vientre; genrlm. a un niño. (D.). 'Creo recordar que de pequeña eras bastante *cagona.*' '¡Qué *cagón* nos ha salido el niño, madre!' 2.ª) (fig.). Persona cobarde, pusilánime. (D.). 'Si los míos fueran tan *cagones*, estaríamos frescos.' '¡Sacrifícate por ellos, no seas *cagón!*'

CAGUETA (vulg.) (n. cal.). Aplíc. a una persona cobarde o pusilánime. (D.). '¿Qué van a decir los jefes, cuando sepan que eres un *cagueta?*' 'Por mucho que nos cueste aceptarlo, somos unos *caguetas*, José.'

CAGUITIS (vulg. y joc.). Miedo o cobardía. 'La *caguitis* impide que haya unión. Es cierto.' '¡Deja la *caguitis* para otro momento, coño!' Entrarle a alg. (la) caguitis. Tener miedo o acobardarse. ◆ Desistir de un propósito. '*Les entra la caguitis* al pensar en el despido.' 'Solamente pido que no *le entre la caguitis* durante la operación.'

CALA (arg.). Moneda de una peseta. [T. Calandria.] 'Calculo que saldrá por encima de las seiscientas mil *calas*.' 'Si lo quieres, te lo vendo por ochocientas *calas*.'

CALADA [CALÁ] (vulg.) Chupada breve que se da a un cigarrillo o puro encendido. 'Antes de tirarlo, deja que le dé una *calá*.' 'Ni me dio tiempo a echar una *calá*.'

CALAR (fig. e inf.). Penetrar en las intenciones o manera de ser o de pensar de alguien. (D.). 'Que no me venga con historias, que *le he cala(d)o*.' 'Cambia de vestimenta, porque así *te calan* rápido.'

CALCETÍN («de viaje») (arg.). Preservativo. 'He de enterarme dónde ha comprao el *calcetín de viaje*.' 'Eso sí, el *calcetín de viaje* que no falte.' Ir a golpe de calcetín (inf. y joc.). Ir a pie, andando. '*Irán a golpe de calcetín*, digo yo.' 'Fueron allí *a golpe de calcetín*.'

52

CALCOS (vulg. o inf.). Pies. 'Quita de ahí los *calcos*, no seas guarro.' '¿Por qué no pones los *calcos* en otro sitio, rico?'

CALDO («Cambiar el — a las aceitunas») (arg.). Orinar. '¡Jolín, cuánto tarda en *cambiar el caldo a las aceitunas!* 'Cambio el caldo a las aceitunas* y nos vamos pitando.'

CALENTAR (fig. y vulg.). 1.ª) Excitar el apetito sexual. 'Esos movimientos y esas miraditas te *calientan* por muy frío que seas.' 'A mí que lleven las faldas por encima de las corvas no me *calienta*.' 2.ª) Golpear, pegar a alg. (D.). '¡Baja de la mesa, que te *caliento!* 'Ya *le he calenta(d)o* esta mañana, ya.'

CALENTARSE (vulg.) (pron.). Enardecerse sexualmente. 'No exageremos, oye, porque *se calientan* según y cómo.' 'Con un par de besos que se den, *se calientan* una barbaridad.'

CALENTÓN, -A (vulg.). 1.ª) Ardiente sexualmente. 'Es mucho mejor que sea *calentona* que no un témpano.' 'Pese a estar *calentón*, supo dominarse.' 2.ª) Persona o cosa que excita el deseo sexual. V. CACHONDO. 'Es una actriz *calentona*, pero que borda los papeles.' 'Había un ambiente *calentón* en la fiesta.' Darse el calentón. Ponerse rijoso. (¿D?). 'Diles que no vayan a lo oscuro, que luego *se dan el calentón*.' 'Se dieron el calentón* en el garaje.'

CALENTORRO, -A (vulg.). Calentón. 'No le faltaba más que eso con lo *calentorro* que es.' 'Se ponen *calentorras* una cosa mala.'

CALICHE («Echar un —») (arg.). Cohabitar. ◆ Fornicar. 'Vienen a la capital tan sólo por *echar un caliche*.' 'Ante la perspectiva de *echar un caliche*, le doró la píldora.'

CALIENTAPOLLAS (vulg.) (n. cal.). Mujer que excita sexualmente a un hombre, pero que no fornica. '¡Mira por dónde la melindrosa resultó una *calientapollas!*' '¡Que se busque otro arrimo la *calientapollas!*'

CALIENTE (vulg.). 1.ª) («Estar, Ponerse»). Se dice de una persona rijosa, dominada por el apetito sexual. 'Las escenas de la película *le habían puesto caliente.*' '*Estaba caliente* a causa de los abrazos.' 2.ª) («Ser»). Lujurioso, o que excita el deseo sexual. 'Solteronas *calientes* hay a patadas, vamos.' 'El único requisito es que sean *calientes.*' Mojar caliente (arg.). Practicar el coito. ♦ Fornicar. 'Es natural que, pasada la cuarentena, quiera *mojar caliente.*' 'Estuvo horas encabezona(d)o en que tenía que *mojar caliente.*'

CALIQUEÑO (arg.). Pene. 'En su vida había visto un *caliqueño.*' 'Tenía el complejo de *caliqueño* canijo.' Echar un caliqueño. Hacer el acto sexual. ♦ Fornicar. 'El borracho no estaba en condiciones de *echar un caliqueño.*' 'Varios camioneros paraban a *echar un caliqueño* en ese hostal.'

CALLEJERA (inf.?). v. ANDORRERA. (¿D?).

CALLO (arg.). Dícese de una mujer fea. [T. Callicida.] 'Sois la leche. Le largáis unos *callos...*' 'Es el *callo* más grande que te puedas echar a la cara.' Dar el callo (vulg. o inf.). Trabajar. '¡Feliz tú que no tienes que *dar el callo!*' 'Eso para mí no cuenta. ¡Que *den el callo* otros!'

CALZONAZOS (fig. e inf.). Hombre que se deja dominar, particularmente por su mujer. [T. Calzorras.] (D.). '¡Debería darte vergüenza que digan que eres un *calzonazos!*' '¿Dónde están los reaños, so *calzonazos?*'

CAMA («Llevársela a la —») (inf. o vulg.). Ref. a una mujer, poseerla sexualmente. V. ACOSTARSE. 'Más pronto o más tarde, pero *se la lleva a la cama.*' 'Lo que buscaba era que *me la llevase a la cama.*' Ser hombre de cama. Saber satisfacer en el amor sexual a una mujer. 'Algunas extranjeras dicen que no somos *hombres de cama.*'

CAMELADOR, -A (inf.) (adj.). Aplicable al que camela. (D.). '¡Al carajo los *cameladores!*' 'No me gustan un pelo los *cameladores.*'

CAMELAR (inf.). Conquistar, engatusar. Ganarse la simpatía o el favor de alg. adulándole, halagándole, lisonjeándole o aparentando ciertas buenas cualidades que no se tienen realmente. (D.). '¡Qué bien se le da al jodío *camelar* a su padre!' 'El tío se *camela* a la gente que es un primor.' ◆ Enamorar o tratar de enamorar a una persona del otro sexo. (¿D?). 'Quiso *camelar* a la sueca, pero se quedó con un palmo de narices.' 'A mí ésa no me *camela*, te lo digo yo.'

CAMELISTA (inf.). (adj. y n.). Se dice de la persona que usa camelos para engañar o que es aficionada a hablar en camelo, por broma. (D.). [T. Camelante.] 'Haces bien en desconfiar de estos *camelistas.*' 'Distingo a los *camelistas* a una legua.'

CAMELO (inf. o vulg.). 1.ª) (no frec.). Galanteo. (D.). 'Está muy bien dota(d)o para el *camelo.*' 'Ha pasa(d)o ya de moda el *camelo.*' 2.ª) Engañifa. Cosa que aparenta ser algo bueno que no es en la realidad, o que se hace pasar por algo bueno lo que no es. (D.). 'Las estadísticas son un *camelo.*' 'Ya conocemos el percal. Que no nos vengan con *camelos.* ♦ También se usa con el significado de broma: cosa que se dice sin ser verdad, pero sin pretender que sea creída. (D.). 'Supongo que lo de los incentivos será un *camelo.*' 'La mitad de lo que te ha dicho es un *camelo.*' 3.ª) Bulo o noticia falsa. (D.). '¿Hasta cuándo van a estar soltando *camelos?*' 'Ni dos se tragan ese *camelo.*' Dar (el) camelo. Engañar o estafar haciendo creer que una cosa es buena o mejor de lo que es. 'Recurren a lo que sea, con tal de *dar el camelo.*' 'Así es fácil que *den el camelo.*'

CAMIÓN («Estar como un —») (vulg.). Díc. de una persona guapa o de buen tipo. Generalmente, aplicado a una mujer. v. TREN. 'Lo que es la Dori *está como un camión.*' 'Ese locutor *está como un camión.*'

CAMPEONATO («De —») (inf. o vulg.). 1.ª) Tremendo, impresionante. 'Se armó en el local un barullo *de campeonato.*' 'Eso de los impuestos es un follón de *campeonato.*' 2.ª) Magnífico, estupendo. 'Os dieron una merienda de *campeonato.*' 'Son unos errores *de campeonato.*'

CANARIO (arg.). Miembro viril. 'Tengo escocido el *canario.*' 'Puritanas que sienten una enorme repugnancia por el *canario.*'

CANDONGA (arg.). 1.ª) Escroto. v. BOLO. 'Siempre estaba a vueltas con la *candonga* el tío guarro.' 'Le sacó una astilla de la *candonga* el cirujano.' 2.ª) Moneda de una peseta. 'Han adquirido tres lienzos de cien mil *candongas.* ¡Joderse!' 'Cosas que antes costaban una *candonga,* hoy valen cinco.' 3.ª) Mujerzuela, prostituta. '¿Es que pretendes echarla a la calle, desgracia(d)o, y que

56

sea una *candonga?*' 'Dice el gilí que en toda *candonga* hay por medio un problema afectivo.'

CANEAR (vulg.). Pegar, golpear. 'No me tires chinas, que te *caneo*.' 'Dudo mucho que me *canees*.' Canear el morro a alg. Abofetearle. 'Sí, tú provócale y verás cómo te *canea el morro*.' '¡De ésta le *caneo el morro!*'

CANELO («Hacer el —»). (achul.). v. Hacer el PRIMO.

CANGUELO (git. y vulg.). Miedo. (D.). [T. Canguis.] '¡Cuánto *canguelo* pasamos en la cueva!' 'Entonces le entró un *canguelo* bárbaro.'

CANICAS (vulg. y joc.). Testículos. 'También deberían ponerle las *canicas* al toro del dibujo, digo yo.' '¡Niño, no te toques las *canicas*, porras!'

CANUTAS («Pasarlas —») (vulg.). Verse en situación muy apurada. *'Las pasé canutas* en el extranjero, francamente.' 'El día del desfile *las pasaste canutas*, compañero.'

CANUTO, -A (vulg.) (n. cal.) («Estar»). Formidable, estupendo. Se aplica, también a una persona guapa o de buen tipo. 'Los bocaditos de anchoa *estaban canutos*.' 'Pues su prima, la de Tetuán, *está canuta*.'

CAÑÓN (vulg.) (n. cal.). v. CANUTO.

CAPADO, -A (vulg.) («Ser, Estar»). Animal castrado. Aplíc. también al hombre. 'Son pollos que no *están capa(d)os*.' '¿Que *estaban capa(d)os* los cangrejos, dices?' 'Como los tíos *estaban capa(d)os*, las damas andaban por la corte libremente.'

CAPADOR (vulg.). Persona que castra a un animal o a un hombre. (D.). 'No encontraban al *ca-*

57

pador ni a la de tres.' 'Desagradable oficio el de los *capadores.*'

CAPAR (vulg.). Castrar a los animales. ◆ Castrar a un hombre. (D.). 'Creo que *capan* al cerdo para que engorde.' '¡Sujétale bien a éste, que le vamos a *capar* con la navaja!'

CAPE (vulg.). Acción y efecto de capar. '¡Se acabó el *cape,* chicos!' '¡Si llega a ser de verdá el *cape...*!'

CAPULLO (vulg.). 1.ª) Prepucio. (D.). 'Tenía un pequeño eczema en el *capullo.*' 'Se le está despertando la curiosidad en lo tocante al *capullo.*' 2.ª) (n. cal.). Novato, inexperto. 'Te comportas como si fueras un *capullo.*' 'Estamos hasta la coronilla de que nos envíen *capullos.*' 3.ª) (íd.). Tonto o torpe. '¡Más te valdría volver a la aldea, *capullo!*' '¡Que así no salen bien las cuentas, *capullo!*' 4.ª) Recluta. 'Chotearse de los *capullos* es ya una tradición.' 'Ven acá, *capullo,* que te voy a dar tarea.' Ponérsele a alg. en la punta del capullo una cosa. Antojársele, apetecerle. '¡Deja que *se le ponga en la punta del capullo!*' '*Se le ha puesto en la punta del capullo* irse a Suiza y se va.' Salirle a alg. del capullo una cosa. Querer (más frec. en frase negativa). 'Y si *no le sale del capullo,* ¿vas a obligarle?' '¡No suelto una peseta más, porque *no me sale del capullo!*'

CARA («dura») (inf.). Cinismo, desvergüenza o frescura. (D.). ◆ Se aplica, además, a la persona que la tiene. [T. Caradura.] 'Se necesita *cara* para pedirme un favor, después de la faena que me hizo.' 'No debes confiar en él, porque es un *cara dura* de tomo y lomo.' Echarle cara. Ser atrevido, fresco o cínico. [T. Tener cara.]

58

'¡Echarle cara, joroba, no seáis memos!' 'Si no le echas cara al asunto, te quedas en la calle.' Echarse a alg. a la cara. Verlo, encontrárselo. Usado genrlm. en tono violento o amenazador. (D.). '¡Como me lo eche a la cara, va a saber quién soy yo!' Que te puedas [puedes] echar a la cara. Término de comparación empleado con valor ponderativo. 'Es lo más simpático que te puedas echar a la cara.' Partir la cara a alg. ús. como expr. hiperbólica de amenaza. [T. Romper la cara, Aplaudir la cara.] '¡Vuelve a decirle eso a la chica y te parto la cara!' (vulg.). En las comparaciones típicas siguientes: 'Tener más cara que un buey con flemones.' 'Tener más cara que un elefante con paperas.' 'Tener más cara que un saco de perras chicas.' 'Tener la cara más dura que el cemento arma(d)o.'

CARABA («La —») (vulg. o inf.). Expresión ponderativa que se aplica a una cosa extraordinaria, tanto si produce enfado o disgusto como si, por el contrario, produce regocijo o admiración. 'Tienes un paraguas que es la caraba. Se empapa uno más que otra cosa.' 'Hay en su casa un papagayo que es la caraba. Le oyes hablar y te descuajaringas.'

CARAJA («Tener la —») (arg.). 1.ª) Se dice de una persona que muestra en su semblante cansancio o agotamiento. 'A la vista está que tienes la caraja. ¿Te has pasa(d)o la noche en vela?' 'La verdad es que los lunes parece que todos tenemos la caraja.' 2.ª) Estar despistado o atolondrado: '¡Vamos, hombre, que hoy no es tu día, que tienes la caraja!' '¡Que tiene la caraja encima, Paco, no te enfades!'

59

CARAJO (vulg.). 1.ª) Pene. 'Por un poquito de pudor podía usté taparse el *carajo*, ¿no?' 'Y un día descubre que ella no tiene *carajo*.' 2.ª) Exclamación de fastidio, enfado, admiración, sorpresa o extrañeza. [T. ¡Carajos!] '¡Espérate un momento, *carajo!*' '¡*Carajo* con el niño, qué genio tiene!' '¡*Carajo*, qué casa se ha compra(d)o!' De carajo[s]. Enorme, tremendo. 'Esta mañana hace un frío *de carajo*.' 'Ha caído una escarcha *de carajos*.' Del carajo. Usado despectivamente con referencia a una persona o una cosa que fastidia o importuna. '¿Sabes que no me dejó entrar el portero *del carajo*?' '¡Es inaguantable el perrito *del carajo!*' En el [Al, del] quinto carajo. En un lugar muy lejano o apartado. 'Vive en un apartamento que está *en el quinto carajo*.' 'Has ido a aparcar al *quinto carajo*.' Ni carajo. Nada en absoluto. Muy usado con verbos de entendimiento. 'Sé franco y di que no entiendes *ni carajo* de esto.' 'Hacéis tanto ruido que no oigo *ni carajo*.' ¡Qué carajo[s]! Frase interj. con que se niega o se rehúsa algo. Ús. también como expresión de enfado, fastidio o enojo. '¡Que se lo compre su marido, *qué carajo!*' 'Lo que hay en España es de los españoles, *¡qué carajos!*' ¿Qué carajo[s]? Usado sin valor conceptual en frase interrogativa. '¿*Qué carajo* pretende hacer con eso?' '¿*Qué carajos* buscas en mi mesilla?' Un carajo. Se emplea como expr. reforzatoria de negación o para rehusar algo. 'No sabes *un carajo* de Informática.' 'Ella espera que hagáis las paces pronto.—Sí, *un carajo*.' Importar a alg. un carajo algo. No importarle nada. [T. Importar tres carajos.] '*Me importa un carajo* que

60

vengáis o no.' *'Le importa un carajo* las oposiciones.' Irse al carajo una cosa. Fallar, marrar. Malograrse. 'Nuestras plantaciones de arroz *se han ido al carajo.'* 'Con su marcha *se fue* todo *al carajo.'* Mandar al carajo. I) Ref. a una persona, echarla o apartarla de sí. 'Harto de quejas y reproches, le *mandé al carajo.'* '¡De buena gana *mandaría al carajo* a los fotógrafos!' II) Desentenderse de ella o apartarse de su trato. ◆ Desistir de un propósito. 'Como me dé mucho la lata, la *mando al carajo.'* 'Le entró una gran depresión y *mandó al carajo* sus proyectos.' ¡Que se vaya [Vete, Váyase, etc.,] al carajo! Expresión brusca con que se echa o rechaza a alg. que importuna o enfada por lo que dice o pretende. '¿Aún porfía? *¡Vaya usté al carajo,* señor mío!' '¿No le han paga(d)o ya lo suyo? *¡Que se vaya al carajo* entonces!' Ser el carajo. v. Ser la LECHE.

CARAPIJO (vulg.) (n. cal.). Se emplea como expr. insultante equivalente a tonto o majadero. [T. Cara de pijo.] 'Tú, *carapijo,* ¿no te he dicho que montases las tiendas?' '¡Que me des las llaves, *carapijo!'*

¡CARAY! (vulg. o inf.). Interjección de sorpresa, asombro, disgusto, enfado o protesta. (D.). '*¡Caray,* qué pendientes más bonitos!' '¡Olvídalo ya, *caray!'* '¡Déjame en paz, *caray!'*

CARCAJEARSE (vulg. o inf.). Reírse a carcajadas. (D.). ◆ (fig). Despreciar una cosa y no creerla o no hacer caso de ella. '*Se carcajeaban* de sus conquistas y de su atractivo.' 'Permíteme que me *carcajee.'*

CARGARSE (fig. e inf.). 1.ª) Romper o destrozar una cosa. '*Se ha carga(d)o* un par de zapatos nuevos.' 'En menos de una semana *se cargó* tres jarrones.' 2.ª) Suspender a alg. en un examen. (D.). '*Me cargaron* en Dibujo y Matemáticas.' 'A éste *me lo cargo* en junio.' 3.ª) Matar. (D.). 'Los malhechores *se cargaron* al vigilante y a dos policías.' '*Se lo han carga(d)o* sin contemplaciones.'

CARGÁRSELA (arg.) (no frec.). Ref. a una mujer, poseerla sexualmente. 'En otras circunstancias no *me la habría carga(d)o*.' '*Se la cargó* en un motel, camino de Andalucía.'

CARNE («Cobrárselo en —») (arg.). 1.ª) El mismo significado que la expr. anterior. 2.ª). v. Darse el FILETE.

CAROTA (vulg. o inf.). Aumentativo de cara en la acepción de caradura: cínico o desvergonzado. '¡Será *carota* el chaval de la mierda!' '¡Que él no lo hizo, se pone *el muy carota!*'

CARRERA («Hacer la —») (j. prost.). Recorrer una meretriz los lugares habituales en busca de cliente. 'Los sábados *hacen la carrera* con más entusiasmo.' 'Acostumbran *hacer la carrera* por estos barrios.'

CARRO («Parar el —») (fig. y vulg.). Detenerse o contenerse; no seguir adelante en un arrebato en que se dicen cosas improcedentes o falsas. Se usa más en imperativo. (D.). [T. ¡Alto el carro!] '¡Bueno, bueno...! *¡Pare usté el carro!* Vamos a aclarar unos puntos.'

CARROZA (arg.). Homosexual. 'A juzgar por los hechos, era un *carroza* que le sobraba pasta.' 'Para que veas tú lo que son las cosas. Ese conde es un *carroza*.'

CARTUCHO («¡Mucho, —!») (vulg.). Fr. interj. de aprobación, apoyo o entusiasmo. Usada gene-

62

ralmente entre chicos. '¡*Mucho, cartucho!* Hazle la llave que te he enseña(d)o.'

CASA («Ponerle —») (). Instalar por cuenta propia a una mujer en una casa, para vivir amancebado con ella. '*Le ha puesto casa* y le ha regala(d)o un abrigo de visón.' '¿Que *le pone casa?* ¡Huy, qué optimista!. Ponerle a uno en casa (fig. e inf.). Hacerle un gran favor. 'A ti te es igual y a él *le pones en casa.*' 'Si además me llevas estos libracos, *me pones en casa.*'

CASCAR (fig. e inf.). 1.ª) Golpear, pegar a alg. (D.). 'Le *cascó* de lo lindo.' 'Le *ha cascado* su madre por desobediente.' 2.ª) Charlar, hablar mucho. (D.). '¡Pues como se ponga a *cascar,* vamos listos!' '¿No tienes otras horas de *cascar,* mujer?'

CÁSCARA («De la — amarga») (arg.). Dícese de un hombre afeminado. 'Sospecho que ése es *de la cáscara amarga.*' '¡Tengo yo un ojo clínico para detectar a los *de la cáscara amarga!*'

CASCARLA (fig. y vulg.). Morirse. (¿D?). 'El viejo que estaba en la fonda *la cascó.*' 'Vamos, que no te llevo al hospital y *la cascas.*'

CASCÁRSELA (vulg.). 1.ª) Masturbarse un hombre. 'Fue a *cascársela* al último rincón de la casa.' '*Se la casca* un día sí y otro también.' 2.ª) Masturbar a un hombre. 'El marica le dijo que *se la cascaba* gratis.' 'Siendo niño, *se la cascó* un hijo de puta.'

CASTAÑA (vulg.). 1.ª) Bofetada o puñetazo. 'Le arreó una *castaña* que casi lo tumba.' 'De la *castaña* que le dio, fue a parar al otro lao del ring.' 2.ª) Golpe, trastazo. '¡Vaya *castaña* se ha pega(d)o!' 'Nos dimos una *castaña* bestial.' 3.ª) Borrachera. 'La *castaña* que cogió fue llorona.' 'Pescaron una *castaña* de cojones.'

63

4.ª) Moneda de una peseta. 'Para salir adelante necesito unas ochenta mil *castañas*.' 'Era un premio de diez mil *castañas*.' 5.ª) Org. gen. femenino. 'Que no te toque al la(d)o una vieja de esas que le huele la *castaña*.' '¡Con lo que ha jodido debe de tener una *castaña*...!' ¡Toma, castaña! V. CHUPARSE.

CASUAL («Por un —») (vulg.). Por casualidad. '¿Tendría usted, *por un casual*, una llave inglesa?' '¿Está él hospedao aquí, *por un casual?*'

CATALINA (arg. y joc.). Excremento de persona o animal. (D.). 'El rincón está llenito de *catalinas*.' 'Que no pué ser! Sus perros plantifican las *catalinas* y ¡hale!'

CATAPLINES (vulg.). Testículos. '¡Anda que como las paperas me fastidien los *cataplines*...!' '¿Cómo te sentaría que te agarraran de los *cataplines?*'

CATE (vulg.) («Dar»). Bofetada o golpe de otra clase. (D.). 'Lo único que puede pasar es que te den un *cate*.' 'No te andes con bromas, a ver si te da un *cate*.'

CEBOLLETA (arg.). Miembro viril. '¿Te acuerdas de aquel imbécil que presumía de *cebolleta?*' 'Y van y le dicen que les enseñe la *cebolleta*.'

CEBOLLINOS («Mandar a escardar —») (vulg. o inf.). V. GÁRGARAS. (D.).

CENCERRO («Como un —») (fig. y vulg.). Loco, chiflado. 'No me lo tomo a mal, porque sé que está *como un cencerro*.' 'Pinta cojonudamente, a pesar de que está *como un cencerro*.'

CENIZO (fig. e inf.). Se aplica a una persona que tiene mala suerte (en el juego) o la da con su presencia (a un jugador). (D.). 'Mejor estate calladito, ¿eh?, no seas *cenizo*.' 'Siempre que

vienes tú, salen mal las cosas. Eres un *cenizo*.'
Tener el cenizo. Tener mala suerte. 'Mira, *tengo el cenizo*. No apuesto más.' 'No puedes negar que esta noche *tienes el cenizo*.'

CEPILLAR (arg.). 1.ª) Robar o ganarle a alg. en el juego cierta cosa. 'En la estación les *cepillaron* unos bolsos de mano.' 'A los diez minutos ya nos *habían cepillao* treinta pavos.' 2.ª) (pron.). Matar. 'No tienen en su mente otra idea que *cepillar, cepillar...*! 'Se lo han *cepilla(d)o* con un par de balazos.'

CEPILLÁRSELA (arg.). Ref. a una mujer, poseerla sexualmente. 'Se la *cepilló* en una excursión.' '*Me la he de cepillar* a esa gogó tan bailona.'

CERDADA (fig. y vulg.). 1.ª) Acción innoble, vil o cobarde. 'La palabra que mejor cuadra a eso es *cerdada*.' 'Es muy propio de él hacer estas *cerdadas*.' 2.ª) Acción, falta de escrúpulos o de delicadeza con que se perjudica u ofende a alg. 'El que iba a mi la(d)o en el autocar hizo la *cerdada* de quitarse los zapatos.' 'Creo que no invitarles a la boda sería una *cerdada*.'

CERDAMENTE (fig. y vulg.). De manera innoble, grosera o deshonesta. Se usa mucho con el verbo quedar. 'Se comportó *cerdamente* con ella.' 'Quedaron *cerdamente* con nosotros.'

CERDO, -A (fig. y vulg.) (n. cal.). 1.ª) Se emplea como insulto aplicado a una persona sucia. (D.). 'Así no está presentable. No sea usté *cerdo*.' 'Anda, cámbiate de camisa, *cerdo*.' 2.ª) También, a una persona que procede con indelicadeza o falta de escrúpulos o a la que, por cualquier causa, se considera despreciable. (D.). '¿Qué puedes esperar de él, si es un auténtico *cerdo*?' 'Con una gente tan *cerda* no

5

65

se puede vivir.' 3.ª) (f.). Mujerzuela, prostituta. '¿Cómo permites que se vea con esa tía *cerda?*' '¡Demasia(d)o aguante he tenido contigo, *cerda!*'

CEROTE (fig. e inf.) (no frec.). Miedo. 'Les tenía domina(d)os el *cerote*.' 'El *cerote* hace mella hasta en los más valientes.'

CHACHE («El —») (vulg. o inf.). Uno mismo, el que habla. 'Y todo esto te lo dice *el chache* confidencialmente.' 'En ello el único perjudica(d)o sería *el chache*.'

CHACHO, -A (inf.). Aféresis de muchacho. 1.ª) Usado como apelativo. (D.). '*¡Chacho*, qué rollazo nos largó!' '¡Pero *chacho!* ¿Qué te ha pasa(d)o?' 2.ª) (f.). Criada, sirvienta. (D.). 'Estoy muy contenta con la *chacha* que tengo.' 'Luego lo fregará la *chacha*.'

CHAFADO, -A (fig. e inf.). 1.ª («Dejar, Estar, Quedarse»). Confundido. Sin atreverse o responder o sin saber qué decir. (D.). 'Con lo que le dijeron *se quedó chafa(d)*.' 'Bien *chafa(d)o* lo *dejó*, que no dijo ni mu.' 2.ª) (íd.). Abatido física o moralmente. 'Una simple gripe te *deja chafa(d)o*.' 'El chivatazo le *dejó chafa(d)o*.'

CHAFAR (fig. e inf.). 1.ª) Deslucir o estropear algo en sentido inmaterial. '¡Ya me *has chafa(d)o* el chiste!' '¡Coño, que nos *chafan* la propaganda!' 2.ª) Abatir física o moralmente a alg. 'Esa desgracia le *chafó* enormemente.' 'El cambio de ministros le ha *chafa(d)o* de lleno.' 3.ª) Dominar o confundir a alg. en una conversación. (D.). 'El caso es que de entrada les *chafó* a los peritos.' 'No podía consentir que me *chafaran* unos imberbes.' 4.ª) Quitarle a alg. la presunción o desengañarle en ciertas pretensiones impertinentes con algo que se le dice o hace.

66

'La respuesta que le dio le *chafó* rotundamente.' 'Les hizo un desplante que les *chafó* de todas todas.'

CHALADO, -A (inf. o vulg.). 1.ª) («Estar, Tener»). Trastornado, chiflado. (D.). 'No se te ocurra hacerle caso, que *está chala(d)o.*' 'La compra del piso lo *tiene chala(d)o.*' 2.ª («por»). Perdidamente enamorado. (D.). 'Estuvo en un tiempo *chala(d)o por* la hija del administrador.' '¿De modo que *estás chalao por* mi cuñada?' 3.ª) Usado como apelativo afectivo o despectivo. 'Ven aquí, *chala(d)o*, que no se te puede gastar una broma.' '¿Pero qué dices, *chala(d)o?*'

CHALUPA (fig. e inf.). Chalado, 1.ª y 2.ª acep.

CHAMULLAR (achul.). Farfullar, hablar de manera balbuciente. (¿D?). [T. Chamullar caló.] '¿Qué *chamullas* tú, ceporro? Que me ponen nervioso los tartajas.' 'Se puso a *chamullar* el tío y no le entendía ni quisqui.'

CHA(N)CHI (vulg.) (adj y adv.). Excelente, magnífico; estupendo, formidable. 'En este bar te ponen unas tapitas *chanchi.*' 'Como vengan ellos, lo pasaremos *chanchi.*'

CHANGAR[SE] (vulg.). Romper[se] o estropear[se] algo. (D.). 'Se me ha *changa(d)o* el reló.' 'Se les *changó* la bici.'

CHAPA («Estar sin —») (inf. o vulg.). No tener dinero. 'Que te preste otro. Yo *estoy sin chapa.*' 'Total, que *estaban sin chapa* y sin tajo.'

CHARLADO («Echar un —») (vulg.). Hablar de cosas sin importancia. 'Paso a recogerte y *echamos un charlao.*' 'A la caída de la tarde, baja a la portería a *echar un charla(d)o.*'

CHASIS («Quedarse en el —») (fig. e inf.). Quedarse muy flaco. '¡La madre del cordero! ¡Pero si este hombre *se ha quedao en el chasis!'* 'De seguir el régimen, *me quedo en el chasis.*'

CHATA (vulg.). Aplicado a una mujer en tono achulado como apelativo o requiebro. [T. Chati.] 'Oye, *chata*, míranos un poquito.' '¿Me permites que te acompañe, *chata*?'

CHAVALA (git. e inf.). 1.ª) Novia. Genrlm. us. por el bajo pueblo. 'Voy a andar falto de tiempo. Llamaré a la *chavala*.' 'Le espera la *chavala* a las cinco.' 2.ª) Amante, concubina. 'Me habían hablao que la *chavala* estaba fetén.' 'Dos veces por semana se cita con su *chavala*.'

CHELI (vulg.). 1.ª) Novio o acompañante asiduo de una mujer. 'Su *cheli* se ha metido a paracaidista.' 'Sentirás mucho que a tu *cheli* le haya tocao a Canarias, ¿no?' 2.ª) (desp.). Hombre. 'No le inspira confianza ese *cheli*.' 'Al *cheli* se le rompieron los frenos y ¡zas!' 3.ª) Ús. como apelativo afectivo o amistoso entre gente plebeya. 'Pásame la damajuana, *cheli*.' 'Somos todo oídos, *cheli*.'

CHEPA (vulg.) (n. cal.). Cheposo, giboso. 'Pídeles otra servilleta para el *chepa*.' 'Es un *chepa* que me cae simpático, hombre.'

CHICHI (vulg. y joc.). Órgano genital de la mujer. 'Son unos supositorios que se los meten por el *chichi*.' 'Aquí huele a *chichi* una barbaridad.'

CHIMENEA (fig. e inf.). Cabeza. 'Le bullen en la *chimenea* cosas geniales.' 'Está visto que no anda bien de la *chimenea*.'

CHINA (fig. e inf.) (no frec.). Dinero. 'Tenía guardada la *china* dentro de una maleta.' 'Reúnen *china* suficiente para vivir desahogaos.' Naranjas de la China. Expresión con que se niega

68

o rehúsa algo. (D.). 'Le pedí que me abriera el salón y me dijo que *naranjas de la China.*' '¿Por qué no firmas el contrato? — *¡Naranjas de la China!*'

CHINAR (germ.). Cortar, dar un tajo. 'No te metas, que te *chinan* un brazo por menos de nada.' 'La otra noche le *chinaron* la cara en una agarrá.'

CHINCHAR (fig. e inf.). 1.ª) Fastidiar a alg. con impertinencias o detalles que se consideran exagerados. (D.). '¿No ves que están *chinchando* a la servidumbre a todas horas?' 'Se trabajaría más y mejor, si no nos *chincharan* tanto.' ♦ Causar fastidio a alg. cierta cosa. (D.). 'Les *chincha* de firme la nueva disposición.' 'Lo que más les *chincha* es que hayan suprimido la media hora del cafelito.' 2.ª) (arg.) (no frec.). Practicar el coito. ♦ Fornicar. 'Se está poniendo difícil *chinchar.*'

CHINCHARSE (vulg.). Fastidiarse, aguantarse. Us. en imperativo o subjuntivo. '*Chínchate,* que he gana(d)o la apuesta.' 'Tenía muchas ganas de salir a la calle, ¿no? Pues mira, *que se chinche.*'

CHINGADO, -A (vulg.) («Estar»). Fastidiado, molesto o irritado. '*Está chinga(d)o* con vosotros por la cosa de que no le habéis llama(d)o.' '¿Y a santo de qué *están chingaos* los mineros?'

CHINGAR (vulg.). 1.ª) Fastidiar, molestar o causar un perjuicio a alg. v. CABREAR. (D.). 'Tratará de *chingarte* a toda costa.' '¡Vete a *chingar* a tu padre, salao!' 2.ª) (no frec.). Hacer el acto sexual. ♦ Fornicar. 'Se le habían quita(d)o las ganas de *chingar.*'

CHINGARSE (vulg). v. CHINCHARSE.

69

CHIPÉN (git. y vulg.) (adj. y adv.). Estupendo, formidable. [T. De chipén.] (¿D?). 'Se come *chipén* en estos restaurantes.' 'Había en la joyería una mujer *chipén.*'

CHIPENDI («lerendi») (vulg.). Chipén.

CHIPICHUSCA (arg.). Meretriz. Usado principalmente por mujeres. 'Sus amigas tienen pinta de *chipichuscas.*' 'En otros países las *chipichuscas* tienen su carné y todo.'

CHIRIMOYA (fig. e inf.). Cabeza. 'No se le convence así como así. Es muy duro de *chirimoya.*' 'El plato le fue a dar en la *chirimoya.*'

CHIRIPA («Por —») (inf.). De casualidad, por suerte. [T. De chiripa.] 'Aprobaron el COU *por chiripa* y ná más.' 'Has da(d)o con la clave *por chiripa.*'

CHISME (arg.). Órg genital del hombre o de la mujer. 'Se pilló el *chisme* con la cremallera.' 'Le hizo daño el tocólogo cuando le metió los dedos por el *chisme.*'

CHIVA («Como una —») (fig.; vulg. o inf.) («Estar»). Loco, chiflado. 'Lo dejé por imposible. *Está como una chiva.*' 'No hay quien les entienda. *Están como una chiva.*'

CHIVARSE (vulg. o inf.). Delatar, acusar. (D.). [T. Chivatearse.] 'De nada te ha servido. *Se han chiva(d)o.*' '*Se chivaron* el mismo día.'

CHIVATAZO (vulg. o inf.). Delación, acusación. (D.). [T. Chivatada.] 'Fue imposible saber de quién salió el *chivatazo.*' 'En estas circunstancias, un *chivatazo* me haría la puñeta.'

CHIVATO, -A (vulg. o inf.). Persona que acusa en secreto y cautelosamente. (D.). 'Le dieron un manteo al *chivato.*' '¡Lo hizo por pura envidia el *chivato* de las narices!'

CHOCAR (inf. o vulg.). En las expresiones siguientes: ¡Choca esos cinco!, ¡Chócala!, ¡Choca la pala!, ¡Chócate esa!, usadas como saludo, felicitación o aprobación. '¡Qué grande eres, Felipe! *¡Choca esos cinco!*'

CHOCHADA (vulg.) (no frec.). Partes genitales de la mujer. 'Por tu profesión estarás harto de ver la *chochada,* ¿verdá?'

CHOCHÍN (arg.). Novia. '¿Es que vienes solo? ¡Y dónde has dejao el *chochín?*' 'Eso no quiere decir que me olvide del *chochín.*'

CHOCHO (vulg.). Órg. gen. femenino. 'Puestas a depilarse, se depilan hasta el mismísimo *chocho.*' 'Muchas no se lavan el *chocho* en una semana.'

CHOLA (inf.). 1.ª) Cabeza. [T. Cholla.] (D.). 'La piedra le dio justamente en la *chola.*' 'Todo lo que he visto y vivido lo tengo dentro de la *chola.*' 2.ª) Inteligencia. (D.). 'Ese secretario de Estado es un tío con mucha *chola.*' 'En esta cuestión hay que usar la *chola.*'

CHOLLO (vulg. o inf.). Ganga o bicoca. ◆ Empleo o situación que se disfruta por el favor de alg.; particularmente si es muy provechoso o de poco trabajo. 'Si es cierto lo que dice el anuncio, ese televisor es un *chollo.*' 'Me ha salido un *chollo* en una agencia de viajes.'

CHORBO, -A (vulg.). 1.ª) (m.). Rufián. v. CHULO. 'Le largó un par de bofetadas el *chorbo.*' 'El *chorbo* vendrá a recogerla puntualmente.' 2.ª) (desp.). Novio o acompañante asiduo. '¿Es que vas a dar plantón al *chorbo?*' 'Será una reunión exclusivamente de hombres. Las *chorbas* las dejáis haciendo calceta.' 3.ª) (desp.). Hombre. '¡Jo, no tiene labia el *chorbo* ni ná!'

71

'Se presentó con una *chorba* fenomenal.' 4.ª) Usado como apelativo amistoso por el bajo pueblo. '¡Por aquí te buscan, *chorbo!*' '¡Has perdido una buena ocasión de callarte, *chorbo!*'

CHORICEAR (arg.). Robar, hurtar. [T. Chorimanguear.] '¿Quién te dice a ti que no lo *choricean* los propios empleados?' 'Amigo, te va a costar caro *choricear* a un poli.'

CHORICERO (arg.). Ladrón, ratero. [T. Chori.] (D.). 'Escurriría el bulto el *choricero*. ¡Allí se iba a quedar!' 'Por fin le echaron el guante al *choricero*.'

CHORIZO (vulg.). 1.ª) Pene. 'Al poco se les pone el *chorizo* tó lleno de babas.' 'Le dieron unos polvos cicatrizantes para el *chorizo*.' 2.ª) Excremento de persona. '¡La cantidad de *chorizos* que hay en el corral, su padre!' '¡Jolín, qué *chorizos* ha hecho el niño!' 3.ª) (arg.). Ladrón, descuidero. (D.). 'Debía de estar un poquito tararí el *chorizo*.' 'Habían visto al *chorizo* por los alrededores.' 4.ª) Usado como apelativo afectivo entre amigos. '¿Qué te trae por estos barrios, *chorizo?*' 'A este paso, *chorizo*, no llegamos ni a las nueve.' 5.ª) Bruto, torpe o tonto. '¡Qué bien se ven los toros desde la barrera, *chorizo!*' '¡Que te metes por dirección prohibida, *chorizo!*'

CHORLITO (j. prost.). Cliente. 'Me cayó un *chorlito* algo enrevesadillo.' '¡Ay, hija, cuántas miserias te cuenta el *chorlito!*'

CHORRA (vulg.). 1.ª) Miembo viril. 'Se me quedó la *chorra* más arrugada que una pasa.' 'Sacó la *chorra* y se puso a mear en mitá de la calle.' 2.ª) («Tener»). Suerte. v. POTRA. 'Tienes más *chorra* que si fueras bueno.' '¡Hay que ver qué

72

chorra tiene para todo!' De chorra. Por casualidad. 'Encestaron *de chorra* en el último segundo.' 'Hemos dao con ellos *de chorra*.' 3.ª) (n. cal.). Imbécil, majadero. 'Oye, ¿nadie te ha dicho que eres un *chorra?*' 'Se lo dejo encima de la mesa y no lo ve. ¡Será *chorra* el tío!'

CHORRADA (vulg.). 1.ª) Chinchorrería, pejiguera. Adorno o detalle superfluo o excesivo. [T. Chorradita.] 'Paga muy bien, pero se hace un hombre insoportable por sus *chorradas*.' 'Les encanta llenar la casa de *chorraditas*.' 2.ª) Tontería, memez. Se usa mucho con el verbo decir. 'Estamos perdiendo el tiempo. No dicen más que *chorradas*.' 'Dejaos de *chorradas* y vamos al grano.' ¡No diga[s] chorradas! Expr. interj. con que se rechaza o rehúsa lo que alg. dice o pretende. '¡*No digas chorradas*, gilí!' 3.ª) Orina expelida de una vez. [T. Chorrá.] '¿Y no puedes dejar la *chorrada* para después?' 'Me estuve aguantando la *chorrada* toda la película.' Echar la chorrada. Orinar. '¿Dónde vas, Toni? — A *echar la chorrá*.' 'A pesar del frío, salieron a *echar la chorrada*.' 4.ª) (no frec.). Eyaculación. 'Le tarda mucho en venir la *chorrada*.' 'Puse perdidas las sábanas con la *chorrada*.

CHORREAR (vulg.). Amonestar severamente a alguien. 'Estás haciendo méritos para que te *chorreen*.' 'Corréis el riesgo de que os *chorree* el comandante.'

CHORREO (vulg.). 1.ª) («Echar»). Amonestación o bronca. 'El *chorreo* que le voy a *echar* será pequeño.' 'Nos *echaron un chorreo* por llegar tarde.' 2.ª) («mental»). Tontería, simpleza. '¿Esto era lo formidable? ¡Jo, qué *chorreo mental!*'

73

'Todo lo que estás diciendo es puro *chorreo mental.'*

CHOTA («Como una —») (fig.; vulg. o inf.) («Estar»). Loco, trastornado. 'Deja que haga lo que quiera. *Está como una chota.'* '¿Cómo te atreves a llevarles la contraria, si ves que *están como una chota?'*

CHOTEARSE (vulg.). Burlarse, mofarse. (D.). 'Daba vergüenza ver cómo *se choteaban* del anciano.' 'No les des confianza, que *se chotean* a los dos minutos.'

CHOTEO (vulg.). Burla, zumba. (D.). '¡Ya está bien de pullas y *choteos!'* '¿Por qué se consienten estos *choteos?'*

CHUCHA (arg.). Moneda de una peseta. 'Por esa chapucilla me pidieron tres mil *chuchas.'* '¡Qué duda cabe que las mil *chuchas* me vendrían bien!'

CHUFA (fig. y vulg.). Usado achuladamente por bofetón o cachete. v. GUARRA. '¡A ver si te ganas una *chufa!'* 'Al que salió en defensa de ella le soltó una *chufa.'*

CHULANGA (vulg. o inf.). v. CHULO, 2.ª a 6.ª acep., inclusive.

CHULEAR (vulg.). 1.ª) Alardear de bravucón, valiente o achulado. '¡De ésta te quito las ganas de *chulear*, te lo juro!' 'Le gusta mucho *chulear* delante de los más jóvenes.' 2.ª) Prostituir a una mujer. '¿Es posible que te *chulee?'* 'Hace dos años que la *chulea.'*

CHULEARSE (vulg.). Burlarse, reírse de alg. (D.). '¡Te vas a *chulear* de tu padre, cabrón!' *'Se chulean* del primero que encuentran.'

CHULETA (fig. e inf.). 1.ª) Bofetada. (D.). '¡Haberle dao una *chuleta* por descarao!' 'Le dio una

74

chuleta cuando menos se lo esperaba.' 2.ª) Véase CHULO, 2.ª a 6.ª acep., inclusive.

CHULO, -A (vulg. o inf.). 1.ª) (m.). Rufián. (D.). [T. Chulo (de) putas.] 'Estaban esperando al *chulo* junto a la sala de fiestas.' 'Es un *chulo* fino y generoso, de los pocos que quedan por el mundo.' 2.ª) (m.) («Ser»). Bravucón, matón. 'Siempre quiso ser el *chulo* del barrio.' 'Verdaderamente es un *chulo* de poca monta.' 3.ª) Achulado, aflamencado. (D.). 'Su manera de hablar es *chula* y reticente.' 'No me hables en ese tono *chulo*.' 4.ª) Atrevido, valiente o insolente. 'No te las des de *chulo*, que te puede costar caro.' 'Se me puso *chulo* y lo expulsé al instante.' 5.ª) Presumido o ufano. (D.). 'Él es muy *chulo*. Va por la calle así, muy estira(d)o.' 'No me extraña. Es más *chulo* que un ocho.' 6.ª) Elegante, bien vestido o vistoso. 'Iba todo *chulo* con su abrigo nuevo.' '¡Qué corbata más *chula* llevas!' 7.ª) Usado como insulto (aplíc. sólo a hombres). '¡Vete a sacudir a tu hermana, *chulo!*' '¡*Chulo*, un *chulo* indecente, eso es lo que eres!'

CHUMINADA (vulg.). 1.ª) Sandez, majadería. [T. Chuminez.] '¡Qué de *chuminadas* se os ocurren!' 'Para decir *chuminadas*, más vale que te calles.' 2.ª) Chinchorrería. Exigencia o minuciosidad exagerada. 'Te aseguro que me revienta tanta *chuminada*.' 'Ya lo sabemos que anda con *chuminadas*, jorobando a todo el mundo.' 3.ª) (no frec.). Partes genitales de la mujer. 'Dice que le vio toda la *chuminada* con los prismáticos.'

CHUMINO (vulg.). Órg. gen. femenino. 'Tenía entendido que la cesárea era desde el ombligo

75

al *chumino.*' 'Antes les afeitan el vello del *chumino*, so ignorante.'

CHUNGA (vulg. o inf.). Broma o burla. (D.). 'A vosotros os gusta la *chunga* un montón.' '¿Ya empiezan con *chungas?*' De chunga o En chunga. En tono de chunga. En broma o para burlarse. (D.). 'Lo sueltan *de chunga*, pero meten la pata.' 'Al principio creyó que le hablaba *en chunga.*' Estar de chunga. Hablar en broma o estar dispuesto a burlarse. (D.). 'Estaría de *chunga*, lo más probable.' 'Te faltan al respeto porque *estás* muchas veces de *chunga* con ellos.'

CHUNGÓN, -A (vulg. o inf.). Bromista, burlón. 'Como es un *chungón* cree que los demás van a reírle sus gracias.' '¡Amos pira, *chungón!*'

CHUNGUEARSE (vulg. o inf.). Burlarse de alg., en particular halagándole falsamente. (D.). '¡Que no *se chunguearán* poco de él...!' 'No le importa lo más mínimo que *se chungueen*, una vez conseguido el primer premio.'

CHUNGUERO, -A (vulg. o inf.). Chungón.

CHUPADO, -A (inf.) («Estar»). Se dice de lo que es muy fácil de hacer o de conseguir. 'El problema de Física *estaba chupa(d)o.*' 'Has cogido un crucigrama que *está chupa(d)o.*'

CHUPAJORNALES (arg.) (no frec.). Órgano genital femenino. 'El principal culpable de esto es el *chupajornales.*'

CHUPARSE (inf. o vulg.). En la locución interj. ¡(Anda), chúpate esa!, con la que se pone énfasis en una cosa sorprendente, oportuna, aguda o picante, dicha para mortificar o dejar confundida a una persona. V. PAPARSE. '¡Chúpate *esa*, Remigio, que tiran a matar!'

CHUPÁRSELA (vulg.). Expresión soez usada para

76

manifestar burla, desprecio, indiferencia o superioridad respecto a alg. Ús. genrlm. en frase interjectiva: ¡Chupármela!, ¡Me la chupa[s]!, etcétera. 'Pues para que te enteres... ¡Todos vosotros *me la chupáis!*' ¡Y luego me la chupa[s]! Locución exclamativa empleada para negar o rehusar algo. 'Pasaríamos un domingo cojonudo. — *¡Y luego me la chupas!*

CHUPI (inf.) (adj.). Excelente, estupendo. 'Para mí el cocido está *chupi.* Voy a repetir.' 'La tarta que nos trajo papá estaba *chupi.*'

CHUPÓN, -A (inf. o vulg.) (adj.). Se aplica a la persona que vive parásitamente o que saca dinero a otros con engaños. (D.). '¡Aunque tuvieras, *chupón,* un poco más de vergüenza!' 'Sólo se arrima a nosotros cuando vamos de tasqueo. Es un *chupón.*'

CHUPÓPTERO, -A (inf. y joc.). 1.ª) Dícese de la persona que disfruta un sueldo sin trabajar o que vive sin trabajar. (D.). 'Efectivamente ese es el presupuesto. Pero, ¿dónde dejamos a los *chupópteros?*' 2.ª) Chupón. 'De un tiempo a esta parte abundan los *chupópteros.*'

CHURRO (arg.). 1.ª) Miembro viril. 'No te rías, porque algunos pueblos antiguos daban culto al *churro.*' 'A los judíos les hacen un corte en el *churro.* ¿A que sí?' ◆ Mojar el *churro.* Cohabitar. ◆ Fornicar. 'Los hay muy sistemáticos en eso de *mojar el churro.*' '¿Te va un marrón a que vienen de mojar el *churro?*' 2.ª) (fig.). Acierto casual, por ejemplo en el juego. Usado particularmente entre chicos. '¡Ahí va qué *churro,* oye!' '¡Si no lo veo, no lo creo! ¡Qué *churro,* me cago en la mar!'

CHUTAR (inf. o vulg.). En la expresión Ir uno que

77

chuta, equivalente a tener bastante o darse por satisfecho con lo que se le ha dado o ha recibido. 'Te dejo que salgas esta tarde y *vas que chutas.*' 'Le das dos duros de propina y *va que chuta.*'

CHUZO (arg.). Pene. 'No te andes con bobadas, que el *chuzo* es algo muy serio.' '¿Has acabao ya de rascarte el *chuzo?* Bueno, escucha lo que te digo.'

CIEN («El —») (fig. y vulg.). El retrete, que solía tener en los hoteles el número ciento. [T. El número cien.] Poner a cien a alg. I) Enojarle o fastidiarle mucho. 'Esa clase de bromas *me pone a cien.*' II) Ponerle excitado sexualmente. 'Las mujeres en picardías *le ponen a cien!*'

CIMBEL (arg.). Órg. gen. masculino o femenino. 'Le ha da(d)o por tocarse el *cimbel.*' 'La vedette salió enseñando casi el *cimbel.*'

CINGAMOCHO (arg.). Pene. 'Le echaron sal en el *cingamocho.* ¡Qué cabritos!' '¿Pa qué te sirve ya el *cingamocho?*'

CIPOTE (vulg.). 1.ª) Miembro viril. (D.). 'Éste es capaz de hacer saltar la bragueta con el *cipote.*' 'Le abultaba mucho el *cipote.*' 2.ª) Vientre abultado, particularmente por embarazo. '¡Menudo *cipote* tiene ya la chica!' 'Si lo que deseas es que se vaya con *cipote* a Inglaterra...!' 3.ª) (adj). Bruto, torpe o tonto. (D.). '¿No fuiste tú quien recogió las fichas, *cipote?*' 'Esta vajilla se rompe solamente con mirarla, *cipote.*'

CISCARSE (fig. e inf.). Hacerse de vientre. (D.). '¡Te voy a dar una paliza que *te vas a ciscar!*' '¡Jobar, que *se ha cisca(d)o* en el parqué!' Ciscarse de miedo. v. CAGARSE. (D.).

CLASES («¡Todavía hay —!») (inf. o vulg.). Frase

78

jocosa con que se manifiesta la distinción, categoría o superioridad de uno mismo o de otra persona cualquiera. [T. ¡Siempre hubo clases!] 'A mí sí que me han llamao. *¡Todavía hay clases!'*

CLAVÁR(SE)LA (arg.). Hacer el acto sexual. ◆Fornicar. 'Está que no vive por *clavarla.*' 'Que *se la clava* como dos y dos son cuatro.'

COCHAMBRE («Caer en la —») (fig. y vulg.). Caer muy bajo, perder la dignidad. 'Tus amigos dicen que *has caído en la cochambre.*' 'Tanto dinero quieren amasar que *caen en la cochambre.*'

COCHINADA (vulg.). v. CERDADA. (D.).

COCHINAMENTE (fig. y vulg.). v. CERDAMENTE. (D.).

COCHINO, -A (fig. y vulg.). Miserable, maldito. (¿D?). 'El enlace se vendió por cuatro *cochinas* pesetas.' '¡Hay gente para todo en este *cochino* mundo!' v. CERDO para las demás acepciones.

COCO (fig. e inf.). Cabeza. 'Si agachas el *coco,* podré verlo.' 'Me vinieron unos cachos de teja al *coco.*'

COGORZA (vulg. o inf.). Borrachera. (D.). 'Se pasó la tarde durmiendo la *cogorza.*' 'Pescó una *cogorza* de padre y muy señor mío.'

COJINES (vulg. y joc.). Pseudoeufemismo usado por cojones (v.). Pueden aplicársele todas sus acepciones y fraseología. '¡No me agarres del brazo, *cojines!*'

COJÓN (vulg.) (Más frec. en pl.). Glándula genital del macho. 'Me duele el *cojón* derecho, ¿sabes?' De cojón (adj. y adv.). Extraordinario, magnífico. [T. De cojón de mico; De c. de pato [viudo]; De c. de fraile; De cojones.] 'La parrillada está *de cojón.*' 'En el casino hemos pa-

79

sa(d)o una velada *de cojón.'* Un cojón (y la yema del otro). Locución adverbial ponderativa de valor, mérito, valía, calidad, importancia, etcétera. Se usa mucho con los verbos costar, valer o saber. 'Esta joya *vale un cojón.'* 'Mi compañero *sabe un cojón* de Termodinámica. Usada con el verbo valer en frase negativa es expresión de lo insignificante o despreciable, aplic. a cosas o a personas. 'La película que vimos *no valía un cojón.'* 'Te he dicho muchas veces que tú *no vales un cojón.'* ¡(Y) un cojón! Frase usada para denegar o rehusar algo. '¿Que te deje el tocadiscos?... *¡Y un cojón!'* 'Ellos te echaron una mano anteayer. — *¡Un cojón!'* Chupar alg. un cojón a otro. Loc. interj. con que se manifiesta burla, desprecio, ira o negación. Us. frec. en frase imperativa. [T. Tocar un cojón.] 'Mira, si no estás conforme, *¡chúpame un cojón!'* '¡Hombre, perdónaselo! — *¡Que me chupes un cojón!'* Importarle a alg. un cojón algo. Frase que expresa indiferencia, desinterés, desprecio o displicencia. [T. Dársele un cojón.] 'Aprobar o suspender *le importa un cojón.'* 'Claro, como a ti *te importa un cojón* lo que pase...' Cojones (vulg.). 1.ª) Testículos. 'El balón le dio al defensa en los *cojones.'* 'Le había salido una hernia en los *cojones.'* 2.ª) Símbolo de hombría, virilidad, fuerza, valor, poder, etc. v. Con COJONES. 'Hay que tener muchos *cojones* para torear un morlaco como ése.' 'No sé dónde tienes tú los *cojones,* chico.' 3.ª) Us. como interjección de fastidio, enfado, indignación, ira, sorpresa o extrañeza. '¡No me des más la lata, *cojones!'* '¡Cojones, pero si es el Bartolo!' '¡Que no se marche, *cojones!'* 4.ª) Se emplea, a veces,

80

sin valor conceptual en frase interrogativa. '*¿Qué cojones* estás haciendo aquí?' '¿Y *qué cojones* me viene a decir a mí?' Con cojones. 1.ª) Dícese de la persona que tiene fuerza, poder, brío, energía, etc. (a. t. a. m.). 'Que descargue él las cajas, que es un tío *con cojones*.' 2.ª) Valiente. Decidido, atrevido. 'Puedes encargarle tranquilamente esa misión, porque es un hombre *con cojones*.' 3.ª) Importante, de valía o con clase. 'El director de nuestras fábrica sí que era un ejecutivo *con cojones*.' 4.ª) Formidable, extraordinario. 'Hará por ti lo que sea necesario, es una persona *con cojones*.' Tienen el mismo significado las locuciones siguientes: Con dos cojones; con los c. bien puestos; con los c. cuadrados; con los c. en su sitio; con muchos c.; con un par de c.; con unos c. así de grandes (en ademán expresivo); con unos c. enormes. ¡Los hay con cojones! Fr. excl. con que se alude a la valentía, decisión o firmeza de alg. o bien a su cachaza o flema. 'La vuelta al mundo en un velero. *¡Los hay con cojones!*' Con los cojones de [por] corbata. («Estar»). Muy acobardado o atemorizado. '*Estaba con los cojones de corbata*. Le habían cita(d)o en la comisaría.' Con más cojones que nadie. Frase comparativo-ponderativa de poder, fuerza, decisión, valentía, etc. [T. Con más cojones que Dios.] 'Es pequeñito, pero *con más cojones que nadie*.' De cojones. («Ser; Estar») (a. t. a. m.). Tiene el mismo significado que la locución Con cojones. [T. De tres pares de cojones.] 'En lo alto de la sierra hacía un frío *de cojones*.' 'Me dio un susto *de cojones*.' 'En los negocios es una mujer *de cojones*.' 'Estaba

81

6

el caviar *de cojones*. De los cojones. Usado despectivamente con referencia a una persona o una cosa fastidiosa o molesta. '¡A mí me la va a dar el charlatán *de los cojones!*' 'He da(d)o un resbalón por la cáscara *de los cojones.*' '¡Llévate ya la maleta *de los cojones!*' Ni cojones. Se usa como locución reforzatoria de negación, principalmente con verbos de entendimiento. 'De la conferencia anterior no entendí *ni cojones.*' 'Como habla tan bajito, no le oigo *ni cojones.*' ¡Ni qué cojones! Fr. interj. usada para negar o rehusar con enfado algo. '¡Qué mala leche, *ni qué cojones!* ¡La verdá!' '¡Qué modernizarse *ni qué cojones!*' ¡Olé tus [sus, vuestros] cojones! Fr. exclamativa de aprobación, admiración, entusiasmo o alegría. '*¡Olé tus cojones!* Te lo has ganao a pulso.' '¡Así se da un pase de pecho! *¡Olé tus cojones!*' Por cojones. 1.ª) A la fuerza, obligadamente. '¿Qué vas a hacer? Tienes que callarte *por cojones.*' '¡Tú le dejas pasar *por cojones!*' 2.ª) Inexcusable, irremediablemente. 'Dijo que termináramos el trabajo esta noche *por cojones.*' 'Y la carta llega a su destino *por cojones.*' ¡Por los cojones! Loc. interj. con que se rehúsa o niega algo rotundamente o se manifiesta incredulidad. [T. ¡Los cojones!] 'Dice que le pague yo el taxi... *¡Por los cojones!*' 'Es siempre un negocio rentable. — *¡Por los cojones!*' ¡Por mis cojones! Expresión que denota firme propósito, resolución o amenaza por parte del que habla. [T. ¡Por éstos! (en ademán expresivo).] '*¡Por mis cojones* que no vuelvo a hablarle en lo que me queda de vida!' ¡Qué cojones! Loc. interj. usada para expresar irritación, protesta o de-

82

cisión de oponerse a algo. v. COJONES, 3.ª acep. 'Que te envíen ellos el paquete, ¡qué cojones!' 'Siempre tenemos que llamarles nosotros, ¡qué cojones!' Sin cojones. Locución antónima de Con cojones (v.). 'Todo el mundo le maneja como quiere. Se ha convertido en un hombre sin cojones.' Como una patada en los cojones («Caer; Sentar algo»). Mal, pésimamente. 'Me sentó como una patada en los cojones levantarme de madrugada.' 'La ensalada le ha caído como una patada en los cojones.' Dejar los cojones en casa. Locución usada para amonestar al que se insubordina o se muestra poco inclinado a obedecer. 'Cuando uno viene a la mili, se deja los cojones en casa.' 'Que se deja los cojones en casa. Eso le dijeron.' Echarle alg. cojones a una cosa. Mostrar una actitud valiente o resuelta en circunstancias difíciles. [T. Arrimar los cojones.] 'Tu única solución es apencar con ello y echarle cojones.' 'Si quieren triunfar, que le echen cojones.' ¡Échale cojones! Loc. con que se expresa el asombro o la admiración por el valor, esfuerzo o habilidad de alg. en la realización de una acción. Además, se emplea para manifestar el fastidio, disgusto o contrariedad que produce cierta cosa. [T. ¡Tócate los cojones!] 'En dos años ha logra(d)o ocupar los cargos más importantes en varias empresas. ¡Échale cojones!' 'Después de hacer jornada completa, nos imponen horas extraordinarias. ¡Échale cojones!' Estar alg. hasta los (mismísimos) cojones. Agotársele la paciencia. Estar muy harto de una cosa o circunstancia o de una persona. Dícese, también, de lo que lo causa. Son sinónimas las locuciones siguientes: Hinchársele los cojones; Sudarle los c.; Cargársele los c.; Dolerle los c. '*¡Estoy hasta los cojones* de oír un día tras otro la misma cantinela!' 'Con mucho cuidado, porque *está hasta los cojones* de vosotros.' Importarle a alg. tres cojones algo. No importarle nada. Tienen el mismo significado las locuciones que siguen: Tocarle los cojones; Pasárselo por los c.; Dársele tres c. '*Me importa tres cojones* lo que piensen de mí.' '*Os importa tres cojones* la mecánica.' ¡Manda cojones! Locución que expresa asombro, admiración, indignación, fatalidad o mala suerte. 'Encima dice que tienes tú la culpa. *¡Manda cojones!*' 'Se le muere el padre y a los dos meses, la madre. *¡Manda cojones!*' ¡Me cago en los cojones! Fr. excl. de fastidio, enfado, ira, indignación o sorpresa. [T. ¡Me cago en los cojones de Mahoma [Buda]!] '¡Salid inmediatamente de ahí, *me cago en los cojones!*' '¡Ahora vas a ver tú, *me cago en los cojones!*' Meterse alg. hasta los cojones. Arriesgarse mucho en un asunto que no tiene buenas perspectivas o estar en situación apurada. '*Se ha metido hasta los cojones* en ese negocio y no sabe cómo saldrá de él.' Meterse alg. la lengua en los cojones. Se usa en frase imperativa o interrogativo-negativa, aplic. a una pers. que molesta o importuna por su indiscreción. [T. Meterse las manos en los cojones.] '*¡Métete la lengua en los cojones* y cierra la boca, ¿eh?' '¿Por qué no *te metes la lengua en los cojones*, guapo?' Metérsele a alg. en los cojones una cosa. Obstinarse, emperrarse. [T. Ponérsele en los cojones.] '*Se le metió en los cojones* ir a cuerpo

84

y agarró un catarro fenomenal.' No haber cojones. Frase de sentido impersonal empleada para referirse a una actitud de cobardía, miedo, indecisión o falta de unanimidad en algo importante o arriesgado. 'Te hablaré con franqueza. Es que *no hay cojones.*' 'Deberíamos cortar de raíz sus mangoneos y bravatas, pero desgraciadamente *no hay cojones.*' No haber más cojones. Expresión con que se indica la necesidad de soportar algo fastidioso o molesto o de adaptarse a las circunstancias. Significa, asimismo, la inutilidad de una acción respecto a algo. [T. No tener más cojones.] 'Cuando el jefe está de mal humor, tienes que darle la razón. *¡No hay más cojones!*' ¡La policía rodeaba toda la casa. De modo que *no hubo más cojones* que entregarse.' Partirse alg. los cojones. Luchar o afanarse valientemente en una empresa. *'Se han partido los cojones* en esta liga.' 'Durante años y años *se partió los cojones* por poder dar estudios a sus hijos.' (no frec.). Ref. a la risa, es locución equivalente a desternillarse o troncharse. *'Se parten los cojones* como se enteren.' 'Le conté lo que nos sucedió y es que *se partía los cojones.*' Pasarse por los cojones algo [a alg.]. Fr. despectiva que denota burla, desobediencia, indiferencia o superioridad. [T. Pasárse(lo) por la entrepierna.] 'Cuanto diga *me lo paso por los cojones.*' 'Tu reclamación *se la pasarán por los cojones.*' Poner alg. los cojones encima de la mesa. Fr. que expresa actitud autoritaria, impositiva o violentamente dominante. 'En esos casos *se ponen los cojones encima de la mesa* y se levanta la sesión.' 'Abusa de que nadie *le pone los co-*

jones encima de la mesa.' Ponérsele a alg. los cojones de [por] corbata. v. Con los COJONES. Salirle a alg. de los cojones una cosa. Querer, apetecerle. Más frec. en frase negativa, para rehusar o denegar algo. *'No le sale de los cojones* devolverle el billetero.' 'Compra antigüedades porque *le sale de los cojones.'* Tener alguien cojones. Ser valiente, decidido, audaz o bien, autoritario, enérgico. Son sinónimas las locuciones siguientes: Tener los cojones bien puestos; Tener los c. cuadrados; Tener los c. en su sitio; Tener más cojones que el caballo de Espartero [Santiago]. *'¡Tiene cojones* suficientes como para no permitir insubordinaciones ni impertinencias. 'Desde luego, *tienen cojones.* ¡Cruzar a nado el Canal de la Mancha!' ◆ (irón.). Tener flema, pachorra. 'Me habéis hecho esperar una hora. *¡Tenéis unos cojones...!'* '¿Pero estabas enterao? *¡Tienes unos cojones,* Gerardo...!' ¡Tiene cojones la cosa! v. ¡Manda COJONES! Tocar a alg. los cojones otro. Expr. que denota burla, desprecio, displicencia o superioridad respecto a la persona en cuestión. [T. Chuparle un cojón [los cojones].] 'Que no tengo pelos en la lengua. Tú *me tocas los cojones, ¿te enteras?'* '¡Tu manager *me toca los cojones,* pipiolo!' Tocarle a alg. los cojones una cosa. I) No importarle en absoluto. 'A él la política *le toca los cojones.'* 'Los aplausos *me tocan los cojones.'* II) Fastidiarle, molestarle mucho. 'Esperar en la calle es algo que *me toca los cojones.'* 'Que *le tocan los cojones* los pestillos, eso es.' Tocarse alg. los cojones. I) Estar ocioso, holgazanear o no trabajar lo debido. [T. Estar tocándose los cojones.] 'Vosotros *os*

86

podéis tocar los cojones. ¡Cómo os envidio!' 'Algunos operarios *se tocan los cojones* todo el santo día.' II) Estar distraído o atolondrado. '¡Este capón por *estar tocándote los cojones!*' '¡Cómo vas a saber lo que te digo, si *te estás tocando los cojones!*'

COJONADA (vulg.). 1.ª) Machada. Acción brutal, inoportuna o estúpida. 'Querían probar quién de los dos paraba antes la circulación. ¡Una *cojonada!*' 2.ª) (no frec.). Testículos. 'Le echaron al tío agua fría en toda la *cojonada.*'

COJONAMEN (vulg. y joc.). Testículos, particularmente grandes. [T. Huevamen.] 'Con ese calzón se te transparenta el *cojonamen.*'

COJONAZOS (vulg.). 1.ª) Aumentativo de cojones, 1.ª y 2.ª acep. '¿Has visto qué *cojonazos* tiene el tipo de la estatua?' 2.ª) Por antífrasis, se dice de un hombre sin carácter. ♦ Cachazudo, voluble o estúpido. 'Creo que es un *cojonazos*, que en su casa es como un cero a la izquierda.' 'Como esperéis que se dé prisa, vais listos. ¡Menudo *cojonazos* que es!'

COJONERO, -a (vulg.). 1.ª) (f.). Suspensorio para los testículos. '¡Yo sin *cojonera* no juego al fútbol!' 2.ª) (f.) (no frec.). Escroto. 'El pitón le destrozó la *cojonera.*' 3.ª) (adj.). Magnífico, extraordinario. v. COJONUDO. 'Las truchas escabechadas sí que estaban *cojoneras.*' 'Las de antes eran unas raciones *cojoneras.*'

COJONUDAMENTE (vulg.). Formidable, estupendamente. 'El muchacho inglés toca la trompeta *cojonudamente.*' 'No me negarás que lo pasamos *cojonudamente.*'

COJONUDO, -a (vulg.). 1.ª) Con cojones. Viril, fuerte, poderoso, enérgico, etc. (a. t. a. m. práctica-

87

mente en todas las aceps.). 'Es tan *cojonudo* que en cada brazo soporta a una persona.' 'Es un trabajo sólo para tíos *cojonudos*.' 2.ª) Valiente, atrevido, decidido. 'Sacó de entre las llamas a una niña. ¡Qué *cojonudo!*' 'Pase lo que pase, da siempre la cara. Es una mujer *cojonuda*.' 3.ª) Extraordinario, soberbio. 'La operó un cirujano *cojonudo*.' 'El banquete de ayer fue *cojonudo*. ◆ Se aplica, también, a una mujer guapa o hermosa. 'En el teatro me presentaron a una hembra *cojonuda*.' 'Estaban *cojonudas* las misses.' 4.ª) Importante. De categoría o de consideración. 'Con la contribución tenemos este año un problema *cojonudo*.' 'Le ofrecieron un puesto *cojonudo*.' 5.ª) Inteligente, de valía o con clase. 'Es un estudiante *cojonudo*. Hace tres carreras a la vez.' 'La secretaria que tenemos es *cojonuda*.' 6.ª) Por ironía, se dice de una persona cachazuda. ◆ Voluble o memo. 'Quedamos a las cinco y os presentáis a las seis y media. ¡Sois *cojonudos!*' 'Primero dices que quieres hacerte socio y ahora, que ya no te interesa. ¡Eres *cojonudo*, muchacho!' 7.ª) Tremendo. Gracioso, chistoso. 'He tenido ese documento en mis manos hace un instante y ahora no lo encuentro. ¡Es *cojonudo!*' 'La sala estaba llena y el conferenciante, que había perdido las cuartillas. ¡Fue *cojonudo* aquello!' 'De un mismo boleto aparecieron dos dueños. Estuvo *cojonudo*.'

COJUDO (vulg.). 1.ª) Con cojones. Animal no castrado. (D.). 'La inmensa mayoría de nuestros toros son *cojudos*.' 2.ª) v. COJONUDO, 1.ª a 3.ª acep., inclusive. Hacerlo cojudo (no frec.). Ser infiel la mujer al marido. v. Ponerle los CUERNOS.

COJUELESCO (inf.) (no frec.). Tremendo, singular o

88

chistoso. 'Estábamos en una situación *cojue-lesca.'

COLA (vulg.). Miembro viril. (pop.). Pene de niño. 'Los muy desgracia(d)os le echaron sal en la *cola*.' 'Venga, saca pronto la *cola*, que te haces pis.'

COLADURA (fam. o vulg.). Acción de colarse: cometer un error, desacierto o indiscreción. (D.). ◆ Cosa en que consiste el error, etc. '¡Vaya *coladura* la nuestra!' '¡Jolín, te pegas cada *coladura!*'

COLARSE (fam. o vulg.). Equivocarse. Cometer un error, desacierto o indiscreción. (D.). 'Creías que había sido yo, ¿verdad?... ¡Pues *te has cola(d)o!*' 'Un poquito más y *me cuelo*.'

COLÁR(SE)LA (vul.). Hacer el acto sexual. ◆ Fornicar. 'No es verdad que intentara *colársela*.' 'Estando piripi, no es tan sencillo *colarla*.'

COLGANTES (fig. y vulg.). Testículos. [T. Colgajos. Lo que cuelga.] 'Y el gachó, lleno de furia, va y le echa mano a los *colgantes*.'

COLMILLO («Escupir por el —») (vulg.). Ser hombre muy chulo. ◆ Decir fanfarronadas. (D.). 'Ya lo creo que es estira(d)o. De los que *escupen por el colmillo*.'

COMERLA (fig. y vulg.). En las expresiones ¡Está pa(ra) comér(se)la!, ¡Estás pa(ra) comerte!, aplicadas como requiebro o comentario grosero a una mujer hermosa o atractiva. '¡Caramba con la alemanita! *¡Está pa comérsela!*'

CONDENADO, -a (inf. o vulg.). Usado como apelativo afectivo o amistoso, en tono de enfado o molestia. '*Condena(d)o*, ¿no decías que ibas a dármelo?' '¡Vete ya de una vez, *condena(d)o!*'

CONDÓN (vulg.). Preservativo. '¡Menudo apuro pasé

89

cuando se encontró el *condón!*' 'Se compraron un *condón*, por si acaso.'

CONEJO (arg.). Órgano genital femenino. '¡Con la cantidad de desodorantes que hay para el *conejo* hoy día!' 'Por el calor muchas no llevan bragas y desde aquí se les ve el *conejo*.'

CONSENTIDORA (arg.) (no frec. en m.). V. TRAGONA.

CONSENTIR (arg.). V. TRAGAR.

COÑA (vulg.). 1.ª) Burla consistente en lo que se dice o, particularmente, en el tono con que se dice. (D.). '¡Basta de *coñas*, narices! ¡Largaos!' 'No comprendo cómo puede aguantar tanta *coña*.' 2.ª) Cosa molesta o fastidiosa. (D.). 'Es una *coña* la lentitud de estos trámites.' 'Tener que hacer eso es una *coña*.' Estar de coña. Bromear. [T. Tomar[se] algo a coña.] '¿Piensas aún que *estoy de coña?' 'Están de coña* desde que se levantan.' Ni de coña. De ninguna manera, en absoluto. 'De ahora en adelante no le pido un favor *ni de coña*.' 'Yo no lo firmaría *ni de coña*.'

COÑAZO (vulg.). 1.ª) Aumentativo de coño, 1.ª acepción. 2.ª) Se dice de una persona o de una cosa fastidiosa, cargante o aburrida. 'El señor que venía contigo es un *coñazo*.' '¡Qué *coñazo* de película nos hemos traga(d)o!' 'La junta de hoy será un *coñazo*, seguro.' '¡Qué *coñazo* de tío, oye!' Dar el coñazo. Fastidiar, molestar o aburrir. '¡Ganas tienes de que te *den el coñazo!*' 'Le *darán el coñazo*. Eso por descontao.'

¡COÑE! (vulg.). Interjección de sorpresa, asombro, fastidio o enfado. Generalmente usada por mujeres. [T. ¡Coña!] '*¡Coñe*, que se ponga a la cola, como las demás!' '¡Deja a la cría tranquila, *coñe!* '¡Vete a por la escalera, *coñe!*'

COÑEARSE (vulg.). Burlarse, chancearse. (D.). 'Tú

90

estás chala(d)o. ¿Quieres que se *coñeen* de nosotros?' 'Las chicas *se coñean* de él que da gusto.'

COÑEO (vulg.). Acción de coñearse. ♦ Burla, chanza o chacota. 'Tengo la ligera sospecha de que se nos ha acabao el *coñeo*.' 'Pasan la tarde entre *coñeos* y chirigotas.'

COÑERO, -A (vulg.). Dícese de la persona burlona o bromista. [T. Coñón.] (D.). '¡Anda, *coñero*, qué bien te lo pasas!' 'Es un *coñero* el amigo Tito.'

COÑO (vulg.). 1.ª) Órg. gen. de la mujer. 'Al meterse desnuda en el agua, la vio el *coño*.' 'Los primeros días está muy resentido el *coño*.' 2.ª) Us. como interjección de ira, enfado, fastidio, sorpresa, admiración o alegría. [T. ¡Coñó! (por énfasis).] '¡Cerrad la puerta, *coño*!' '¡*Coño*, mira quién ha venido!' '¡Esto hay que celebrarlo, *coño*!' '¡*Coño*, echarme una mano, que se me cae la máquina!' '¡*Coñó*, si me pilla!' 3.ª) Se emplea, a veces, sin valor conceptual en frase interrogativa. '¿Qué *coños* te ha dicho a ti el tendero?' '¿Quién *coños* llamará a estas horas?' '¿Qué *coño* le sucede hoy?' ¡Ay, qué coño! Fr. interj. que denota contrariedad, fastidio, impaciencia, irritación o conclusión. También, puede indicar regocijo o satisfacción. '¡*Ay, qué coño!* ¡No sabe uno cómo acertar!' 'Tanta lucha, para acabar luego así... *¡Ay, qué coño!*' En el [Al; Del] quinto coño. En un lugar muy lejano o apartado. 'Tendré que llevarle en el coche, porque vive *en el quinto coño*.' 'La pelota fue a parar *al quinto coño*.' ¡Ni qué coño! Expr. excl. que indica negación, rechazo u oposición respecto a algo que se acaba de mencionar. '¡Qué noviazgo *ni qué coño*! Sólo es una amiga.' '¡Qué cansancio *ni qué coño!* Tú te vienes con nosotros.' ¡Qué coño! Fr. que expresa enfado, enojo, protesta o bien, firmeza y decisión para oponerse a algo. 'Dile que venga él a recogerlo. *¡Qué coño!' '¡Qué coño!* ¡Nadie sale de aquí hasta que yo no lo diga!' ◆ A veces, se emplea como respuesta negativa muy viva, equivalente a ¡Qué va! '¿Compraron por fin las tierras? *¡Qué coño!'* ¡Qué coño de...! Se aplica a una persona o a una cosa que causa enfado o molestia. ◆ Aplíc., también, en tono de ligera tolerancia o complacencia. '*¡Qué coño de* hombre!... ¡Qué nervios tiene!' *'¡Qué coño de* muchacho! ¡Mira que es travieso!' *'¡Qué coño* de estanterías!... ¡Qué trabajo nos están dando!' Estar hasta el mismísimo coño. Estar muy harto de una cosa o de una persona. '¡Que ya *estoy* de tu suegro *hasta el mismísimo coño!' '¡Estamos* de gazpacho *hasta el mismísimo coño!'* Tomar a alg. por el coño de la Bernarda. Pretender beneficiarse a su costa o burlarse de él. '¿Me *habéis toma(d)o* a mí *por el coño de la Bernarda* o qué?'

CORBATA («Tenerlos de [por] —») (vulg.). v. Con los COJONES.

CORNAMENTA (fig. y vulg.). Término con que se alude, burlonamente, a los atributos simbólicos del marido engañado o consentido. v. Ponerle los CUERNOS. 'Le está saliendo una *cornamenta* de mucho cuida(d)o.' '¡Vaya *cornamenta* que debe tener el tío!'

CORNUDO (fig. y vulg.) (adj. y n.). Se aplica al hombre cuya mujer le es infiel. Usado como insulto grave. (D.). v. CABRÓN. '¡Anda y que no tiene aguante el *cornudo* ese!' 'Ponte a sumar los *cornudos* que hay en esta recepción y verás que salen más de media docena.'

CORNÚPETA (vulg. y joc.). Cornudo. '¡Me irrita la tranquilidad del *cornúpeta*, macho!' 'No te fíes de las apariencias, que a uno le hacen *cornúpeta* en menos que canta un gallo.'

CORRERLA (arg.). Ref. a una mujer, poseerla sexualmente. v. GOZAR. 'Lo de que *la corrió* es un farol como una casa.'

CORRERSE (arg.). Tener la eyaculación o el orgasmo. 'Éste *se corre* con besarla un ratejo.' '*Me he corrido* esta noche de la manera más tonta.'

CORRIDA (arg.) (no frec.) (n.). Eyaculación. v. LEFA. 'Desde luego, la *corrida* no fue pequeña.'

CORTADILLO (arg.). v. PLAN.

CORTAPICHAS (vulg.). Tijereta o cortapicos. [T. Cortapitos.] '¡Qué raro que haya *cortapichas* en la arena de la playa!' 'Es un terreno que está plaga(d)o de *cortapichas*.'

CORTAR (vulg.). En la expresión achulada o plebeya ¡Corta!, con que una persona se desentiende de otra o la rechaza. Se usa, además, para manifestar burla o incredulidad respecto a lo que alg. dice. El bajo pueblo emplea también las siguientes variantes: ¡Corta Blas, que no me vas!, ¡Corta el rollo (repollo)!, ¡Cortando suave!, ¡Corta y rema (que vienen los vikingos)! 'Nos han falla(d)o dos niñas. — ¡Amos, *corta!*' '*¡Corta el rollo*, Zaca!'

CORTÁRSELA (inf. o vulg.). Expr. ponderativa usa-*da* (genrlm. en fr. condicional) para indicar compromiso o firme decisión en algo. Suele emplearse en primera persona. 'Si no consigo convencerle, *me la corto*.' 'Como esta vez no acierte, *me la corto*.'

93

CORTE (fig. y vulg.). Chasco, sorpresa o respuesta inesperada. Se usa mucho con los verbos dar[se] y llevar[se]. '¡Menudo *corte* que te has lleva(d)o!' '¡Qué *corte* nos han da(d)o, macho!'

CORTÓN, -A (vulg.) (adj y n.). 1.ª) Se dice de una persona tímida, corta o pusilánime. Particularmente, de un hombre en el trato con una mujer. 'Siendo así de *cortón*, no saldrás nunca con ella.' '¡Déjame ya, muchacho, que eres un *cortón!*' 2.ª) Persona que da un corte (v.) o que es aficionada a ello. 'Contigo hay que estar sobre aviso, porque eres un *cortón*.'

COSA (arg.). 1.ª) Órgano genital del hombre o de la mujer. 'Échale talco en la *cosa*.' 'Después le limpias bien la *cosa*.' 2.ª) (no frec.). Coito. 'Que no sirve pa(ra) la *cosa*. Eso es lo que ocurre.' 'Antes de la *cosa*, el precalentamiento.' 3.ª) (poco us.). Dinero '¿Y cuándo llega la *cosa*?' 'Le prometió que la *cosa* sería en cantidá.'

CRÁNEO («Ir alg. de —») (fig. y vulg.). 1.ª) Encontrarse en situación muy apurada o incómoda. ◆ Estar en tensión. 'Con el nuevo jefe *vamos de cráneo*.' '*Voy de cráneo* como no me paguen a primeros.' 2.ª) Estar equivocado o expuesto a un chasco o mal resultado, haciendo cierta cosa. '*Va de cráneo* si cree que voy a llevarle.' 'Como piensen irse al campo, *van de cráneo*.'

CREERSE (inf. o vulg.). En las expresiones ¡No te lo crees ni tú!, ¡No se lo cree ni él [usted]!, empleadas para rechazar, negar o burlarse de lo que dice una persona. 'Yo me hago los cien metros lisos en trece segundos. — *¡No te lo crees ni tú!*' 'Dice que está ganando veintiocho. — *¡No se lo cree ni él!*'

CREMALLERA («Echar la —») (fig.; vulg. o inf.).

94

Callarse. 'Mejor será que *eches la cremallera.*' '*Echa la cremallera,* que no está el horno pa bollos.'

CRIADILLAS (arg. y joc.). Testículos. 'Se le han quedao fofas las *criadillas.*' 'Una esponja y una buena ración de jabón para las *criadillas,* es lo que necesita.'

CRIAR (inf. o vulg.). En la locución Que te crió, usada con el significado de consiguiente, consabido, inevitable o inmediato. 'Piso el freno y la moto que patina... ¡Tortazo *que te crió!*' 'Llegué cuando ya habían ficha(d)o todos. ¡Bronca *que te crió!*'

CRISMA (fig. e inf.). Cabeza. 'Temo que cualquier día se parta la *crisma* desde el andamio.' 'Porque llevaba el casco, que si no, se abre la *crisma.*' Romper la crisma. Frase empleada como amenaza en lenguaje grosero o irritado. (¿D?). '¡Contéstame otra vez y *te rompo la crisma!*' '¡*Le rompo la crisma* al hijo de... ese!'

CRISTIANO (fig. e inf.). Expresión indeterminada para referirse a una persona cualquiera. (D.). 'No encontré a un *cristiano* en diez kilómetros a la redonda.' 'No hay un *cristiano* que me dé fuego. ¡Será posible!' Hablar en cristiano. Expresarse en la lengua propia del que escucha o abiertamente y de manera clara y comprensible para todos los presentes. (D.). '¡*Háblanos en cristiano,* leche!' 'Si *me hablases en cristiano,* a lo mejor me enteraba.'

CRISTO («Donde — perdió la gorra») (vulg. y joc.). En lugar muy lejano o apartado. 'Tiene el piso allá, *donde Cristo perdió la gorra.*' Como a un Cristo dos pistolas («Sentar; Caer; Ir») (inf.). Con referencia al efecto que hace una cosa sobre o al lado de otra o a cómo hace parecer a ésta, muy mal. (D.). 'Ese vestido le cae *como a un Cristo dos pistolas.*' Como hay Cristo que... Expr., que denota juramento, firme propósito o seguridad en cuanto a lo que alg. dice. '*¡Como hay Cristo que* no me ve el pelo pa(ra) los restos!' Ni Cristo (vulg.). Nadie. [T. No hay Cristo que.] 'En esta oficina no te echa una mano *ni Cristo.*' 'Se pone a chapurrear español y *no hay Cristo que* le entienda.' Ni pa(ra) Cristo (íd.). De ningún modo, en absoluto. '¡No salgo ahora *ni pa Cristo!*' 'No hace un favor *ni pa(ra) Cristo.*' To(do) Cristo (íd.). Todos, cada uno. 'El dueño del local se cabreó y mandó echar fuera a *tó Cristo.*' '*Tó Cristo* pidiendo la expulsión del defensa.'

CUADRADOS («Tenerlos —») (fig. y vulg.). Se dice de una persona valiente, emprendedora, enérgica o autoritaria. v. Con COJONES. 'Conseguirá lo que se proponga, porque *los tiene cuadra(d)os.*' 'Descuida, que estando él ahí senta(d)o, no rechista nadie. *Los tiene cuadra(d)os.*'

CUALQUIERA («Una —») (inf.). Prostituta, mujerzuela o mujer despreciable. 'Vivirías más feliz con *una cualquiera* que conmigo, ¿verdad?' 'Se ve a una legua que es *una cualquiera.*'

CUARTOS (inf.). Dinero. (D.). 'Su padre tiene muchos *cuartos.*' '¡Bien que le sacas los *cuartos!*' ¡Ni qué ocho cuartos! Us. en fr. interj. para negar o rehusar algo. '¡Qué coyuntura *ni qué ocho cuartos!*' '¡Qué cansancio *ni qué ocho cuartos!* Lo que pasa es que no he comido.'

CUBRIRLA (vulg.). Ref. a una mujer, poseerla sexualmente. (D.). 'Todo el amor que siente por

96

ella se reduce a *cubrirla.*' 'Apenas siente que *la cubre* su marido.'

CUCA (arg.). Moneda de una peseta. 'Me deshice de ello por cuatrocientas mil *cucas.*' 'Le pedían setecientas *cucas* por la estatuilla.'

CUERNO («Irse al — una cosa») (vulg.). Malograrse, frustrarse. *'Se fue al cuerno* nuestra subida de sueldo.' 'Mis deseos de pintar *se fueron al cuerno.'* Mandar algo al cuerno. Desentenderse, prescindir o dejar de ocuparse de ello. *'Mandaré al cuerno* los escaparates.' *'¡Manda al cuerno* todo ese montón de cartas!' Mandar a alg. al cuerno. Enfadarse y despedirle o echarle bruscamente, prescindir de él o cortar la conversación o relaciones con él. (D.). 'Me cansó tanta impertinencia suya y *le mandé al cuerno.'* '¡Que *le mando al cuerno,* como me llamo Dolores!' Ponerle los cuernos. Ser infiel la mujer al marido. (D.). 'Se merece que *le ponga los cuernos.'* *'Le puso los cuernos* cantidá de veces.' Romperse los cuernos. I) Esforzarse o luchar mucho por algo. *'Se rompió los cuernos* por ganar la plaza.' '¡Que *me rompa los cuernos* pa esto!' II) Darse un trastazo. Us. frec. en frase imperativa. '¡Así *te rompas los cuernos* en la primera curva!' '¡Ojalá *se rompa los cuernos,* mecagüen!' ¡Un cuerno! Expr. interj. con que se manifiesta negación, rechazo o incredulidad en cuanto a lo que alg. dice o propone. 'Le invitarás mañana, ¿no? — *¡Un cuerno!'* 'Quizá no estaba en casa. — *¡Un cuerno!'* ¡Vete [Váyase, Que se vaya, etc.] al cuerno! Expr. brusca con la que se echa o rechaza a alg. que importuna o enfada con lo que dice o hace.

97

7

(D.). '¡*Iros al cuerno*, joder!' '¿Ahora me viene con esas? ¡*Que se vaya al cuerno!*'

CUERPO («Hacer de —») (gros.). Evacuar, obrar. (D.). 'Le dices, madre, que me dé algo para que pueda *hacer de cuerpo*.' '¡No, si no le dejaréis *hacer de cuerpo!*'

CUESCO (gros.). Ventosidad ruidosa. (D.). '¡Gibar, suelta el *cuesco* y se queda tan pancho!' '¡Jo, vaya ristra de *cuescos!*'

CUESTIÓN (arg.). 1.ª) Órgano genital del hombre o de la mujer. 'Acto seguido le vendaron la *cuestión*.' 'Le han da(d)o diez puntos en la *cuestión*.' 2.ª) Coito. ◆ Fornicación. 'Despídete de la *cuestión* por una temporada.' 'Que es muy bruto pa la *cuestión*.' 3.ª) Dinero. 'Te aconsejo que retires la *cuestión* lo más pronto posible.' 'Maneja la *cuestión* de maravilla.'

CUEZO («Meter el —») (vulg.). Equivocarse. Cometer un error, desacierto o indiscreción. (D.). 'Adviértele que no *meta el cuezo* en casa.' 'Para *meter el cuezo* se las pinta solas.'

CUIDADOS («¡Allá —!») (inf. o vulg.). Exclamación con que alg. se desentiende de una cosa que interesa a otros o cree que a ellos atañe. '¡*Allá cuida(d)os!* ¡Que cada cual se las entienda como pueda.' 'La instalación está mal hecha. — ¡*Allá cuidaos!*'

CULADA (vulg.). 1.ª) Caída en que uno queda sentado. (D.). 'Fue una *culada* despelotante, palabra.' 'Todos rieron la *culada* del pianista.' 2.ª) (fig.) («Darse una —»). Cometer un desacierto o indiscreción. 'En la cena *se dio una culada* impresionante.' '¡Una buena *culada te has dao*, Vidal!'

CULAMEN (vulg. y joc.). Nalgas muy grandes.

98

'¡Tomá, qué *culamen* tiene la negra! Ahí queda eso.' 'Chicas, por *culamen* no sufráis. Mirad.'

CULARRA (vulg.). Fondón. Se aplica a la persona que tiene muy grandes las nalgas. 'Estás echando culo, chato. Y no me gustan los *cularras*.' '¡Qué tendrás que decir tú de los *cularras!*'

CULAZO (vulg.). Aumentativo de culo. 'Ahora que va sin chaqueta, mira qué *culazo* tiene tu marido.' 'Está echando un *culazo* de miedo.'

CULERA[s] (fig. y vulg.). Persona cobarde o miedosa. '¡No te fastidia el *culeras* este!' 'Puedes estar orgulloso de tus muchachos. Son unos *culeras*.'

CULO (vulg.). Nombre aplicado a las nalgas de las personas, a las ancas de los animales o a la parte semejante de cualquier animal. ◆ Se aplica, asimismo, al suelo de una vasija. (D.). 'Le daba unos azotitos en el *culo*.' 'Tiene el *culo* irrita(d)o.' Culo de mal asiento («Ser»). Se dice jocosamente de la persona que cambia mucho de empleo, sitio, residencia, etc. (D.). '¡Cuando yo digo que eres *culo del mal asiento...!*' Culo de vaso. Piedra sin valor que imita un diamante. 'Intentaban colarle al joyero *un culo de vaso*.' Con el culo a rastras («Ir, Estar»). Apurado, particularcmente por falta de dinero. 'El mes que viene vamos a *ir con el culo a rastras*, me parece.' Con el culo al aire («Ir, Estar»). Desnudo o con las nalgas al descubierto. 'Iba el chavalín *con el culo al aire*, calle arriba.' Con la hora pegada al culo («Ir»). Escaso de tiempo. 'Aunque madrugue, siempre *va con la hora pegada al culo*.' Del culo. Precedido del adj. tonto o de un sinónimo, se usa como insulto o despectivamente. '¡Que le haya pescao la *tonta del culo* esa!' '¡Será posible que te pueda el *tonto del culo* este!' Más feo que el culo de una mona («Ser»). Aplíc. hiperbólicamente a una persona fea. [T. Más feo que pegar a un padre.] 'Era la mujer *más fea que el culo de una mona.*' Caer[se] de culo. I) Caer[se] hacia atrás, de espaldas. 'Pisó una cáscara y *se cayó de culo.*' II) Quedarse asombrado o atónito. (D.). 'Cuando vean el equipo estereofónico, *se van a caer de culo.*' III) Desternillarse de risa. **v.** MEARSE 'Le contamos aquel chiste tuyo y, mira, *se caía de culo.*' [Que] te caes de culo. Locución ponderativa de lo extraordinario, por bueno o por malo, desagradable, etc. 'Si ves el palacete en que vive, *te caes de culo.*' 'Tiene una cara la niña *que te caes de culo.*' Dar a alg. por (el) culo. Practicar la sodomía '¡Buenos eran los romanos también! *Se daban por culo* cada dos por tres.' 'Entre dos maricones se lo llevaron a un hotelito y *le dieron por culo.*' ¡Que te [le[s], os] den por culo! Fr. excl. de enfado con que una persona se desentiende de otra o de lo que dice o pretende. También, se emplea para desentenderse de un asunto o de algo malo o desagradable que le sucede a alguien. '*¡Que le den por culo* al grifo!' '¿No queréis que os lo arregle? ¡Pues *ques os den por culo!*' ¡Te [le[s], os] van a dar mucho por (el) culo! Expr. brusca dirigida a una persona que enfada o importuna mucho por su actitud o comportamiento. 'No tiene la menor intención de ceder. *¡Le van a dar mucho por el culo,* leche!' '*¡Te van a dar mucho por culo* a ti, coño!' Dar por culo algo o alguien. Fastidiar, molestar o malhumorar. 'Salir un domingo con

100

el coche a él *le da por culo.*' 'Palabra que no aguanto a la gente adulona. *Me da por culo.*' Enseñar alg. el culo. I) Vérsele las nalgas. '¡Pero muchacho, que vas *enseñando el culo!*' '¡Yo no puedo agacharme! ¿Quieres que *enseñe el culo* o qué?' II) Ref. a una mujer, estar en postura indecorosa o ir vestida impúdicamente. 'Con la minifalda que lleva, va *enseñando el culo.*' 'Hoy las chicas *enseñan el culo.* En nuestra época...' Ir de (puto) culo. v. Ir de CRÁNEO. Lamer el culo a alg. Adularle, lisonjearle o comportarse de modo servil. 'Son los que *lamen el culo* a los altos cargos.' 'Con tal de obtener la franquicia, le *lamerá el culo* todo lo que sea necesario.' Meterse la lengua en el culo. Expr. dirigida a una persona que fastidia, molesta o cansa por su indiscreción o entrometimiento. Úsase genrlm. en frase imperativa o interrogativo-negativa. '¡*Métete la lengua en el culo*, que así irá la cosa mucho mejor!' '¿Por qué no *se mete usté la lengua en el culo*, amigo?' Meterse alg. por el culo una cosa. Expr. con que se desdeña o desprecia algo de una persona, contra la cual tiene quien la usa algún motivo de enfado, irritación o indignación. [T. Metérselo por donde le quepa.] '¡No quiero su dinero! ¡Que *se lo meta por el culo!*' '¡*Métete por el culo* tus fincas, tus coches y tu presunción!' Oír por el culo. Ser tardo de oído o entender mal algo. 'Repíteselo, que *oye por el culo.*' '¡Joder, ni que *oyeras por el culo!*' Perder el culo. I) Ir a toda prisa o apresurarse en busca de algo. 'El ratero, viendo que le perseguían, iba que *perdía el culo.*' 'Me lo estoy imaginando. *Perderían el culo*, ¿eh?' II) Desvivirse

101

por complacer a alg., genrlm. de manera servil. '¡Se te debía caer la cara de vergüenza, de *perder el culo* por ese cabronazo!' 'Es de los que *pierden el culo*, en cuantito les llama el jefe.' Poner el culo. Humillarse o ceder en condiciones deshonrosas. '¿Acaso piensas que voy a *poner el culo?*' '¿Pero que se ha creído ese tipo? ¡Sólo me faltaba *poner el culo!*' Tomar alguien por (el) culo. Practicar la sodomía. 'El bujarrón confiaba en que el mozalbete *tomase por el culo.*' ¡A tomar por culo! Fr. interj. con que se echa o rechaza a alg. que enfada o importuna. Se emplea, además, para indicar que uno desiste o se desentiende de algo. '¡No hay más películas ni más gaitas! *¡A tomar por culo!*' 'Le hemos envuelto y todo. — *¡A tomar por culo!*' Mandar a tomar por culo algo o a alg. El mismo significado que la expr. anterior. '¡Mándale *a tomar por culo* al carpintero!' Irse a tomar por culo una cosa. I) Malograrse, irse al traste. 'Las acciones se van a *tomar por culo.*' ¡El asunto de las urbanizaciones *se fue a tomar por culo.*' II) Estrellarse, salir lanzada o destrozarse. 'En el choque, la moto *fue a tomar por culo.*' 'Los papeles *han ido a tomar por culo.*' ¡Vete [Váyase, Que se vaya, etc.] a tomar por culo! Expr. de enfado o irritación con que se despide o echa a una persona, se corta bruscamente la conversación con ella o se niega o se manifiesta incredulidad respecto a lo que dice. '*¡Vete a tomar por culo*, gilipollas!' 'Hace un rato ha venido a preguntar lo mismo. *¡Que se vaya a tomar por culo!*'

CULÓN, -A (vulg.). Se dice de la persona que tiene muy grandes las nalgas. (D.). 'A su derecha ha-

102

bía una vieja *culona* que no paraba de hablar.'
'Sí, hombre, que su novio es chaparrete y *culón...*'

CUMPLIR (arg.). Corresponder al débito conyugal. 'Oí a tu mujer decirle a la mía que no *cumples*.' '¡Coño, pues dime tú qué debo hacer para que diga que *cumplo!*'

CURA («Este —») (inf.). Expresión humorística con que alg. se refiere a sí mismo. (D.). 'Puedes creer a pie juntillas lo que te diga *este cura*.' 'No esperes que vaya a tragárselo *este cura*.'

CURDA (inf. o vulg.). Borrachera. (D.). '¡Si es que agarran unas *curdas* fenomenales!' 'Cogieron una *curda* de tres pares de puñetas.'

CURRAR (vulg. o inf.). Trabajar. [T. Currelar.] 'Me voy a la cama, que mañana he de *currar* muy tempranito.' '¿Y de qué vivo yo, majo? ¡Pues de *currar!*'

CURVAS (inf.). Las formas del cuerpo de la mujer. 'Se le marcan bien las *curvas* con el pichi.' '¿Vas a decirme que a ti te dejan indiferente las *curvas?*'

CUSCA («Hacer la —») (inf. o vulg.). Fastidiar o perjudicar a alguien. (D.). [T. Hacer la cusqui.] 'Si no retiran la demanda, nos *hacen la cusca* a base de bien.' 'Nosotros les podríamos *hacer* a ellos *la cusca*, suspendiendo el envío de piezas.'

DANTE (arg.). Homosexual activo. v. MAHOMA. 'No es *dante*, sino tomante, que es distinto.' 'Estuvo el *dante* a la caza, olfateando los antros.'

DÁRSELA (inf. o vulg.). Ser infiel un cónyuge al otro. v. Ponerle los CUERNOS. 'Se la dio con un marinero, mientras él pringaba en Madrid.' 'No me gusta ni un pelo. Esa *se la da* escapao.

DECIR (vulg.). En la expr. ¡No te digo (lo que hay)!, usada en tono achulado para manifestar desdén, burla, rechazo o incredulidad. '¡Págalo tú, *no te digo lo que hay!*' '¡Anda, que se marche! *¡No te digo!*'

DEJARSE (arg.). v. TRAGAR.

DELANTERA (arg.). Pecho de una mujer. 'Le gusta exhibir su *delantera*.' '¡Vaya *delantera!* ¡La madre que la parió!'

DELIRAR (vulg.). En las expresiones ¡Tú deliras!, ¡Usted delira!, etc., con que alguien rechaza, desdeña o se burla de lo que otro dice o pretende. Genrlm. en tono achulado. 'Éste fue el que me robó.—¡*Usté delira*, señora!' '¿Que yo te lo prometí? ¡*Tú deliras*, chica!'

DESCAPULLAR (fig. y vulg.). Dejar el glande al descubierto. 'Lo peor del caso es que no *descapulla*.' 'Le hacemos la fimosis y verás cómo *descapulla*.'

DESCOJONACIÓN («La —») (vulg.). 1.ª) («Ser»). Se dice de algo tremendo o extraordinario, particularmente referido a un disparate o despropósito. 'El patinaje sobre hielo es *la descojonación*.' 'Pronunció un discurso que fue *la descojonación*.' 2.ª) (íd.). El colmo, el disloque. v. La MONDA. 'El guarda los sorprendió durmiendo sobre el césped. ¡Fue *la descojonación!*' 'Cada vez que entraba la policía en el bailongo, aquello era *la descojonación*.' 3.ª) Us. con el significado de desastre o catástrofe. 'La ambulancia se llevó por delante dos coches y se estrelló contra un quiosco. ¡*La descojonación!*' 4.ª) (no frec.). Acción de descojonar (v.). 'Aún no le habían hecho la *descojonación*.'

DESCOJONADO (vulg.) (p. adj.). 1.ª) («Estar»). Desternillado, muerto de risa. 'Fueron a verle a su despacho. ¡Estaba *descojona(d)o* el tío!' 2.ª) (íd.) (no frec.). Dícese del animal macho castrado. '¿Está *descojona(d)o* este caballo o es que yo veo mal?'

DESCOJONAMIENTO (vulg.). v. DESCOJONACIÓN.

DESCOJONANTE (vulg.) (adj.). 1.ª) Se aplica a una cosa o a una persona que causa mucha risa o divierte. 'Traían los cíngaros varios animales, entre ellos un mico *descojonante*.' 'Es *descojonante* tu hermano, de verdad.' 2.ª) Impresionante, sobrecogedor. 'Estuvimos en las cuevas.

106

Es un espectáculo *descojonante.*' 'Las de Fantomas eran *descojonantes.*'

DESCOJONAR (vulg.) (no frec.). Castrar. '¡Hombre, no se puede *descojonar* a los sementales!'

DESCOJONARSE (fig. y vulg.). 1.ª) Reírse o disfrutar intensamente con algo o alguien. 'Como le cojas en vena, *te descojonas* con él.' 'El público *se descojonaba* con la obra.' 2.ª) Matarse. [T. Escojonarse vivo.] 'A esa velocidad te pegas un castañazo que *te descojonas.*' 'Cae un tío por la alcantarilla y *se descojona.*'

DESCOJONO (vulg.). v. DESCOJONACIÓN. [T. Descojone.]

DESEMBUCHAR (fig.; inf. o vulg.). Decir alg. por fin una cosa que se esforzaba en callar ♦ Declarar alg. todo lo que sabe sobre cierto asunto. (D.). 'Cuando *haya desembuchado*, le sueltas.' '¡Vamos, *desembucha*, o no te dejo un hueso sano!'

DESENFUNDÁR(SE)LA (arg y joc.). Sacar el pene. [T. Desenvainár(se)la.] 'Es nerviosillo el gachó. *Se la desenfunda* al momento.'

DESGRACIADO, -A (fig.; vulg. o inf.). Se aplica como insulto o despectivamente a una persona, para significar que tiene o se le da muy poco valor. Se usa como insulto. (D.). 'No lo tomes a pecho. Es un *desgracia(d)o.*' '¡Cuida(d)o que le he hecho favores! ¡Será *desgracia(d)o!*' '¡Estaba molestando a mi esposa el muy *desgracia(d)o!*' Hacerla una desgraciada. Quitarle la virginidad a una mujer fuera del matrimonio. A veces, ús. en tono burlón ♦ Seducir a una mujer. '*La hizo una desgraciada* a la pobre.' 'Ya sé que *la ha hecho una desgraciada* un viajante.' Ser más desgraciado que el Pupas. Tener muy mala

107

suerte. 'Eres *más desgraciado que el Pupas*, Mauricio.'

DESHUEVADO (vulg.). v. DESCOJONADO.

DESHUEVAMIENTO (íd.). v. DESCOJONACIÓN.

DESHUEVANTE (íd.). v. DESCOJONANTE.

DESHUEVAR (íd.). v. DESCOJONAR.

DESHUEVARSE (íd.). v. DESCOJONARSE.

DESHUEVE (íd.). v. DESCOJONACIÓN.

DESOCUPARSE (j. prost.). Estar libre, sin cliente. [T. Estar desocupada.] 'Se *desocupa* en un abrir y cerrar de ojos.'

DESPAMPANANTE (fig. e inf.). Deslumbrante, llamativo o aparatoso. Aplícase frec. a una mujer hermosa. (¿D?). '¡Quién pudiera salir con una chorba tan *despampanante!*' '¡Está *despampanante* la niña!'

DESPELOTADO (vulg.). v. DESCOJONADO.

DESPELOTAMIENTO (íd.). v. DESCOJONACIÓN.

DESPELOTANTE (íd.). v. DESCOJONANTE.

DESPELOTAR (íd.). v. DESCOJONAR.

DESPELOTARSE (íd.). v. DESCOJONARSE.

DESPELOTE (íd.). v. DESCOJONACIÓN.

DESPIPORREN («El —») (vulg.). Expr. con que se pondera lo extraordinario de una cosa; particularmente, ref. a un escándalo o alboroto. 'El borracho se puso a repartir billetes de mil. *¡El despiporren!*' 'Y el público, tirando almohadillas. ¡Fue *el despiporren!*'

DESPLUMAR (fig. e inf.). Robar a alg. o quitarle con malas artes o en el juego todo lo que tiene o el dinero que lleva encima. (D.). v. Dejar en PELOTAS. 'Entró en el casino y le *desplumaron* a las primeras de cambio.' 'Te *despluman* y tienes que pedir limosna pa la vuelta.'

DESVIRGADA (vulg. o inf.) («Estar, Ser»). Se dice

108

de una mujer que ya no es virgen. 'Esa *está desvirgada* desde los dieciocho.' 'Entonces más de diez chicas *fueron desvirgadas.*'

DESVIRGAR (vulg. o inf.). Quitar la virginidad a una mujer. 'La *desvirgó* mucho antes de la boda.' 'Después se supo que la *había desvirga(d)o* el hijo del Sebas.'

DIETA («Estar a —») (arg.). No poder satisfacer una persona (genrlm. casada) el apetito sexual, por un motivo determinado. [T. Tener a dieta.] '*¡Estaría a dieta* el fulano!, ¿no te parece?' '¡Hombre, que *estoy a dieta* dos meses!'

DIEZ («¡Me cago en —!») (vulg.). Interjección de fastidio, enfado, ira, sorpresa o admiración. '¡Que se te cae, *me cago en diez!' '¡Me cago en diez*, me he deja(d)o el paraguas!'

DIÑARLA[s] (git.; vulg. o inf.). Morirse. (D.). 'Muchos de ellos *la diñaron* durante la guerra.' 'Han esta(d)o a punto de *diñarlas* en el descenso.'

¡DIOS! (vulg.). Exclamación de irritación, fastidio, sorpresa o admiración. (D.). '*¡Dios*, cómo duele la inyección!' '*¡Dios*, qué tipazo de mujer!' Armar[se] la de Dios (es Cristo). Armar[se] un jaleo o alboroto muy grande. (D.). 'Alguien dijo que los documentos eran falsos y *se armó la de Dios.*' 'El americano *armó la de Dios* en el hotel.' Como Dios («Vivir, Estar»). Cómoda y regaladamente 'Está en Australia, *viviendo como Dios.*' 'Le pagaron diez millones por el solar. Ahora *vive como Dios.*' Como hay Dios que. Frase con que una persona manifiesta juramento, firme propósito o resolución sobre algo. (D.). '*¡Como hay Dios que* me retiro de los toros!' '¡Mira, *como hay Dios que* no per-

109

mitiré que ponga los pies en mi casa ese golfo!' ¡La madre de Dios! v. ¡DIOS! Más que Dios («Sudar, Trabajar»). Locución de sentido ponderativo y significado claro. 'Estuvo dos años como maquinista de un petrolero. Allí *sudaba más que Dios*.' Tener más cojones que Dios. Locución vulgarísima que denota valentía, decisión, poder, fuerza o coraje. Ni Dios. Nadie absolutamente. [T. No hay Dios que.] 'Te detiene la poli y no sale en tu ayuda *ni Dios*.' 'Fuimos a buscaros a los billares, pero allí no había *ni Dios*.' 'Pone unos problemas que *no hay Dios* que los haga.' Ni para Dios. De ninguna manera, en absoluto. 'Ten por seguro que él no se mueve *ni pa Dios*.' '¡Ni misiones ni ná! ¡No doy un céntimo *ni pa Dios!*' Todo Dios. Todos, todo el mundo; cada uno. 'Me han dicho que en Alemania tiene coche *tó Dios*.' '¿Qué pasa esta mañana que *tó Dios* me sonríe?'

DOMINÓ («Ficha de —») (arg.). Preservativo. 'Llevaba en el bolsillo dos o tres *fichas de dominó*.' '¿Cómo te haces tú con las *fichas de dominó*, Nando?'

DORMIDA («Echarse una —») (vulg. o inf.). Dormir o dormitar. [T. Pegarse [Darse] una d.] 'Come fuerte y luego *se echa una dormida*. Así, ¿quién no engorda?' '¿Qué tal si *nos echamos una dormida?*'

DOS («Los —») (arg.). Por antonomasia, los testículos. 'Le arreó una patada en *los dos* que le dejó medio muerto.' 'Me he sentao mal y me he pillao *los dos*.'

DUROS («¡(Anda y) que te [le[s], os] den dos —!») (vulg. o inf.). Fr. interj. con que una persona

110

se desentiende con enfado de otra o corta bruscamente la conversación con ella. *'¡Anda y que te den dos duros,* majo! *'¡Que la den dos duros a la Silvia!'*

E

ECHAR (vulg.). 1.ª) Juntar un animal macho a la hembra para que procreen. (D.). 'La *echas* el toro y la mitá de los chotos pa ti.' 'Debes *echarle* al llegar la primavera, ¿entendido?' 2.ª) Proyectar una película en un cine o (menos frec.) representar una obra en un teatro. (D.). '¿Qué *echan* en el del barrio?' 'La próxima semana *echan* una de vaqueros.' 'En el Cómico *echan* un vodevil.' Que echa[n] para atrás. Locución adjetiva equivalente a sospechoso, dudoso o pésimo. [T. Que tira[n]...] 'Esos salmonetes tienen una pinta *que echan pa atrás*.' 'Tiene hoy un olor el marisco *que echa para atrás*.'

EJE («Partir por el — a alg.») (fig.; inf. o vulg.). Causarle un gran perjuicio o trastorno. (D.). ◆ Dejarle desarmado o confundido en una conversación. 'A estas alturas, un cambio de horario nos *partiría por el eje*.' 'La metedura de pata me *partió por el eje*.'

113

8

ELE (inf. o vulg.). Se emplea como expresión de asentimiento o aprobación equivalente a *eso es, exactamente*. Suele usarse en frase interj. *'¡Ele, así se zapatea!'* *'¡Eso es bailar un fandango, ele!'*

EMBALADO, -A (arg.) («Estar, Ir»). Ardiente, rijoso. v. SALIDO. *'Cuando más embala(d)o estaba yo, va la tía y dice que se larga.'* *'Con los dos güisquis que se había trincao la prójima, estaba embala(da).'*

EMBALARSE (arg.). Ponerse ardiente. v. CALENTARSE. *'Vamos a sacarle de aquí, que empieza a embalarse y para qué queremos más.'* *'Si se embalan por los chistes, que no me echen a mí la culpa.'*

EMBUTE («De —») (vulg.). v. De BUTEN.

EMPALMADO (vulg.) («Estar»). Dícese de un hombre excitado sexualmente. *'¡Pero bueno, ya estás otra vez empalma(d)o!'* *'No sigo contando nada más. Estáis empalmaos.'*

EMPALMARSE (vulg.). Excitarse un hombre sexualmente. *'No me traigas más revistas extranjeras, que después me empalmo y no duermo bien.'* *'En la Edad Media, les daban un filtro y se empalmaban los tíos lo indecible.'*

EMPELOTARSE (vulg.). Quedarse en cueros. (D.). v. En PELOTAS. *'En esas islas de nudistas se empelota todo quisqui.'* *'Todas las mañanas se empelota para tomar el sol.'*

EMPINÁRSELE (vulg.). Ponerse erecto el pene. v. TIESA. *'Tuve que dejar de bailar, porque se me empinaba. No podía remediarlo.'* *'Cada vez que salía, se le empinaba.'*

ENANO («Divertirse como un —») (inf. o vulg.). Pasarlo bien. [T. Divertirse como enanos.] *'Se di-*

114

vertieron como un enano en los toboganes.' *'Nos divertiremos como enanos* en la capea.'

ENCABRITADO, -A (fig.; vulg. o inf.). Irritado o malhumorado. v. CABREADO. 'Por lo de la estafa, el tío estuvo unos días de un *encabrita(d)o...*' 'Se ponen *encabritaos*, de que me retrase una miaja.'

ENCABRITAMIENTO (fig.; vulg. o inf.). Enfado o malhumor. '¿Qué, se te pasó el *encabritamiento?*' 'Las buenas noticias quitan los *encabritamientos.*'

ENCABRITAR (fig.; vulg. o inf.). Soliviantar o exasperar a alg. 'Hay algo que le *encabrita*, y es la falta de seriedad.' *'Le encabritas* con una facilidad enorme.'

ENCABRITARSE (íd.; íd.). Irritarse, enfadarse. v. CABREARSE. '¡Cómo me gusta que *se encabrite* mi chavala!' '¿No querrás que *se encabrite* conmigo?'

ENCABRONADO, -A (vulg) («Estar»). Fastidiado, irritado o soliviantado. *'Estoy encabronao.* Se me amontona el trabajo y...' 'A fuerza de injusticias y zancadillas uno termina *encabrona(d)o.*'

ENCABRONAMIENTO (vulg.). Efecto de encabronar[se]. 'Algunas veces llegaba a un *encabronamiento* que daba miedo.' 'Es un *encabronamiento* bastante tonto el tuyo.'

ENCABRONAR (vulg.). Poner de mal humor, irritar. ◆ Molestar con impertinencias. 'A la gente lo que más le *encabrona* es la burla.' 'Estas gilipolleces te *encabronan* poco a poco.'

ENCABRONARSE (vulg.). Soliviantarse, malhumorarse. 'Les han nega(d)o las dietas que les prometieron. Es lógico que *se encabronen.*' 'Diles

115

que no *me encabronen,* que soy capaz de hacer cualquier locura.'

ENCHULADA («Estar — con») (vulg.). 1.ª) Se dice de la prostituta que depende de un rufián. *'Estaba enchulada* por entonces *con* un dependiente de merca(d)o.' *'Estuvo enchulada con* un matador fracasa(d)o, lo menos tres años.' 2.ª) (fig.). Aplíc. a una mujer enamorada de un hombre de manera poco digna o razonable. *'Está* verdaderamente *enchulada* con el cámara.'

ENCOÑADO, -A (vulg.) («Estar»). 1.ª) Dícese de un hombre muy enamorado de una mujer. 'Su hijo *ha esta(d)o* una temporada *encoña(d)o* con mi Carmina.' 2.ª) Encaprichado, emperrado. *'Está* la mar de *encoña(d)o* con un televisor portátil.'

ENCOÑAMIENTO (vulg.). 1.ª) Enamoramiento grande. '¡Hay que ver qué *encoñamiento* tiene el chico!' 2.ª) Capricho o deseo vehemente.

ENCOÑAR (vulg.). 1.ª) Encandilar. Suscitar en alg. el deseo de algo o la ilusión de que va a conseguirlo. 'No le *encoñes,* que si al final no resulta...' 2.ª) (no frec.). Fastidiar, molestar o enfadar a alg. 'Le gusta criticar y *encoñar* a su padre. Y un día va a estallar.'

ENCOÑARSE (vulg.). 1.ª) Enamorarse perdidamente. 'El mayor *se encoñó* de una pintora y se casó a los pocos meses.' 2.ª) Encapricharse, emperrarse. '¡También tú *te encoñas* de unas cosas!'

ENCORNUDAR (vulg.) (no frec.). Ser infiel un cónyuge al otro. (D). '¿Qué te apuestas a que lo *encornuda?'*

ENDIÑAR (git. y vulg.). 1.ª) Dar, pegar. Le *endiñó* un sopapo al chaval por la contestación.' '¡Quítamelo de delante, que le *endiño* una mandanga que...!' 2.ª) Endilgar, endosar. 'Le *ha endiña(d)o*

116

la redacción de los estatutos.' 'Nos *endiñó* toda la facturación pendiente.'

ENFUNDÁRSELA (arg. y joc.). Meterse, guardarse el pene. 'El chorbo meó con la mayor tranquilidad del mundo, echó el culo pa atrás y *se la enfundó.*'

ENGAÑARLE ( ). Ser infiel un cónyuge al otro. v. PEGÁRSELA. 'Ni la más remota sospecha de que *le engaña.*' 'Es preferible que su mujer no sepa que *la engaña.*'

ENGENDRO (inf. o vulg.). Hiperbólicamente, persona muy fea. 'Colgado del brazo, llevaba un *engendro* que no veas.' '¿Dónde vas tú con ese *engendro,* chala(d)o?'

ENROLLARSE (fig.; inf. o vulg.). 1.ª) Extenderse alguien más de lo necesario en una conversación o explicación. 'El hombre *se está enrollando* a gusto.' '*Se estaba enrollando* el profe de lo lindo.' 2.ª) Cansar o aburrir a una persona con una conversación baladí. '¡Oye, no *te enrolles,* que él nada tiene que ver con esto!' '¡Jo, la gente mayor *se enrolla...!*'

ENTERARSE (inf. o vulg.). Us. genrlm. en frase negativa, para aludir al despiste, atolondramiento o ingenuidad de alg. '¡Que la ronda ya está pagada! ¡Estás que *no te enteras!*' 'Las bayetas están en el almacén. ¡Que *no te enteras!*'

ENTIERRO («Parecer un — de tercera») (fig. e inf.). Se dice de una reunión de personas que resulta aburrida. 'Este guateque *parece un entierro de tercera.*'

ENTREPIERNA («Pasárse(lo) por la —») (vulg.). Se emplea para manifestar burla, desprecio, desdén, indiferencia o desobediencia. 'Su posición social *me la paso por la entrepierna.*' 'Sus advertencias *te las pasas por la entrepierna*, ¿no es eso?'

ENVAINÁRSELA (arg. y joc.). 1.ª) Meterse, guardarse el pene. v. ENFUNDÁRSELA. 'Me hizo gracia cómo *se la envainó* el tipo del urinario.' 2.ª) Retractarse, retirar lo dicho. 'Si me aseguras que no es cierto, entonces *me la envaino*.'

ENVIDIA («¡La cochina — que te [le, os, etc.] corroe!») (vulg.). Locución us. para referirse a la envidia o el deseo que oculta una persona que censura o critica algo de otra. Se usa mucho en sentido jocoso. 'Me dijo que si no tenía bastante con un coche. *¡La cochina envidia que le corroe!*'

EQUILICUATRE (inf. o vulg.). v. ELE.

ESCAGARRUZARSE (vulg.). Hacerse de vientre. (D.). v. PATA. 'Se había escagarruza(*d*)o. Por eso lloraba el crío.' 'Se escagarruza precisamente cuando vamos de visita.'

ESCAPARATE (arg.). Pecho de una mujer. 'En la portada de casi todas las revistas, tías de un *escaparate* descomunal.' 'Las que elijas han de tener mucho *escaparate*.'

ESCOÑARSE (vulg.). Hacerse daño ♦ Darse un trastazo. '¡Que *te vas a escoñar* el brazo!' 'Trepando por esos riscos, es muy posible que *se escoñe*.'

ESCOPETA (arg.). Miembro viril. '¿Y qué hace ése con la *escopeta* fuera?'

ESCOPETAZO («Dar un —») (arg.). Practicar el coito. ♦ Fornicar. 'Tenías razón. El dire *da un escopetazo* entre semana.' 'Dan un escopetazo en apartamentos de lujo.'

ESCORNARSE (vulg.). v. Romperse los CUERNOS, II.

ESCULPIDA (inf. o vulg.) («Estar»). Se dice, a modo de requiebro, de una mujer hermosa o atrac-

118

tiva. '¡Cómo estás, hija! *¡Estás esculpida!*' '*Están esculpidas* las del tablao.'

ESPABILAR (arg.). 1.ª) Robar, hurtar. (D.). 'Les *espabilaron* dos cajas de botellas.' '¡Anda su madre, nos *han espabila(d)o* las bicis!' 2.ª) Matar a alguien. (D.). 'Allí, salir a la calle por la noche es exponerse a que *le espabilen*.'

ESPABILÁRSELA (arg.). Ref. a una mujer, poseerla sexualmente. 'Y lo que él dice, ¿para qué tengo el cortijo? Para *espabilármelas*.' '*Se la espabiló* un hijo de papá, muy golferas él.'

ESPANTO («De —») (inf.). Locución adjetiva equivalente a tremendo o grandísimo. 'En aquella época se pasaba un hambre *de espanto*.' 'Hace un calor *de espanto* en esta habitación.'

ESPÁRRAGOS («Mandar a alg. a freír —») (inf. o vulg.). v. GÁRGARAS. (D.).

ESPATARRARSE (vulg.). v. Abrirse de PIERNAS.

ESPETERA (fig. e inf.). Pecho de una mujer, particularmente cuando es muy desarrollado. (D.). 'En el noventa por cien de los casos, se dedican a explotar la *espetera*.' 'Chica, tú harías lo mismo, si tuvieses esa *espetera*.'

ESPICHARLA[S] (vulg.). Morirse. (D.). '¡Poco faltó para *espicharla* en la mina!' 'Cuando llegó el médico ya *la había espichao*.'

ESQUELETO («Menear el —») (arg.). Bailar. 'Hoy de *menear el esqueleto*, leches.' '¿Nunca os cansáis de *menear el esqueleto*?'

ESTACA («Plantar la —») (fig. y vulg.). Defecar. 'Algún desgraciao *ha plantao la estaca* cerca de mi puerta.' '¿No tienes otro sitio donde *plantar la estaca*, anormal?'

ESTAMPA («¡Me cago en tu [su, vuestra] —!») vulg.). Fr. interj. aplicada a una persona que

119

causa enfado, molestia, fastidio o contrariedad. 'Que podía haberlo hecho mejor, me dice. *¡Me cago en su estampa!*'

ÉSTOS («¡Por —!») (vulg.). v. ¡Por los COJONES!

ESTRECHA (arg.). Dícese de una mujer de moral sexual rígida. v. TRAGONA. 'Con ésa no tienes nada que hacer. Me da en la nariz que es *estrecha*.' 'En seguida te diré si es *estrecha* o todo lo contrario.'

ESTRENARSE (arg.). Dar el dinero consabido. [T. Explicarse, Explicotearse.] '¡Oye, macho, a ver si *te estrenas!*' 'Como estés esperando que *se estrene*, vas apañao.'

EXTRANJIS («De — *(banjis)*») (inf.) (adj. y adv.). 1.ª) Inesperado o extraño. (D.). 'Le hicieron un regalo *de extranjis.*' 2.ª) Clandestina u ocultamente. (D.). 'Recibieron provisiones de *extranjis.*'

120

F

FACILONA (vulg.). Mujer que accede fácilmente a las solicitaciones masculinas. 'Se despachó a gusto con ella. La dijo que era *una facilona* y una furcia.' 'Naturalmente. Tú no te echarías por novia a una chavala *facilona*.'

FAMILIA («Acordarse de la — de alg.») (vulg.). Se emplea en tono de enfado o irritación como expr. imprecativa o de insulto. [T. Cagarse en la familia de alg.] 'Lo hice por narices, pero *me acordé* un rato largo *de su familia*.' *'Me acuerdo de su familia*, si me deja aquí tirao.'

FANTASMA (fig y vulg.). Persona presumida, jactanciosa. (D.). ♦ Fantoche, fanfarrón. 'Se te va a hacer tarde. Anda, date el piro, *fantasma*.' '¡No seas *fantasma*, que ya te conocemos!'

FANTASMADA (vulg.). Presunción o fantochada. [T. Fantasmeo.] 'Llegó en su propio avión. Fue la *fantasmada* del siglo.' 'Ya estoy de vuelta de todas sus *fantasmadas*.'

FANTASMEAR (vulg.). Presumir, alardear o fanta-

121

sear. 'Por nosotros puedes *fantasmear* hasta que te canses.' '¡Que sí, coño, que ya sabemos que te gusta *fantasmear!*'

FANTASMÓN, -A (vulg.). Aumentativo de fantasma. (v.). (D.).

FARDADA (vulg.). 1.ª) Acción, dicho o rasgo que da distinción, elegancia o categoría. 'A pesar de tus *fardadas,* no has conseguido impresionarles.' '¡Jo, qué *fardada* más grande!' 2.ª) Fanfarronada, barrumbada. 'Su invitación no deja de ser una *fardada.*' 'Efectivamente, es una *fardada.* Pero el chico es feliz de esa forma.'

FARDADO, -A «Ir bien —») (vulg.). Ir elegante, bien vestido. 'Para un acto como éste, has de *ir bien farda(d)o.*' '¡Bien *farda(d)o* que iba a los toros el tío!'

FARDAR (vulg.). 1.ª) Dar distinción, elegancia o categoría una cosa. 'Lo que *farda* de verdá es pagar con un cheque.' 'Eso de ir a buenos restaurantes *farda* mucho.' 2.ª) Presumir. Darse importancia o hacer ostentación de algo. 'Le encanta *fardar* delante de las chicas.' 'Porque tú no puedes *fardar* de ná, se pone el idiota.'

FARDE (vulg.). V. FARDADA.

FARDÓN, -A (vulg.). 1.ª) Elegante, distinguido; de buena calidad o de buen gusto. Se aplica, asimismo, a cosas que indican un alto nivel de vida. [T. Fardero.] 'Los trajes que hace ese sastre son *fardones.*' 'Tiene un chalet muy *fardón* en las afueras de Toledo.' 2.ª) Elegante, bien vestido. '¡Joder, qué *fardón* estás!' 'Va demasia(d)o *fardón* para ir a trabajar.' 3.ª) Presumido, presuntuoso. 'Os da envidia que me las lleve de calle, dice. ¡Será *fardón!*' 'El chico a que me refiero es así, muy *fardón,* él.'

122

FASTIDIAR (inf. o vulg.). Us. en frase interjectiva negativa, para expresar enfado, molestia, oposición, asombro o burla. 'Quiere que le dé el dinero que dejó en señal. *¡Nos ha fastidia(d)o!*' 'Dice que el marisco es congela(d)o. *¡No te fastidia!*' '¡Te vas a arrepentir del choteo!—*¡No fastidie!*' 'Han atropella(d)o a Quique.—*¡No fastidies!*'

FASTIDIARSE (inf. o vulg.). Aguantarse. Soportar un daño, perjuicio o contratiempo. Se usa mucho en frases de forma o sentido imperativo, en lenguaje desconsiderado. 'Te pedí un favor una vez y me lo negaste. Así que ahora, *fastídiate.*' '¿Quería emanciparse, no? *¡Que se fastidie!*'

FAVOR («Hacerle un —») (arg.). Ref. a una mujer, poseerla sexualmente. Úsase en las expresiones ¡Estás para (hacerte) un favor!, ¡Está para (hacerle) un favor!, como requiebro o referencia grosera a una mujer hermosa o atractiva. 'La del medio *está para hacerle un favor.*' '*¡Estás para un favor,* preciosidad!'

FELICIANO («Echar un —») (arg.). Hacer el acto sexual. ◆ Fornicar. v. POLVO. 'La última vez que *echamos un feliciano* fue por Reyes.' 'Han venido a *echar un feliciano.*'

FENOMENAL (inf. y vulg.). Usado como adj y adv. en expresiones ponderativas de lo grande, bueno, bello, etc. (D.). 'Los músicos recibieron un abucheo *fenomenal.*' 'Hemos hecho una jira *fenomenal* por Italia.' 'Lo pasé *fenomenal* en el circo.' 'Hay cuatro o cinco que pintan *fenomenal.*'

FENOMENALMENTE (inf. y vulg.). Muy bien, magníficamente. 'Después de la operación se encon-

123

traba *fenomenalmente*.' 'Le va *fenomenalmente* en la nueva empresa.'

FENÓMENO (inf. y vulg.) (adj. y adv.). Formidable, extraordinario; muy bien. (¿D?). 'En clase tengo unos compañeros *fenómenos*.' 'Hace un tiempo *fenómeno* para ir de pesca.' 'Ven con nosotros, que lo vamos a pasar *fenómeno*.'

FETÉN (git.; inf. y vulg.). 1.ª) Verdad; verdadero, auténtico. 'Sólo a él le dijeron la *fetén*.' 'Esto es el flamenco *fetén* y no lo que ves en otros tablaos.' 'No sabéis apreciar el vino *fetén*.' 2.ª) Estupendo, excelente. [T. Fetén de la chupi.] 'Conocí a una chica *fetén* en Sevilla.' 'En esta venta te ponen unas morcillas *fetén*.' 'Seguro que verás un espectáculo *fetén*.'

FETO (arg.) (n. cal.). Se dice de una persona fea. Aplic. frec. a una mujer. '¿No querrán que salga yo con ese *feto*?' 'La ves sin pintar ni arreglar y resulta un *feto*.'

FIERA («Ser [Estar hecho] un —») (vulg.). Por antífrasis, aplícase a una persona muy trabajadora, estudiosa o inteligente. 'Nos falta tan sólo la mitá. *Estamos hechos unos fieras*.' 'Ha acaba(d)o el bachiller en cuatro años. *Está hecho un fiera*.'

FILA (fig. e inf.) («Coger, Tener»). Antipatía; hincha, tirria. (D.). 'Le *ha cogido fila* y no le deja ni a sol ni a sombra.' 'Nos *tiene una fila* que no nos puede ni ver.'

FILAR (inf.). Fijarse en una persona y estar precavido contra ella. ♦ Ver, percatarse. 'Al recepcionista lo *filó* desde el primer día.' '¿*Has fila(d)o* qué collar llevaba la duquesa?'

FILETE («Darse el —») (vulg.). Cometer una persona acciones lascivas con otra de distinto sexo.

124

[T. Darse el gran filete, D. el filetazo.] '¡Qué tarde, chacho! *Me di el filete* con la francesita.' '¡No dices lo mismo cuando *te das el filete* con tu novio, en el cine!'

FINGAR (arg.). Robar, hurtar. 'Según ellos, les *habían fingao* además la documentación.' 'Me *fingaron* una sortija y unos gemelos de oro.'

FLETE (j. prost.). Comercio que hace una meretriz con su cuerpo. 'Deberías saber que vivo del *flete*.' 'Hay mucha competencia en el *flete*.' Echar un flete. Fornicar. 'Dijo que no *echaba un flete* ni loco.' '¡Qué ganas tenía de *echar un flete!*'

FLOJA («Tenerla —») (vulg.). No tener erección de pene. 'Para mí ya se acabó la cuestión. Hace tiempo que *la tengo floja*.' Traérsela a alg. floja. Se usa como expr. de desprecio, burla, desdén, desconsideración o indiferencia. v. Pasarse por los COJONES. '*Me la traen floja* los sermoneos.' 'A ellos las fiestas de sociedad *se la traen floja*.'

FOLLÁ («Tener mala —») (vulg.). Ser persona malintencionada o maliciosa. '¡Te está bien emplea(d)o! Te advertí que *tenía mala follá*.' '¡Pero qué *mala follá tienes!*'

FOLLADA («Estar —») (vulg.). Se dice de una mujer que no es virgen o que ha tenido relaciones sexuales con varios hombres. '*¡Está* ya más *follada* que yo qué sé!' '¡Que me corten el cuello, si no *están folladas* todas éstas!'

FOLLADOR, -a (vulg.). Se dice de la persona que cohabita con mucha frecuencia. ◆ Fornicador. '¡Precisamente él, que siempre ha sido un *follador* de primera!' 'El menor salió un *follador* empedernido.'

FOLLAJE (fig. y vulg.). Coito. ◆ Fornicación. 'El muy cachondo decía que era experto en las técnicas del *follaje*.' 'Ni corta ni perezosa, me soltó la zorra que su profesión era el *follaje*.'

FOLLAR (vulg.). 1.ª) Cohabitar. ◆ Fornicar. 'Nosotros *follamos* los sábados, como está manda(d)o.' 'No te lo vas a creer, pero *follan* dentro del coche.' 2.ª) Fastidiar. Causar un daño o perjuicio. v. JODER, 2.ª acep.

FOLLARSE (vulg.). v. JODERSE, 1.ª acep.

FOLLÁRSELA (vulg.). Poseer sexualmente a una mujer. '*Se la folló* en un apartamento alquila(d)o.' 'Sí, lleva una carrera ascendente. Pero a costa de que se *la follen* unos pocos.'

FOLLÁR(SE)LO («vivo») (vulg.). Causar a alg. un gran daño o perjuicio. 'Ha querido hundirme. Ahora que, *me lo voy a follar vivo*.' '¡Me lo follo vivo, a la primera equivocación que cometa!'

FORMA («Estar [Ponerse] en — ») (arg..). En disposición propicia para el amor sexual. 'Déjame, que hoy no *estoy en forma*.' 'Tardó poco en *ponerse en forma*.'

FORRADO, -A («Estar — ») (fig. y vulg.). tener mucho dinero. 'Les importa un pimiento el coche. *Están forra(d)os*.' '¿Quién dice que *está forra-(d)o* el fulano, con esas pintas?'

FORRAPELOTAS (arg.). Persona despreciable o de poco valor. ◆ Imbécil, majadero. 'Debes quitártelos de encima. Son un atajo de *forrapelotas*.' 'Estos *forrapelotas* son los que se ríen del mundo, mientras tú te dejas la bisagra en la oficina.'

FORRARSE (fig. y vulg.). 1.ª) Atiborrarse, hartarse de comida. 'Dice que no le prepares nada, que se ha *forra(d)o* en el lunch.' '*Me he forrao* en

126

la inauguración.' 2.ª) Enriquecerse. (D.). [T. Forrarse el riñón.] 'En menos de un año *se han forra(d)o* con el mesón.' 'Poniendo el supermerca(d)o en un barrio bien, *se forran*.' 3.ª) v. Darse el FILETE.

FOTO («Hacer — ») (fig. e inf.). v. Enseñar el CULO.

FRASCO («¡Chupa [Toma] del —, Carrasco!») (vulg.). Us. como expr. interj. de aprobación, asentimiento, regodeo o asombro. v. CHUPARSE. '*¡Chupa del frasco, Carrasco!* ¿No decía que no entraría un gol?'

FRENO («¡Echa el —, Ma(g)daleno!») (vulg.). Frase excl. de carácter achulado y plebeyo, con que alg. trata de contener o hacer callar a otro. v. Parar el CARRO. '*¡Echa el freno, Madaleno!* ¡A ver si hablamos cabal!'

FRENTE («Adornarle la —») (arg.). Ser infiel la mujer al marido. v. Ponerle los CUERNOS. 'La idea de *adornarle la frente* le venía de meses atrás.' 'Esa *adorna la frente* al tío más macho.'

FRESCO («Traer al —») (inf. o vulg.). Serle indiferente a alg. una cosa o una persona. v. Tocarle los COJONES. 'A ella, francamente, ese chico *le trae al fresco*.' 'Su opinión *me trae al fresco*.'

FROTÁRSELA (vulg.). 1.ª) Masturbarse un hombre. '¡Ya eres bastante mayorcito para estar *frotándotela*, rico!' '*Se la frota* a la hora de la siesta.' 2.ª) Masturbar a un hombre. 'Si tú lo pides, *te la frotan*.'

FUELLE («Tener el — flojo») (gros.). Soltar una ventosidad involuntaria o frecuentemente. 'Lleva el pobre unos días que *tiene el fuelle flojo*.' '*¡Flojillo tienes el fuelle*, Emilín!'

FULANA (). Amante o concubina de alguien, o prostituta. 'La *fulana* le exigía que se separara

127

de su mujer.' 'En una redada han detenido a diez *fulanas.*' 'Entró en una casa de *fulanas.*'

FURCIA (vulg.). Prostituta, mujer de vida alegre o mujer despreciable por cualquier concepto. Se usa como insulto grave. 'Será una señora muy respetable y todo lo que quieras, pero es una *furcia* de lo más tira(d)o.' 'Se enteraron de que tenía relaciones con una *furcia.*' '¡Habías de llegar a esto, *furcia!*'

GACHÍ (git.; vulg. o inf.). 1.ª) Mujer o muchacha. (D.). [En pl., t. gachises.] 'Le gusta quedar bien con las *gachís.*' 'No pierde el tiempo con las *gachises.*' 2.ª) Mujer guapa o atractiva. '¿Has visto qué *gachí* había en la puerta?' 'Las *gachís* que pasan por aquí no las encuentras en tu barrio.'

GACHÓ (git.; vulg. o inf.). 1.ª (desp.). Hombre. (D.). 'Vinieron dos *gachós* a su casa, a buscarle.' 'Te digo que la acompaña un *gachó* rubio y fortachón.' 2.ª) Se emplea como apelativo achulado, para llamar o designar en exclamaciones o en expresiones despectivas. '¡Vaya un sueño que tiene el *gachó!*' 'Va el *gachó* y me dice que tenga más cuida(d)o.' '¡*Gachó*, qué día he tenido hoy!'

GACHÓN, -A (vulg.). Aplicado a personas y particularmente a mujeres, incitante sexualmente. 'Ya lo creo que es *gachona*, y ella además lo sabe

129

9

muy bien.' 'Los *gachones* estaban allí ná más pa la jodienda.'

GALLETA (fig. e inf.). Golpe o bofetada. (D.). 'Se ha pega(d)o una *galleta* fenomenal con la bici.' '¡Te doy una *galleta* que te espabilo, chaval!' A toda galleta. A toda velocidad. v. LECHE, 5.ª acep. 'Cogimos la moto y nos fuimos *a toda galleta* al hipódromo.'

GAMBA (vulg.). 1.ª) Apelativo afectivo o amistoso, de uso achulado entre gente baja. '¡Eh, *gamba*, que la entrada es por aquí!' '¡Contento me tienes, *gamba!* 2.ª) (poco us.). Dícese, como requiebro o ponderación, de una mujer guapa o atractiva. '¡Jodó, qué *gamba* ha traído!' '¡Vaya *gamba*, su padre!'

GANA («Darle a alg. la —») (vulg. o inf.). Rudo o usado con enfado, querer. (D.). Se usa más en frase negativa. v. Salirle de los COJONES. 'Les invito porque *me da la gana.*' '*No me da la gana* de hacerle el favor.' Tener ganas (arg.). Tener deseo ardiente de cópula o predisposición a ella. 'Salta a la vista que *tiene ganas.*' '¡Qué *ganas tenía* el chorlito!' Con las ganas («Dejar, Quedarse»). Insatisfecho sexualmente. 'Total, que *me dejó con las ganas* la puñetera.' '*Le ha dejao* la nórdica *con las ganas.*' Entrarle [Venirle] (las) ganas. (vulg.). Tener necesidad de evacuar. '*Le entraron las ganas* y tuvimos que parar.' '*Le vinieron ganas* al chico.'

GANGLIOS (arg.). 1.ª) Pecho de una mujer. 'Los *ganglios* desbordaban el sostén, créeme.' 'Encuentro que tiene los *ganglios* muy separa(d)os.' 2.ª) (no frec.). Testículos. '¿Qué pasaría si te cortara los *ganglios?*' '¡Apañaos tengo los *ganglios* yo!'

130

GAPO (vulg.). Escupitinajo. [T. Lapo.] '¡Los muy cerdos me echaron un *gapo* desde el autocar!' '¡Qué jodía costumbre de echar *gapos* tienes!'

GARBANZOS («Cambiar el agua a los —») (arg.). Orinar. 'Me levanté a *cambiar el agua a los garbanzos*. Las cervezas.' 'De noche, no me levanto a *cambiar el agua a los garbanzos* ni de coña.'

GARBEO («Dar[se] un —») (vulg. o inf.). Dar[se] una vuelta, pasear. 'Vente a casa, mientras ellos *se dan un garbeo*.' '*Se dieron un garbeo* hasta Cibeles.'

GARGAJO (gros.). Flema o esputo voluminoso. (D.). '¡Ahí va! ¡Casi me esnuco por la mierda del *gargajo*!' 'Hay que ir salvando *gargajos*. ¡Esto es el colmo!'

GÁRGARAS («Mandar a hacer —») (vulg.). Echar alguien a una persona o alejarla de su trato, o desentenderse de una persona o de una cosa. (D.). 'Me vino con pijadas y le *mandé a hacer gárgaras*.' '¡*Mándales a hacer gárgaras*, jolines!' ¡Vete [Váyase, Que se vaya, etc.] a hacer gárgaras! Frase con que se rechaza o echa con enfado a alguien. (D.). '¡*Vete a hacer gárgaras*, ceporro!' 'No andes con más contemplaciones. ¡*Que se vaya a hacer gárgaras*!'

GIBAR (vulg.). 1.ª) Molestar o importunar; causar un perjuicio a alg. (D.). Se usa mucho en frases interjectivas achuladas o plebeyas: ¡No te giba!, ¡Nos ha giba(d)o!, etc. v. FASTIDIAR. 'Ahora su mayor satisfacción sería *gibarnos*.' 'Dice que me he pasa(d)o el disco, *¡no te giba!*' 2.ª) Us. como interjección de admiración, sorpresa, fastidio o enfado. '¡*Gibar*, qué boquete han hecho!' '¡Que no me sale, *gibar*!'

131

GIBARSE (vulg.). 1.ª) Aguantarse, fastidiarse. 'Amigo, cuando uno no tiene otra salida, *se giba y traga quina.*' '¡Pues *se van a gibar*, porque ya no queda vino!' 2.ª) Se emplea como exclamación de enfado, irritación, asombro o sorpresa. '*¡Gibarse*, menudo cisco que han prepara(d)o!' '*¡Gibarse* con el niño, qué espabila(d)o!'

GILÍ (git. y vulg.) («Ser, Estar»). Se dice de una persona tonta o mema. (D.). ◆ Ingenuo, cándido. ◆ Engreído, presuntuoso. Se emplea como insulto. [T. Gili.] 'O estás *gilí* o no me lo explico.' '¡Pero muchacho, no seas *gilí*, que nadie da duros a peseta!' 'De que le han ascendido, está *gilí*.' 'No te cabrees, hombre. Sabes que es *gilí* de nacimiento.'

GILIPICHAS (vulg.). v. GILIPOLLAS. [T. Gilipichis.]

GILIPOLLADA (vulg). v. GILIPOLLEZ.

GILIPOLLAS (vulg.) («Ser, Estar»). Aplícase a una persona boba o estúpida. ◆ Ingenuo, incauto. ◆ Engreído, jactancioso. Se usa como insulto violento. '¡So *gilipollas*, te dije que te quedaras en casa!' 'Me lo calé al momento. Es un perfecto *gilipollas*.' 'Eso sólo les ocurre a los *gilipollas* como él.' 'Como le ha felicita(d)o el gerente, está de un *gilipollas* que no veas.'

GILIPOLLEAR (vulg.). Hacer el gilipollas o comportarse como tal. 'No le consiento que esté *gilipolleando* por ahí con sus amiguitos.' 'Os da por *gilipollear* y es que no acabáis, ¿eh?'

GILIPOLLESCO, -A (vulg.). Propio de gilipollas o relativo a él. '¡Ay, chico, vivimos en un mundo *gilipollesco!*' '¿Cómo se puede aguantar este ambiente tan *gilipollesco?*'

GILIPOLLEZ (vulg.). Estupidez, bobada ◆ Ingenui-

132

dad. ◆ Engreimiento, presunción. [T. Gilipollería, Gilipollismo.] '¡Qué sarta de *gilipolleces* ha solta(d)o el tío!' 'Hasta ahora no habéis dicho más que *gilipolleces*.' 'Este Ricardo es de una *gilipollez* irritante.' 'Es una auténtica *gilipollez* eso de poner tanto adornito en el coche.' 'Me pone frenético su *gilipollez*.'

GILIPUERTAS (vulg.). Pseudoeufemismo por gilipollas. '¡Que tienes una rueda pinchada, *gilipuertas!*' '¡Pues no dice que ha llega(d)o tarde por mí! ¡Será *gilipuertas!*'

GILITONTO (vulg.). v. GILÍ.

GLOBO (arg.). Preservativo. 'Veo que te sobran *globitos*. Anda, dame uno.' 'Si hubieran usao *globo*, no les habría pasao eso.'

GOLFA (vulg.). Prostituta, mujerzuela. 'Vino al pueblo convertida en una *golfa*.' 'Se ha enamora(d)o de una *golfa*.' Ir de golfas. Tratar con prostitutas o ir a un prostíbulo. 'No sabía yo que *fueras de golfas*.' '*Fueron de golfas* la misma tarde que llegaron.'

GOLPE («No dar (ni) —») (fig. e inf.). Se dice de la persona que no trabaja en nada o no hace nada del trabajo que tiene obligación de hacer. (D.). 'Con la visita del inspector, *no hemos da(d)o golpe* esta mañana.' 'La semana pasada *no dieron ni golpe*.'

GOMA («higiénica») (arg.). Preservativo. 'Vende mecheros y *gomas* en la calle... No me acuerdo ahora.' '¿No tendrás una *gomita* por un casual?'

GORDO, -A («Caer —») (fig.; vulg. e inf.). Referido a una persona, resultar antipática. ◆ Producir mala impresión o ser mal acogida. '*Me caen gordos* los graciosos.' 'Esa actriz *les cae gorda*

133

a muchos.' Hacer de lo gordo (gros.). Defecar. 'Quiere *hacer de lo gordo.* Ponle en el orinal.' '¡Ya son tres días sin *hacer de lo gordo,* caray!' Ni gorda. Us. como expresión reforzatoria de negación. 'Me llamó por teléfono, pero no le oí *ni gorda.*' 'No entendían *ni gorda* de la conversación en inglés.' No tener ni gorda. Estar sin dinero. 'Me has cogido en un mal momento. *No tengo ni gorda,* de verdá.' '¡Estamos a veinte y ya *no tenemos ni gorda!*'

GORRA («De —») (inf.). Gratis, sin pagar; generalmente con abuso. (D.). 'Yendo con él entraremos en el teatro *de gorra.*' 'No le agrada pasar las vacaciones *de gorra,* sabes.' Pegar la gorra (arg.). Ser infiel un cónyuge a otro. [T. Poner el gorro.] (D.). '¿Tan seguro estás de que no te *pega la gorra?*' 'Le *pegó la gorra* con el marido de su amiga más íntima.'

GORRINADA (vulg.). v. CERDADA.

GORRINAMENTE (fig. y vulg.). v. CERDAMENTE.

GORRINO, -A (fig. y vulg.). v. CERDO. (D.).

GORRÓN, -A (inf. o vulg.). 1.ª) Aprovechado. Se dice de la persona que abusa de otras haciéndose invitar o no pagando las cosas o servicios que utiliza. (D.). 'Vosotros sois unos *gorrones* de marca mayor.' 'Entre los amigos le tienen por *gorrón.*' 2.ª) (n. en m.). Hombre vicioso o libertino, que trata con las gorronas. (D.). 'A ella la cortejaba un *gorrón* de cuida(d)o.' 3.ª) (n. en f.). Prostituta. (D.). 'Pasó la tarde en compañía de una *gorrona.*' 'Son bares infecta(d)os de *gorronas.*'

GORRONEAR (inf. o vulg.). Cometer acciones de gorrón. (D.). 'No se dedica a *gorronear* como

134

tú. Es todo un hombre.' 'Gorronea todo lo que quiere y un poco más.'

GORRONERÍA (íd.). Cualidad de gorrón. ◆ Acción de gorrón. (D.). [T. Gorroneo.] 'Le da cien patadas la gorronería.' 'Viven de la gorronería y de las comisiones.'

GOZAR (). 1.ª) Poseer sexualmente a una mujer. (D.). [T. Gozarla.] 'Hubo de emplear toda clase de artimañas hasta gozarla. 2.ª) Experimentar la eyaculación o el orgasmo. (¿D?). 'Hay muchas mujeres que nunca han goza(d)o en su vida conyugal.'

GRANDES («De los —») (fig. e inf.). Billete de mil pesetas. 'Pidió cuatro de los grandes por el mueble.' 'Le ha dao dos de los grandes.'

GREMIO («Del —») (arg.). Se dice de una meretriz. 'Ahora se entiende con una del gremio.' 'Ésa es del gremio, no te quepa la menor duda.'

GUARDAPOLVOS (arg.). 1.ª) Órgano genital de la mujer. ◆ Vagina. 'Ha cogido frío en el guardapolvos.' 2.ª) Preservativo. 'El Cojo, ése sí que vende guardapolvos baratísimos.'

GUARRA (vulg.). Usado achuladamente por bofetón o cachete. '¡Como te dé una guarra, te apaño!' 'No hizo más que decirlo, le pegó una guarra...' v. CERDO, para las aceps. de guarro, -a.

GUARRADA (vulg.). v. CERDADA.

GUARRAMENTE (vulg.). v. CERDAMENTE.

GUILLADO, -A (inf.) («Estar [Ser un]»). Loco, trastornado. [T. Guilloti.] '¡Calla la boca, que estás guilla(d)o!' '¡Si está guillao, que lo encierren!'

GUILLARSE (inf.). 1.ª) Escaparse o marcharse precipitadamente de un sitio. (D.). [T. Guillárselas.] 'Cuando llegué, *se habían guilla(d)o* los electricistas.' *'Se las guilló* para que no le echaran el guante.' 2.ª) (fig.). Volverse loco, trastornarse. (D.). 'Tener el accidente y *guillarse* fue todo uno.'

GUINDAR (arg.). Conseguir una cosa en concurrencia con otros. En general, robar. (D.). 'Forzaron la puerta y *guindaron* la caja de caudales.' 'Les *han guinda(d)o* un montón de billetes.'

GUINDE (arg.). Robo, hurto. 'Conocía a la perfección las técnicas del *guinde*.' '¿No me digas que una de tus debilidades es el *guinde?*'

GUIPAR (vulg.). Achulada o jocosamente, ver. (D.). [T. Gipar.] 'Con cuatro ojos y no *guipa* ni a un palmo.' 'Sin las gafas, no *guipo*. ¿Qué dice ahí?' ◆ Descubrir. Ver algo o a alguien que pretendía pasar sin ser notado. (D.). 'El tío *guipó* a tiempo la culebra, que si no...' 'Les *guiparon* los carabineros al desembarcar.' ◆ Entender o percibir. (D.). '¡Pues sí que *has guipa(d)o* bien la cuestión!

GUIRI (inf. y vulg.). Individuo de la guardia civil. (D.). 'Le apiolaron los *guiris* en Sevilla.' 'Los *guiris* nos pisan los talones.'

GUITA (fig. e inf.). Dinero. (D.). 'Mañana sacan la *guita* del Banco.' '¡Que se dejen de pamplinas, que dónde haya *guita*...!'

GÜITOS (vulg. y joc.). Testículos. '¡Si tuvieras tú el dolor de *güitos*, veríamos!' '¿Haberle da(d)o una patada en los *güitos!*'

GURI (inf.). Guardia. '¡Corre, que vienen los *guris!*' 'Le dio el alto un *guri*.'

GURRUMINO (inf.) (n. en m.). Marido demasiado condescendiente con las infidelidades de su

136

mujer. (¿D?). v. CORNUDO. '¡La cantidad de *gurruminos* que hay por el mundo!' '¿Te sorprende que diga que es un *gurrumino?*'

GUSA (inf.) («Tener»). Hambre. 'Chico, tengo una *gusa* que no veo.' 'Llega a casa con una *gusa* horrible.'

GUSTO (arg.). Culminación del placer sexual. (¿D?). 'Le viene el *gusto* antes que a mí.' 'El *gusto* lo guardo sólo pa mi hombre.'

HABLAR («Ni — *(del peluquín)*») (inf. o vulg.). Expresión con que se rehúsa o niega algo rotundamente. [T. De eso ni hablar.] 'Tendrás que hablarle tú.—*Ni hablar del peluquín.*' 'Me gustaría ir de compras.—Hoy, *ni hablar.*'

HACERLO (arg.). Cohabitar. ♦ Fornicar. 'Ellos *lo hacen* un par de veces al mes, o sea que...' 'Creo que el campo no es el sitio más indica(d)o para *hacerlo.*'

HAMBRE («Tener —») (arg.). Tener deseos de cópula o predisposición a ella. 'A las revistas van muchos que *tienen hambre.*' 'No te voy a negar que *tengo hambre*, mujer.' Pasar hambre. No satisfacer el apetito sexual. '¡De algún modo hemos de distraernos los que *pasamos hambre*, no te jode!' 'Recién casa(d)o ¿y *pasas hambre?*'

HAMBRIENTO, -A (arg.) («Estar»). Ardiente, rijoso. v. SALIDO. '¡Estos reclutas *están hambrientos!*' 'Se te van los ojos, ¿eh? *Estás* un rato *hambriento.*'

139

HAZANACUE(N)CO (arg.). Órg. gen. femenino. 'Éste incluso debe de soñar con el *hazanacueco*.'

HERODES («Haces lo de —, (te jodes)») (vulg.). Locución con que se indica a alg. la necesidad de soportar una cosa fastidiosa o perjudicial. Suele usarse en tono festivo. 'Bueno, pues si no te gusta, ya sabes. Haces lo de *Herodes*.' 'Aunque no tengas ninguna gana, *haces lo de Herodes, ¡te jodes!*'

HIGADILLO («Picarle el —») (arg.). Ref. a una mujer, estar ardiente. 'Están muy excitables cuando *les pica el higadillo*.' 'Lo que le ocurre es que *le pica el higadillo*.'

HÍGADOS (fig. e inf.). Se emplea como símbolo de valor o falta de escrúpulos. (D.). Us. genrlm. con el verbo tener o echar. v. COJONES. 'Hay que *echarle hígados* para meterse en una cosa de éstas.' '*Tiene hígados* pa todo. Se toma lo que le echen.'

HIGO (arg.). Órg. gen. femenino. 'En los cuadros antiguos, Eva se tapa el *higo* con la mano, ¿sí o no?' '¡Cómo las dejas bañarse, mujer, con el *higo* al aire!' Importar un higo algo o alg. (vulg. o inf.). No importar nada en absoluto. (¿D?). '*Me importa un higo* la reputación.' 'La cultura *les importa un higo*.'

HIJO («El — de mi madre») (achul.). Uno mismo, el que habla. 'No estará a las resultas *el hijo de mi madre*.' 'Eso no lo tolera *el hijo de mi madre*.' Hacerle un hijo (vulg.). Dejar alg. embarazada a una mujer con la que no está casado. v. Dejar con TRIPA. '*Le ha hecho un hijo*, pero está tan fresco.' 'Dicen que *le hizo un hijo*, que murió a los pocos meses.'

HIJO, -A DE PUTA [HIJOPUTA] (vulg.). 1.ª) In-

140

sulto; es el más soez, grave y violento. (D.). [T. Hijo de la gran puta.] Son pseudoeufemismos: Hijo de la Gran Bretaña, h. de mala madre, h. de su madre [padre], h. de tal. '¡Te voy a ajustar las cuentas, *hijoputa!*' '¡Como pesque a ese *hijoputa*, le destrozo!' 2.ª) Persona indeseable o muy despreciable. 'Ha viola(d)o, roba(d)o, mata(d)o... Lo que se dice un verdadero *hijoputa*.' 3.ª) Persona malvada o malintencionada. 'Le toco el claxon antes de adelantarle y entonces él acelera más. ¡Será *hijoputa!*' '¡Me pilló bien los dedos el *hijoputa!*'

HIJOPUTADA (vulg.). v. CABRONADA, 3.ª acep.

HINCHADA (fig. y vulg.) («Estar, Dejar, Quedarse»). Encinta, embarazada, v. TRIPA. 'El querido la dejó *hinchada*.' 'No le importó lo más mínimo quedarse *hinchada*.'

HINCHANTE (fig. e inf.). 1.ª) Fastidioso, molesto. 'Es *hinchante* la buena señora como no hay dos.' 'Hija, cosa más *hinchante* que coser y coser no la conozco.' 2.ª) Graciosísimo, divertidísimo. 'Ha escrito un libro *hinchante*. Te lo he de dejar, hombre.' 'Son unas historietas *hinchantes*.'

HINCHAR (fig. e inf.). 1.ª) Fastidiar, molestar. 'Por esa razón no quiero *hinchar* a nadie.' 'Le *hincha* que llamen tanto por teléfono.' 2.ª) (vulg.). Embarazar, poner encinta a una mujer. v. PREÑAR. 'La *hinchó* al final de las vacaciones.' 'Estaba lejos de él el propósito de *hincharla*.'

HOMBRE («Hacerle a alg. un —») (fig. y vulg.). Hacerle un gran favor. 'Si me acercas hasta la camioneta, *me haces un hombre*.' Tener ganas de hombre (gros.). Dícese de una mujer a la que se tiene por ardiente o lujuriosa. '¡Menudas *ganas de hombre tiene* la tía esa!'

HORIZONTAL (arg.) (n. cal.). Prostituta cara y elegante. v. PESETERA. 'De medianías, ni soñarlo. De *horizontal* para arriba.'

¡HOSTI! (vulg.). v. HOSTIA, 3.ª acep.

HOSTIA (vulg.). 1.ª) Bofetada o puñetazo. '¡Suéltalo o te doy una *hostia!*' 'Anda, cierra la boca, que te da una *hostia* que te avía.' 2.ª) Golpe, trastazo. 'Se ha da(d)o una *hostia* con la furgoneta.' 'De regreso a casa se pegaron una *hostia.*' 3.ª) Interjección irreverente usada para expresar sorpresa, asombro, fastidio, enfado o negación. Más frecuente en pl. [¡Anda la hostia!, ¡La hostia!] '¡Átale bien las patas, *hostia!*' '¡*Hostias,* vaya frenazo!' 'Le cogeremos por el camino. ¡*Hostias!*' Darle a alg. un par de hostias. Abofetearle o pegarle. 'Se metió en el frega(d)o, *le dieron un par de hostias* y acabó en la casa de socorro.' De la hostia. Us. despectivamente con referencia a una cosa o a una persona que fastidia o importuna. '¡Y venga a darme la lata con las papeletas *de la hostia!*' '¡Mira que es pesa(d)o el recluta *de la hostia!*' Echar hostias (blasf.). Manifestar ira, fastidio, contrariedad o indignación. [T. Cagar hostias.] 'El Paco *echaba hostias* por la faena que le habían hecho.' '*Echará hostias* el apodera(d)o cuando se entere del cierre de la plaza.' Echando hostias («Ir, Salir») (blasf.). A toda prisa. [T. Cagando hostias.] '*Iba echando hostias* camino del aeropuerto.' '*Ve echando hostias* a la farmacia y me compras un sobre de aspirinas.' Hacer un pan como unas hostias. Hacer algo

142

que resulta muy mal hecho o de muy malas consecuencias. (D.). v. JODERLA. 'Hicieron un pan como unas hostias los mozos.' '¡Pues sabes que hemos hecho un pan como unas hostias, tú!' Mala hostia. I) («Estar de —»). Mal humor. 'Es un tipo muy desagradable, que siempre está de mala hostia.' II) («Poner[se] de —»). Enfadar[se], malhumorar[se]. 'No le hagas ninguna broma, que rápido se pone de mala hostia.' III) («Tener —»). 1.ª) Mala intención o mal carácter. 'Te aviso que el encarga(d)o tiene mala hostia.' 2.ª) Mala suerte. '¡No me digas que no tengo mala hostia! Se me mueren dos vacas en el mismo día.' Más... que la hostia. Se emplea como término de comparación con valor ponderativo. 'En este pueblo se pasa más calor que la hostia.' 'Luego acaba uno más aburrido que la hostia.' Ni hostia. Nada en absoluto. Us. genrlm. con verbos de entendimiento. 'Como no me hables más claro, no te entiendo ni hostia.' 'No comprendió ni hostia de lo que le dijo el franchute.' ¡Ni qué hostia[s]! Expresión usada en frase interjectiva para rechazar o negar con enfado algo. '¡Qué cansancio ni qué hostias!... ¡A trabajar!' '¡Qué regalitos ni qué hostia! No tenemos para vivir, conque...' No tener media hostia. Dícese, despectivamente, de un hombre al cual se puede pegar o vencer fácilmente en una pelea. '¿Que no te atreves con el Curro? ¡Pero si no tiene media hostia!' ¡Qué hostia[s]! Exclamación de enfado, protesta, disconformidad, rechazo o negación. 'Si tanto le urge, que levante él la valla. ¡Qué hostias!' '¿Se hizo mucho el chico? — ¡Qué hostias! Un simple rasguño.' ¿Qué hostias? Se

143

emplea, sin valor conceptual, en frase interrogativa. '¿*Qué hostias* pasa en la calle que hay tanta gente?' '¿*Qué hostias* pretendes tú con esa inversión?' 'Dijo que no se encuentra bien o no sé *qué hostias*.' Ser la hostia. Díc. de una persona para significar que es extraordinaria, bien por su inutilidad, torpeza o cualquier otra circunstancia desfavorable, bien por su gracia, originalidad u otra cualidad plausible. 'Desde luego, *sois la hostia*. ¿Qué necesidad había de volcar los coches?' 'Tus amigos, cuando se ponen a contar chistes, *son la hostia*.' Y toda la hostia. Y (lo) demás. 'Para montar en los autos de choque *y toda la hostia*, hace falta monises.'

HOSTIAR (vulg.). Abofetear o pegar a alguien. [T. Inflar a hostias.] 'Es un salvaje. Con decirte que *hostia* a las hijas por pintarse los labios.' '¡No me cabrees, que te *hostio!*'

HOSTIAZO (vulg.). Aumentativo de hostia, 1.ª y 2.ª acep. [T. Hostión.] 'No te puedes ni imaginar el *hostiazo* que le metió.'

HUEVADA (vulg.). V. COJONADA.

HUEVAMEN (vulg.). V. COJONAMEN.

HUEVAZOS (vulg.). V. COJONAZOS.

HUEVERA (vulg.). V. COJONERA, 1.ª y 2.ª acep.

HUEVO (vulg.). (Más frec. en pl.) Glándula genital del macho. (D.). 'Por subir al árbol se ha lastima(d)o un *huevo*.' Ponerse a huevo. I) Ponerse al alcance de un arma. '*Se te ha puesto a huevo* la perdiz.' II) Ser asequible o posible una cosa. 'Con la felicitación del comandante, el permiso *se os pone a huevo*.' III) Ofrecerse sexualmente una mujer. [T. Estar a huevo.] 'Comprendo que si una *se le pone a huevo*...' v. COJON para la fraseología restante, que es

144

válida en todos los casos, excepto en la expr. De huevo, que no se usa. Para el plural (huevos) v. COJONES. (Se le puede aplicar prácticamente toda la fraseología citada.)

HUEVUDO, -A (vulg.). v. COJONUDO.

IMPEPINABLE[MENTE] (vulg. o inf.). Indiscutible, indudable o innegable[mente] (D.). 'Allí les meten la goleada, *impepinable*.' 'El agente ha toma(d)o la matrícula. Es *impepinable* que te espera una multa.' '*Impepinablemente*, la última ficha que le queda es la blanca doble.'

IMPORTAR (gros.). En determinadas frases interrogativas, negativas o interjectivas. Su uso envuelve en todos los casos brusquedad, y, sobre todo, con referencia a la persona a quien uno se dirige, sólo si con ella hay mucha familiaridad puede no tener tono francamente ofensivo. '*¿A ti qué te importa* si salgo con ésta o con otra?' '¿Qué guarda en esta caja? — ¿Y *a usted qué le importa?*' '¿Qué, ha habido regañina? — ¡*A ti no te importa!*'

INCORDIANTE (inf.). Persona o cosa que fastidia o importuna. 'Tienes unas amiguitas, hermana, especialmente *incordiantes*.' '¡Qué paraguas más *incordiante,* la mar!' '¿Y dices que no es *incordiante* el chófer?'

INCORDIAR (inf.). Fastidiar o molestar a alg. con impertinencias. Más us. en frase negativa. (D.). 'Oye, niño, *no incordies.*' 'Dile a tu marido que *no incordie.*'

INCORDIO (fig. e inf.). Fastidio, molestia o impertinencia. (D.). 'Es un *incordio* llevar otra vez el equipaje.' '¡Menudo *incordio* es la máquina de coser!'

INFLAPOLLAS (vulg.) (n. cal.). Imbécil, estúpido. [T. Inflagaitas.] 'Su manager es un *inflapollas* consuma(d)o.' 'Es idiota hasta decir basta. Un *inflapollas.*'

INMEDIATA («La —») (vulg. o inf.). La consecuencia o la acción inmediata; lo natural. '*La inmediata* es revisar el ejercicio.' 'Oí un disparo y yo, *la inmediata,* me asomé.'

INYECCIÓN («Ponerle una —») (arg.) (no frec.). Hacer el acto sexual. 'La dije que si *le ponía una inyección* y me enseñó las uñas.'

IRSE (inf.). 1.ª) (fig.) Ventosear o hacer uno sus necesidades sin sentir o involuntariamente. (D.). v. PATA. '¡Jopé! ¿quién *se ha ido?*' '¿*Irse* a tus años, Alfredito?' 2.ª) (arg.). v. CORRERSE.

IZA (germ.). Prostituta. (D.). 'La *iza* se esfumó apenas vio el percal.'

148

JA (git. y vulg.). Mujer, esposa o amante. 'Se permite el lujo de cambiar de *ja*.' '¡Los muy carotas, que se traen la *ja* a todas las fiestas!'

JACA (fig. y vulg.). Mujer garrida o hermosa. 'Fuimos un buen rato detrás de ella. ¡Qué *jaca*, la leche puta.' '¡Vaya *jaca* llevaba Esteban el otro día!'

JALAR (git. y vulg.). 1.ª) Correr. (D.). 'Tuvimos que *jalar* un montón, porque el vigilante dio la alarma.' 'Otra cosa no hará, pero *jalar*...' 2.ª) Comer con avidez. (D.). '¡Cómo *jalaba*, chacho! Parecía que no había visto un pedazo de carne en una semana.' 'Se lo *jalan* en un periquete.'

JALUFA (git. y vulg.). Hambre. '¡La *jalufa* que pasamos los maletillas!' 'Por lo que se ve traíais buena *jalufa*.

JAMAR[SE] (git.; vulg. o inf.). Comer[se] algo que se considera exagerado. (D.). 'Se *jamó* todo el chorizo que habíamos saca(d)o.' 'Puestos a *jamar*, son una cosa mala.'

149

JAMÓN, -A (fig. y vulg.) («Estar»). Se dice de una persona guapa, atractiva o de buen tipo. 'El protagonista de esa serie de televisión está *jamón,* no digas.' 'Por aquellas tierras no hay cachondeo ni tía *jamona.*' ¡Y un jamón (con chorreras)! Frase con que se rechaza o deniega una cosa. (D.). 'Estaremos jugando hasta las tres. — *¡Y un jamón con chorreras!*' 'A ti te da lo mismo un pastel más que menos. — *¡Y un jamón!*'

JEBE (gros.). Orificio anal. 'Le han salido unos granitos junto al *jebe.*' '¡Vamos, que se limpia el *jebe* con papel de seda!' Dar a alg. por el jebe. v. Dar por CULO.

JEFE (vulg.). Apelativo achulado usado por el bajo pueblo para dirigirse a una persona desconocida. '¿Puede echarse a un la(d)o, *jefe?*' '¿Qué hora tenemos, *jefe?*' '*Jefe,* ¿cuánto le pongo?' 'Que estamos haciendo cola, *jefe!*'

JERINGAR (fig. y vulg.). Fastidiar a alguien; molestarle o causarle un perjuicio. (D.). Se usa mucho en frase exclamativa y negativa: ¡No jeringues! ¡Nos ha jeringa(d)o!, etc. 'Eso le va a *jeringar* mucho!' '¡Vete tú, *no te jeringa!*'

JERINGARSE (fig. y vulg.). Sufrir una molestia o perjuicio y aguantarse. (¿D.?). 'Quería aprender a esquiar, ¿no?... ¡Pues *que se jeringue!*' '¡*Jeríngate,* como nos ha toca(d)o a nosotros!' '¡*Que se jeringuen* los que vengan detrás!'

JETA (vulg.). 1.ª) Labios abultados de una persona. (D.). 'Al chico lo que le estropea es la *jeta.*' 'Se mordía la *jeta* de rabia.' 2.ª) Cara. (D.). 'Mira la *jeta* de panoli que tiene.' '¡Te rompo la *jeta,* si vuelves a rozarla!' 3.ª) Cara con gesto de enfado. (¿D.?). '¡Ya estás quitando esa *jeta...!*'

150

'Toda la comida estuvo de *jeta* la mujer.' 4.ª) («Tener, Echar»). Desfachatez, frescura o atrevimiento. '¡Qué *jeta tiene* el gachó!' 'Hay que *tener jeta* para hacer una cosa así.' 'Como no *le eches jeta,* no prosperarás en la vida.' 5.ª) (n. cal.). Caradura. Desvergonzado. 'El hermano de Amparito es un *jeta* de narices.' 'No te fíes de ese fulano, que es un *jeta.*'

JETAZO (vulg.). Golpe dado con la mano en la cara. (D.). 'Le ha hecho la cara fosfatina del *jetazo* que le ha metido.' 'Le arreó un *jetazo* que a poco lo tira.'

JETUDO, -A (vulg.). Se aplica a la persona que tiene o pone jeta. (D.). '¡Yo a los *jetudos* los pongo de patitas en la calle!' 'Me cae gordo por lo *jetudo* que es.'

JIBIA (arg.). Invertido, homosexual. 'El grupo lo formaban *jibias* y demás tipos raros.'

JIJAS (vulg.). 1.ª) Persona estúpida o majadera. '¿No os parece un poco *jijas* el nuevo contable?' 'Ya ves dónde ha ido a parar, por seguir los consejos de unos *jijas.*' 2.ª) Se dice de una persona jactanciosa, engreída. 'No nos tratamos ya con él. Se ha hecho un *jijas.*' 'Son unos *jijas,* que no saben hablar más que de dinero y finanzas.'

JINDAMA (git. y vulg.). Miedo, cobardía. (D.). 'Y el que diga que no tiene *jindama,* miente.' 'Teníamos más *jindama* que vergüenza, palabra.'

JINDAR[SE] (git. y vulg.). Comer[se] algo ávidamente. 'Se ha *jinda(d)o* por lo menos un kilo de filetes.' '¿Te apuestas algo a que no *se jindan* el cochinillo?'

JIÑAR[SE] (git. y vulg.). Hacer[se] de vientre. '¡Anda que no eres tú rápido *jiñando,* jobar!'

151

'Que *se ha jiña(d)o* el niño, hablando en plata.'

¡JO! (vulg. e inf.). Interjección de fastidio, enfado, protesta, asombro o admiración. '*¡Jo*, qué sueño tengo!' '*¡Jo*, a ver si os ponéis de acuerdo!' '*¡Jo*, qué coche más bonito!' '¡Acaba ya, *jo!*'

¡JOBAR! (vulg.). ¡Jo! [T. ¡Jobá!]

JODEDOR, -A (vulg.). Se dice de la persona que cohabita con frecuencia. ◆ Fornicador. 'Hablando de hombres *jodedores*, aquí tenemos a Alfonsete.' 'Nunca le tuve por el más *jodedor* de la panda.'

JODER (vul.). 1.ª) Practicar el coito. ◆ Fornicar. 'Son bastante modera(d)os en lo de *joder*.' 'Al rato le entraron ganas de *joder*.' 'Estas generalmente *joden* con quien les gusta.' 'Se pasaron la noche buscando un sitio donde *joder*.' 2.ª) Fastidiar o molestar a alg. con impertinencias o causarle un perjuicio. '¡Tanto viaje para aquí y para allá te *jode*, chico!' 'Me *jode* que encima quede yo por embustero.' 'El patrón se ha propuesto *jodernos*, pero se va a llevar un chasco.' 'No, que no me *jodan*, que aquí todos van a su avío.' 3.ª) Romper o estropear algo. ◆ Dañar o lesionar a alguien. 'Sus niños me *jodieron* el otro día una lámpara y un jarrón.' 'Según dicen, han sido unos gamberros los que *han jodido* las cabinas.' 'Le atacaron en un descampa(d)o y le *jodieron* de firme.' 'Que no lo intente, porque *me lo jodo*.' 4.ª) Interjección de fastidio, enfado, irritación, admiración, sorpresa o extrañeza. '¡Esto no puede tolerarse, *joder!*' '*¡Joder* con el tío, qué pelmazo!' '¡No te pongas así, *joder*, que no es para tanto!' '*¡Joder*, vaya moto te has compra(d)o!' '*¡Joder*, si estaba por aquí!' Joder más que las

152

gallinas. Dícese de una mujer que fornica con frecuencia. 'Esta chica que te digo *jode más que las gallinas.*' Joder vivo a alg. I) Causarle un perjuicio intencionadamente. 'A poco que se descuide, su socio *lo jode vivo.*' 'Aunque ates bien los cabos, pueden *joderte vivo.*' II) Dañarle gravemente o matarle. 'Iba tan tranquilo por la calle y un cascote *lo jodió vivo.*' 'En cuanto le pesquen, *lo van a joder vivo.*' ¡Jodamos, que todos somos hermanos! Expresión con que se indica el derecho a participar o a beneficiarse de algo considerado como común. Suele usarse en tono jocoso o de ligero enfado. '¡Trae acá ese jamón! *¡Jodamos, que todos somos hermanos!*' ¡No (me) jodas! ¡No joda!, etc. I) Frase interj. que denota asombro o sorpresa. 'Te han suspendido. — *¡No jodas!*' II) Us. en tono achulado para manifestar burla, desprecio o incredulidad. '¡Te voy a romper las narices! — *¡No joda!*' ¡No te jode! ¡Nos ha jodi(d)o! Frase exclamativa que denota enfado, rechazo, oposición o protesta. [T. ¡Nos ha jodi(d)o mayo con sus flores!, ¡Nos ha jodi(d)o mayo, si no llueve!] 'Ahora quiere que intervenga yo. *¡No te jode!*' 'Creen que uno está sólo para servirles. *¡Nos ha jodi(d)o!*'

JODERLA (vulg.). 1.ª) Cometer una torpeza, indiscreción o desacierto. 'El profe me ha visto pasarte la chuleta. *¡La jodimos!*' 'No hemos incluido en nómina a cinco emplea(d)os. *¡La hemos jodido!*' 2.ª) Se emplea para expresar la frustración de algo por un imprevisto o contratiempo. 'Así que de los siete, tres se han puesto enfermos. ¡Pues *la hemos jodido!*' '¡Anda que *la ha jodido* bien el tío!'

153

JODERSE (vulg.). 1.ª) Fastidiarse, aguantarse. Usado genrlm. en frases de forma o sentido imperativo. 'Parece que han cambia(d)o las tornas, ¿eh? ¡Jódete y baila!' 'Al casarse con ella sabía lo que le esperaba. ¡Que se joda!' 'Como él no traiga el tocadiscos, tendremos que jodernos.' '¡A joderse, tocan!' 2.ª) Romperse o deteriorarse algo. ◆ Dañarse o lesionarse una persona. 'Cuando ya teníamos monta(d)o el carburador, se jodió el tornillo de regulación.' 'El portero se ha jodido una pierna, limpiando la escalera.' 3.ª) Fallar, frustrarse un asunto. 'Los planes que tenían se jodieron por tu culpa.' 'Contra más piensas las cosas, más pronto se joden.' 4.ª) Us. como interjección de enfado, protesta, asombro o sorpresa. 'Luego las ganancias para él. ¡Joderse!' '¡Joderse, si ha vota(d)o la mayoría!' ¡Hay que joderse! Frase con que se manifiesta protesta, indignación, fastidio, admiración o sorpresa. v. ¡Manda COJONES! 'Casi una hora a la cola y me dan con la ventanilla en las narices. ¡Hay que joderse!' 'La última vez que le vi era un chiquillo. ¡Hay que joderse!'

JODÉRSELA (vulg.). Poseer sexualmente a una mujer. ◆ Fornicar. 'La invitó a cenar en un restaurante de postín y después se la jodió.' 'Al final acabó jodiéndosela entre unos arbustos.'

JODIDO, -A (vulg.). 1.ª) (f.) («Estar»). Dícese de una mujer que no es virgen. 'Tú eres el primero, me dijo. Y resultó que estaba más jodida que...' 2.ª) Fastidiado, enfadado o irritado. 'Tu yerno está bastante jodido por lo que has dicho.' 'Al comprador no le faltan nunca motivos para estar jodido.' 3.ª) Fastidioso, molesto o difícil; que requiere esfuerzo, paciencia o re-

154

signación. 'A esas edades las fracturas son muy *jodidas.*' 'Estamos en una época muy *jodida* y uno ha de apañárselas como puede.' 4.ª) Estropeado, roto o averiado; también, se aplica a una persona quebrantada en su salud o facultades. 'Tiene el televisor *jodido* desde hace dos semanas.' 'El hombre llevaba mucho tiempo *jodido* con su reúma.' 5.ª) Malvado, malintencionado o malicioso. v. CABRÓN, 2.ª acep. 'Ese Víctor es un tipo muy *jodido.* De modo que ándate con pies de plomo.' 'Decía el *jodi(d)o* que no estaba entera(d)o.' 6.ª) Maldito. Miserable o despreciable. v. PUÑETERO, 4.ª acep. 'Hubo de vender el brazalete por cuatro *jodi(d)as* pesetas.' '¡Siempre a vueltas con la guerra y la *jodi(d)a* política!' '¡Cuánto tiene que sufrir uno en esta *jodi(d)a* vida!' 'En e·te mundo *jodío,* cada uno va a su avío.' 7.ª) Se emplea como apelativo despectivo. '¿No ves que no puede levantarse, *jodi(d)o?*' '*Jodi(d)o,* ¿para qué quieres el martillo?' Pasarlas jodidas. Encontrarse en una situación apurada o angustiosa. '*Las han pasa(d)o jodidas* algunos mayoristas.' 'De aquí a unos años *las van a pasar jodidas.*'

JODIENDA (vulg.). 1.ª) Coito. ◆ Fornicación. 'La *jodienda* es lo que pierde mayormente a las señoras.' 'No tiene más vicio que la *jodienda.*' 2.ª) (fig.). Cosa fastidiosa o molesta. 'Es una *jodienda* no poder salir de vacaciones.' 'Para mí, las prácticas de laboratorio son una *jodienda.*' ¡La jodienda no tiene enmienda! Frase grosera con que se censura o comenta jocosamente un desliz sexual o la vida licenciosa de una persona. 'Se han casa(d)o por el sindicato. *¡La jodienda no tiene enmienda!*'

¡JODO! (vulg.). Interjección de sorpresa, asombro o admiración. [T. ¡Jodó! ¡Jodo petaca!] '¡*Jodo*, qué fuerza tiene el guripa!' '¡*Jodó*, que me coge!' '¡*Jodó*, cómo ha queda(d)o la casa!'

¡JOLÍN! (inf. o vulg.). Exclamación de sorpresa, admiración, fastidio o enfado. [T. ¡Jolines!] '¡*Jolín*, menudo follón hay en la autopista!' '¡Suélteme, *jolín*, que yo no lo he dicho!' '¡Que no lo gasten todo, *jolín*!'

¡JOPÉ! (inf. o vulg.). ¡Jolín! [T. ¡Jopín!]

¡JOROBA! (vulg.). Interjección de fastidio, enfado, indignación, sorpresa o asombro. '¡Ya se le acaba a uno la paciencia, *joroba*!' '¡*Joroba*, pues sí que es verdad!' '¡Ven tú a cogerlo, *joroba*!' '¡*Joroba*, qué cuerpazo tiene!'

JOROBADO, -A (vulg.). v. JODIDO, 2.ª a 5.ª acep., inclusive.

JOROBAR (fig. y vulg.). 1.ª) Fastidiar, molestar o perjudicar a alguien. (D.). 'Es que *joroba* que te controlen tanto.' '¿Por qué *joroba* a los demás con sus problemas?' 'Lo que pasa es que puede *jorobaros* en la venta.' 2.ª) Romper o estropear cierta cosa. 'Oye, vas a *jorobar* la cerradura.' 'No estoy dispuesto a que *jorobe* más piezas.' ¡No (me) jorobes! ¡No jorobe!, etc. I) Expr. excl. que indica asombro o sorpresa. 'Os han corta(d)o el teléfono. — ¡*No jorobes*!' II) Us. en tono achulado para expresar burla, desprecio o incredulidad. '¡Se va a arrepentir! — ¡*No jorobe*!'

JOROBARSE (fig. y vulg.). 1.ª) Fastidiarse. (¿D?). Soportar un daño, perjuicio o contratiempo. Se usa mucho en frases de forma o sentido imperativo. 'Hubo un tiempo en que era yo el que suplicaba. Hoy, *joróbate*.' 'Si le ha salido mal

156

la jugada, *que se jorobe.'* 2.ª) Romperse o deteriorarse algo. ◆ Dañarse o lesionarse una persona. 'Saltando así *se joroban* los muelles del colchón.' *'Se jorobó* el hombro en un partido de balonmano.' 3.ª) Fallar, marrar un asunto. 'Teme que con el incendio *se joroben* los festejos.' *'Se han joroba(d)o* las galas del verano.' 4.ª) Se emplea como exclamación de fastidio, enfado, protesta, admiración o sorpresa. *'¡Jorobarse*, qué prisa tiene!' '¡Que no me provoque, *jorobarse!'* ¡Hay que jorobarse! Frase usada para expresar enfado, indignación, fatalidad, mala suerte o admiración. '¿Cómo habrá sido capaz de hacer tal fechoría? *¡Hay que jorobarse!'* 'Lo buscó en quince farmacias y nada. *¡Hay que jorobarse!'*

JOTA («Ni —») (inf. o vulg.). Nada en absoluto. Se usa como expr. reforzatoria de negación. (D.). 'No entiende *ni jota* de español.' 'Estos no saben *ni jota* de bioestadística.'

JULA (arg.). 1.ª) Homosexual activo. [T. Julai.] 'Sin contarlo ni soñarlo se vio dentro de una casa de *julas.'* 2.ª) Estúpido, imbécil. '¡Te voy a quitar esa cara de *jula* que tienes, gilipollas!'

JULANDRA (arg.). Homosexual activo. [T. Julandrón.] 'Habían participa(d)o en el festín dos *julandras.'*

JULIO (inf.). Billete de cien pesetas. 'Aún le debes cuatro *julios.'* 'Le puso en la mano un *julio* al recepcionista.'

JUMEARLE (vulg.). Olerle a alg. los pies. 'No hay quien pare a su vera. *Le jumean* una burrada.' *'¡Te jumean* los tachines, macho!'

JUMILLO (vulg.). Olor a pies. '¡Había un *jumillo*

en su habitación...! '¿Quién es el guapo que aguanta este *jumillo*?'

JUNTARSE (vulg.). Amancebarse. (D.). 'Viven en comunas y *se juntan* durante algún tiempo.' '*Se juntaron* hace tan sólo unos meses.'

JURAR (vulg.). En la expresión ¡Te lo juro!, usada expletivamente (como muletilla) o para dar más énfasis a lo que se dice. 'Es un tío que me resulta estomagante, *te lo juro*.' 'No he visto buena voluntad en ninguno, *te lo juro*.'

LACHA (git. e inf.). Pundonor, vergüenza o coraje. (D.). 'El Eustaquio es hombre de poca *lacha*' '¡Si tuviera más *lacha!*'

LADO («Escupir de medio —») (arg.). Ser hombre muy chulo. 'Casi todos los de su panda *escupen de medio lao.*' 'Tipos que *escupen de medio la(d)o*, que llaman a la chorba con el dedo índice. ¡Vaya unas amistades!'

LAMECULOS (fig. y vulg.) (n. cal.). Persona adulona o lisonjera. '¡Mal le ha salido la acción al *lameculos!*' 'Ríete tú de los *lameculos*, pero son los que ocupan los mejores puestos.'

LAMER (vulg.). En la expresión ponderativa Que no se [te, os...] lame, equivalente a enorme o extraordinario. 'Tienes un despiste *que no te lames.*' 'Tiene un sueño *que no se lame.*'

LANAS (fig.; vulg. o inf.). Pelambrera, pelo espeso y largo. 'Con las *lanas* que llevas, no esperes entrar en el hotel.' '¿Cuándo te vas a cortar esas *lanas*?' Tener más lanas que el borrego del Tercio. Dícese de un hombre de pelo abundante. 'Estos cantantes de ahora *tienen más lanas que el borrego del Tercio.*'

LANZADO, -A (fig. y vulg.). 1.ª) («Estar»). Ardiente, rijoso. v. SALIDO. 'Él *estaba* ya *lanza(d)o.* En esto que se levanta la extranjera y le arrea un guantazo.' 2.ª) («Ser un — »). Decidido, audaz, atrevido. (D.). Se dice, particularmente, del hombre que tiene decisión y labia con las mujeres o las conquista fácilmente. 'Sale con muchas, es cierto, pero porque es un *lanza(d)o.*' 'El corte que te llevaste fue monstruoso, ¿eh, *lanza(d)o?*'

LAPICERO (arg.). Miembro viril. 'Mucho movimiento le das tú al *lapicero,* jovencito.'

LARGAR (inf. o vulg.). Echar o despedir a alguien. 'Le *han largao* por ser elemento subversivo.' 'Le *largaron* de la tienda hará unos quince días.'

LARGARSE (inf. o vulg.). Marcharse de un sitio brusca o precipitadamente, por eludir alguna cosa o por estar a disgusto en él. (D.). En imperativo se emplea para echar a alguien. 'Se *largaron* al saber que venían en su busca.' 'La agencia nos mandó a una asistenta, que se *largó* a los dos días, naturalmente.' '¡*Lárgate* y que no te vuelva a ver por aquí!'

LATA («Estar sin — ») (fig. e inf.). No tener dinero. v. CHAPA. '¡Que se lo pague el mes que viene, coño! ¡*Está sin lata* el chico y le está achuchando!' 'La comunidad *estaba sin lata.*'

LATIGAZO («Dar un — ») (arg.). Cohabitar. ◆ Fornicar. 'No pierde ocasión de *dar un latigazo.*' 'Nadie te impide que *des un latigazo.*'

LÁTIGO (arg.). Pene. 'Mira, te digo una cosa, no es bueno que abuses del *látigo*.'

LEANDRA (arg.). Moneda de una peseta. [T. Lea]. 'Nos dan cincuenta *leandras* por hora.' 'La entrada son treinta *leandras*.'

LECHADA (vulg.) (no frec.). Semen eyaculado. 'Estaba por el suelo toda la *lechada*.'

LECHAZO (vulg.). Aumentativo de leche, 1.ª y 2.ª acep. 'Se dieron un *lechazo* impresionante.' 'Entonces el más bajito le atizó un *lechazo*.'

LECHE (vulg.). 1.ª) Bofetada o puñetazo. 'Por ser tan pendenciero, un día te vas a ganar una *leche*.' '¡Le voy a dar una *leche* que se va a enterar!' 2.ª) Golpe, trastazo. 'Robó una moto y se pegó una *leche* contra un poste.' '¡La puta, qué *leche* se ha da(d)o!' 3.ª) Fastidio, molestia o pesadez; cosa que importuna o aburre. 'Es una *leche* tener que hacer una nueva lista.' 'Esto de que no tenga uno medios propios es una *leche*', 4.ª) Suerte (buena). Us. genrlm. en fr. interjectiva. 'Te salen bordadas las jugadas. ¡Qué *leche* tienes!' 5.ª) Velocidad. Más frec. us. en la expresión A toda leche. '¡Vaya *leche* que lleva la ambulancia!' 'Pasó por delante de nosotros *a toda leche*.' 6.ª) Semen eyaculado. 'Había manchas de *leche* en el colchón.' 'Se introduce la *leche* artificialmente. Eso es, para que me entiendas, la inseminación artificial.' 7.ª) Interjección de enfado, fastidio, molestia, indignación, sorpresa o admiración, '¡Haz lo que te digo, *leche*!' '¡Mándalo a paseo, *leche*!' '¡Pero *leche*! ¿Ya estáis de vuelta?' También, se emplean con el mismo significado las siguientes exclamaciones: ¡La leche!, ¡Anda la leche!, ¡La leche puta! '¡Qué barbas lleva, *la leche*!'

161

11

'¡*Anda la leche*, si no hay nadie!' '¡Qué pitote, *la leche puta!* 8.ª) ¡Leches! Interjección con que se expresa negación, rechazo, burla o incredulidad. [T. ¡Una leche!] 'Oye, ¿me dejas los prismáticos para esta tarde?—¡*Leches!*' 'Me pidió las llaves del gimnasio y le dije que *leches*.' 9.ª) Usado, a veces, sin valor conceptual, en frase interrogativa. '¿Qué *leches* le importa a él nuestra vida privada?' '¿Y qué *leches* te he dicho yo que te haya podido molestar?' De la leche. Ús. despectivamente con referencia a una persona o a una cosa que fastidia o importuna. '¡Me tiene harto el botones *de la leche!*' '¡A todas partes carga(d)o con la sillita *de la leche!*' Echar alg. leches. Estar muy enfadado, contrariado o encolerizado. [T. Cagar leches.] 'Era lógico que el general *echase leches*, sabiendo que se había dormido la guardia.' 'Si vieras la cara que puso... ¡*Echaba leches!*' Echando leches («Ir, Salir»). A todo correr. [T. Cagando leches.] 'Salió el cajero *echando leches* tras el atracador.' 'Le llamaron desde la clínica y fue para allá *echando leches*.' En [A, De] la quinta leche. En un lugar muy lejano o apartado. 'Esa calle queda *en la quinta leche*, ya lo verás.' 'Se fueron a vivir *a la quinta leche*.' Mala leche. I) («Estar de —»). Mal humor. 'Me da en la nariz que *están de mala leche* los subalternos.' 'Es mejor que no le digas nada. ¡*Está de una leche...!*' II) («Poner[se] de —»). Enfadar[se]. 'Siempre que le llevan la contraria, *se pone de mala leche*.' 'Me pongo *de mala leche* sólo con verle.' III) («Tener —»). 1.ª) Mala intención o mal carácter. '¡Qué *mala leche tiene* la gente! Parece que están amarga(d)os.' 'La ve-

162

cina del quinto *tiene* muy *mala leche*. Sacude las alfombras cuando hay ropa tendida.' 2.ª) Mala suerte. (También se usa milk como pseudoeufemismo por leche). 'Es la segunda vez que se me escapa hoy el autobús. ¡Qué *mala leche!*' Más... que la leche. Usado como término de comparación de sentido ponderativo. 'Estaba *más cansa(d)o que la leche*.' 'Es un hombre *más* simpático *que la leche*.' ¡Me cago en la leche (puta)! Frase excl. que denota fastidio, ira, enojo, asombro, sorpresa o alegría. '*¡Me cago en la leche!* No hace uno nada y ya le están poniendo el sambenito.' '¡Baja del coche, niño, *me cago en la leche!*' '*¡Me cago en la leche!* ¡Pero si es el amigo Miguel!' ¡Me cago en la leche que te [le[s], os] han da(d)o! Expresión de imprecación, vituperio, ira o fastidio dirigida a una persona. '¡Las vas a pagar todas juntas, *me cago en la leche que te han da(d)o!*' Ni leches. Ús. como locución reforzatoria de negación. 'Con ese farfullar que tienen, no se les entiende *ni leches*.' 'Declamará muy bien, pero no se le oye *ni leches*.' ¡Ni qué leche[s]! Expresión con que se niega o rehúsa con enfado algo. '¡Qué angustia *ni qué leche!* Lo que tú tienes es hambre' '¡Qué dibujos *ni qué leche!* ¡A la cama!' ¡Por la leche que mamó [mamé, mamaste, etc.]...! Locución que expresa firme propósito, resolución o promesa de hacer cierta cosa. '*¡Por la leche que mamó,* que esta noche se queda sin cena!' ¡Qué leche[s]! Expr. con que se manifiesta enfado, protesta o negación. 'Esta vez les corresponde invitar a ellos. *¡Qué leche!*' 'No sueltes una peseta hasta que no lo dejen bien. *¡Qué leches!*' '¿No se iba a ir a Francia usté?—*¡Qué leche!'* Ser la leche. Dícese de una persona para indicar que es extraordinaria, bien en sentido elogioso, bien desfavorablemente. A veces, se aplica también a cosas. *'¡Sois la leche!* No os puedo dejar un momento solos.' 'Metido en juerga *eres la leche.'* 'Estos juguetes modernos *son la leche.'* Tener una leche [un par de leches]. Se dice de una persona a la que se le tiene ganas. 'El gallito ese *tiene una leche* más bien dada...' ¡Tiene leches la cosa! v. ¡Manda COJONES! Ver menos que Pepe Leches (joc.). Se aplica a una persona que ve muy poco. 'El cobrador este *ve menos que Pepe Leches.'* Y tanta leche. Ús. como expresión expletiva, para censurar o reprochar el comportamiento de alg. [T. Y mucha leche.] ' ¡Tanta fraternidad *y tanta leche* y luego trata a patadas al personal!' 'Muchas joyas *y mucha leche,* pero tiene la casa hecha una pocilga.'

LECHUGA. 1.ª) (arg.). Billete de mil pesetas. '¿Qué no tienes suelto? Pues cambia la *lechuga* que asoma por ahí, macho' 'No salgo de pobre con una *lechuga.'* 2.ª) (Más frec. en pl.) (vulg. o inf.). Se usa como pseudoeufemismo por leche, 1.ª, 7.ª, 8.ª y 9.ª acep. ' ¡Te pego una *lechuga,* mocoso!' '¡Acaba de una vez, *lechugas!'* 'Para esto usaremos la taladradora de tu padre. — *¡Lechugas!'* '¿Pero *qué lechugas* dice usté, señor mío?'

LEFA (vulg.). Semen eyaculado. 'Olía muchísimo a *lefa.'* 'Tenía los calzoncillos manchados de *lefa.'*

LENGUA («Darse la — ») (vulg.). 1.ª) Besarse un hombre y una mujer lujuriosamente. *'Se estaban dando la lengua* dentro del portal.' 2.ª) v.

164

Darse el FILETE. Meterse la lengua en el culo. v. CULO.

LEÑAZO (inf.). 1.ª) Garrotazo, palo. Golpe dado con un palo. (D.). 'Se enzarzaron y el otro le dio un *leñazo*.' 'Le ha pegao un *leñazo*, porque éste se ha metido con su madre.' 2.ª) Trastazo, porrazo. 'El ciclista se pegó un *leñazo* bárbaro.' 'Se han vuelto a dar un *leñazo* en la misma curva.'

¡LEÑE! (vulg.). Interjección de enfado, fastidio, molestia, admiración o asombro. Usada genrlm. por mujeres. '¡*Leñe*, iros a jugar a otra parte!' '¡Que se me hace tarde, *leñe!*' '¡Cállate la boca, *leñe!*

LETRAS («Decirle las cuatro —») (inf.). Llamar puta a una mujer. 'La chica se puso a llorar como una Magdalena, cuando *le dijo las cuatro letras*.'

LIADO, -A (fig. e inf.) («Estar»). Se aplica a las personas que hacen vida marital o que mantienen relaciones amorosas irregulares. 'Hace lo menos dos años que *está lia(d)o* con una camarera.' 'Sé a ciencia cierta que *están lia(d)os*.'

LIARLAS (fig. e inf.). Morirse. (D.). 'Estaba ya desahucia(d)o por los médicos y al mes, aproximadamente, *las lió*.'

LIARSE (fig. e inf.). 1.ª) Hacer vida marital o mantener relaciones amorosas irregulares con alguien. (D.). '*Se liaron* el verano pasa(d)o y aún tienen para rato.' 'Al principio se veían los domingos. Después *se liaron* y quedó así la cosa. 2.ª) V. ENROLLARSE.

LIENZO («Ídem de —») (vulg. o inf.). Lo mismo que ya se ha dicho. 'Ellos no van al teatro y

165

nosotros, *ídem de lienzo*.' 'Quieren una tónica. Yo, *ídem de lienzo*.'

LIGAR (vulg. o inf.) 1.ª) Entablar una persona conversación con otra de distinto sexo y desconocida, con el fin de salir o de divertirse juntos. '*Ligaron* en los mesones con unas chavalas inglesas simpatiquísimas.' 'Salieron dispuestas a *ligar* aquella tarde.' 2.ª) Simpatizar o gustarse dos personas de distinto sexo. 'Bien les ha venido a esos dos la excursión. *Han liga(d)o*.' '¿Ves mal que un chico y una chica que *ligan* se separen del grupo?'

LIGÓN, -A (vulg.). 1.ª) Se dice de la persona que liga mucho o con facilidad. (El f. ligona se toma en mal sentido). 'El hecho de que sea el más *ligón* no impide que nosotros al menos hagamos una conquista.' 'Eres un *ligón* de profesión con más cara que espalda.' 'La Inma es una *ligona* de miedo.' 2.ª) Objeto o prenda de vestir que facilita el ligue. 'Se ha compra(d)o una gabardina *ligona*.' 'Traía un coche *ligón*, no digas.' 3.ª) Elegante o distinguido. 'Es hombre de posibles y con un piso de soltero *ligón*.'

LIGUE (vulg.) 1.ª) Acción y efecto de ligar. 'Su tiempo libre lo dedica al *ligue*.' 'El español siente excesiva inclinación por el *ligue*.' 2.ª) Respecto de una persona, otra de distinto sexo con quien se simpatiza hasta el punto de salir o divertirse juntos. Ús. con los verbos tener, salir y sacar. v. PLAN, 2.ª acep. 'No puedo ir al guateque porque tengo un *ligue*.' 'Le salió un *ligue* ayer en un bar americano.'

LILA (achul.). Tonto, ingenuo. (D.). '¡No seas *lila*, Gregorio, que valen mucho menos!' '¡Eres más *lila*, chico!'

166

LIMONES (arg.). Pecho de una mujer. 'Se le han desarrollao mucho los *limones*.' 'Al agacharse para coger flores enseñaba los *limones*.'

LIMPIAR (fig. e inf.). Robar o ganarle a alg. en el juego cierta cosa. (D.). 'Le *han limpia(d)o* el reló durante el viaje.' 'Nos *limpiaron* treinta duros en el julepe.'

LÍO (fig. e inf.). Relaciones amorosas irregulares entre dos personas. (D.). 'Tuvo un *lío* con una cabaretera, que le sacó bien los cuartos.' '¡Qué sé yo la cantidad de *líos* que he llega(d)o a conocer!'

LIQUE (vulg.). Entre chicos, patada o puntapié. 'Le dio un *lique* en broma.' 'Dale un *lique* de mi parte.' Dar el lique. Echar o despedir a alguien. 'Le *dieron el lique* y no vio una peseta.' 'Pronto te *han da(d)o el lique* en el taller.' Darse el lique. Marcharse precipitadamente de un sitio, huyendo o para eludir algo. 'Más vale que *te des el lique*.' '*Se dieron el lique* apenas vieron al dueño de la furgoneta.'

LIQUIDAR (fig.; inf. o vulg.). Matar, asesinar a alg. 'Después de quitarle hasta el último céntimo, le *liquidan*.' 'Se los *han liquida(d)o* sin juicio ni nada.'

LISA (inf. o vulg.) («Estar»). Dícese, despectivamente, de una mujer de senos pequeños. 'Tiene la cara llena de granos y además *está lisa*.' '¿Para qué quiere un sujetador con lo *lisa* que está?'

LOBA (arg.). Prostituta. 'Recuerdo que las *lobas* se apostaban en las esquinas y que incluso nos chistaban.' '¿Cuánto te pidió la *loba*?'

LOCO, -A («Poner[se] — ») (vulg.). Excitar[se] sexualmente alguien. 'Unas cuantas caricias

167

la *ponen loca.*' 'Siempre que me echo esta esencia *se pone loco.*' Ni loco. Úsase como expr. reforzatoria de negación. 'Yo no voy al fútbol *ni loco.*' 'No me pongo este vestido *ni loca.*'

LONGANIZA (arg.). Pene. 'Todos los gachós con la *longaniza* en exposición. ¡Qué espectáculo más cachondo!'

LONGUI(S) («Hacerse el —») (inf. o vulg.). Simular ignorancia o fingirse distraído. (D.) '¡Sí, va por ti! No *te hagas el longuis.*' 'Se hace el *longuis* a la hora de pagar la consumición.'

LOTE («Darse el —») (vulg.). Cometer una persona acciones lascivas con otra de distinto sexo. [T. Darse el gran lote. Darse el lotazo.] *'Se están dando el lote* a base de bien.' 'Dice que *se dio el lote* con ella.'

LÚA (arg.). Moneda de una peseta. 'Con tres mil *lúas* tendrás bastante.' 'Son pisos de ochocientas mil *lúas*.'

168

MACANUDO, -A (vulg.). Asombroso o estupendo por lo bueno, grande, bello, etc. (D.). 'Es que su hermana es una hembra *macanuda.*' 'Estamos metidos en un embrollo *macanudo.*'

MACARRA (arg.). Homoxesual activo. 'En dos ocasiones, le vieron acompaña(d)o de un *macarra* con parné.' 'Los que le seguían eran unos *macarras* de buen ver.'

MACHACANTE (inf.). Duro. Moneda de cinco pesetas. 'Tómese una cerveza, me dijo. Y me dio un *machacante* el tío judío.' 'Le dieron cuatro mil *machacantes* para taparle la boca.'

MACHACÁRSELA (vulg. y joc.). Hiperbólicamente, masturbarse un hombre. 'Agota(d)o debe estar, desde luego. ¡No para de *machacársela!*' 'Se quitó el vicio de *machacársela.*' ¡Me la machaca[s]! Expr. que denota burla, desdén, desprecio, displicencia o superioridad respecto a una persona. 'Eso de los consejos y los paternalismos le priva. ¡A mí *me la machaca!*' ¡Por mí como si se la machaca[n]! Frase con que se manifiesta indiferencia, desdén, burla o rechazo por lo que alg. dice o hace. 'Están recogiendo firmas. —¡Por mí como si se la machacan!'

MACHADA (inf.) 1.ª) Acción propia de lo que se llama ponderativamente un «macho» o «machote». (D.). 'Hizo la machada de bajar a diez metros sin botellas de oxígeno.' 'A pesar de sus machadas y chulerías, sigo pensando que es un cobarde.' 2.ª) Tontería, majadería o brutalidad. (D.). 'Que se deje de machadas y aprenda un oficio.'

MACHO (vulg.) 1.ª) Expresión laudatoria usada (especialmente entre chicos) con el significado de valiente o digno de admiración por sus cualidades, actos o actitud. (D.). [T. en f. macha, pero no frec.] 'Te encaras con el jefe como si tal cosa. ¡Qué macho eres!' 'Habéis hecho las zanjas en menos de media hora. ¡Sois unos machos!' 2.ª) Muy usado como apelativo achulado o plebeyo. '¡Hala, macho, que es tuyo!' '¡Macho, que todos tenemos prisa!' 'Yo creía, macho, que nos ibas a echar un cable.' 3.ª) Moneda de cinco pesetas. 'He encontra(d)o un macho en la calle, junto al bar.' '¿Te parece poco un macho de propina?' 4.ª) («cabrío») (n. cal.). Se aplica a un hombre muy lujurioso. v. JODEDOR. 'Tú no eres un marido. Tú eres un macho cabrío.'

MACHOTE (vulg. o inf.). 1.ª) Se emplea entre chicos como apelativo laudatorio, aplicado a los que son valientes o se portan como es debido. [T. en f. machota.] (D.). 'Sólo tú lo has conseguido. ¡Estás hecho un machote!' 'Ganaron el primer

170

premio. ¡Qué *machotes!*' '¡Has dejao bien al colegio, *machote!*' 2.ª) Marimacho. Mujer de aspecto y modales masculinos. (D.). 'La delegada era en todo un *machote.*' 'Nuestra profesora de gimnasia es un *machote.*'

MACIZA (fig. y vulg.). Se dice, en tono grosero, de una mujer hermosa o atractiva. 'La playa está hoy llena de tías *macizas.*' '¿Pero has visto? ¡Está *maciza!*'

MADRE («¡Viva la — que te parió!») (vulg.). Expr. de entusiasmo, aprobación o felicitación que se dirige a una persona por su belleza, gracia u otra particularidad. [T. ¡Bendita sea la madre que te parió!] '¡Qué garbo y qué tronío! *¡Viva la madre que te parió!*' Ciento y la madre (inf.). Muchas (genrlm. con sentido de demasiadas) personas. (D.). 'En la antesala estábamos *ciento y la madre*' 'Total, que nos juntamos *ciento y la madre*' De puta madre (adj. y adv.). Por antífrasis, extraordinario, estupendo. 'Nos dieron una comida *de puta madre*' 'Las ostras, con un poquito de limón, están *de puta madre*' 'La niña está *de puta madre*' ¡La madre de Dios! Interjección de admiración, sorpresa, fastidio o enfado. '¡Qué niño más redicho, *la madre de Dios!*' 'La tarea que les queda es poca. *¡La madre de Dios!*' ¡La madre que lo [la, los, etc.,] parió! Exclamación de fastidio, enfado, indignación, asombro o sorpresa. 'No he visto una empleada más torpe. *¡La madre que la parió!*' '¡Qué calamidad de hombre, *la madre que le parió!*' ¡Me cago en la madre que te [le, os, etc.,] parió [echó]! Expr. interjectiva dirigida a una persona como insulto grave. '¡Cacho cabrón! *¡Me cago en la madre que te*

171

parió!' ¡Me cago en tu [su, vuestra] puta madre! Tiene el mismo significado que la expresión anterior, pero es más grave y violenta. '¡Ah, si le cojo! *Me cago en su puta madre!*' ¡Me cago en su madre! Us. como exclamación de sorpresa, admiración o ponderación. '¡Qué incendio, *me cago en su madre!*' '¡Lo que corre esa moto, *me cago en su madre!*' '¡Qué cosa más bonita, *me cago en su madre!*' Mentarle la madre. v. CAGARSE en. Que ha parido madre. Us. como término de comparación en frases de sentido despectivo-ponderativo. 'Es lo más tonto *que ha parido madre*' 'Sus amigas son lo más cursi *que ha parido madre.*' Su [tu, vuestra] madre. Se emplea como respuesta y como término alusivo en expresiones de sentido o tono insultante, que denotan enfado, enojo o indignación. '¡Eso díselo a *tu madre,* so sinvergüenza!' '¡Qué vaya a reírse de *su madre!*' ¡Su madre! Interjección de admiración, asombro, fastidio o enfado. [T. ¡Anda, mi [tu] madre!] '*¡Su madre,* qué abrigo de pieles!' '¡Qué gente más plomífera, *su madre!*'

MAESTRO (vulg.). Apelativo achulado usado por el bajo pueblo para dirigirse a una persona desconocida. 'Me está usté clavando el codo, *maestro*' '¿Me da fuego, *maestro?*' '*Maestro,* la puerta estaba cerrada, ¿eh?'

MAGRAS (inf. o vulg.). Se emplea para negar o rehusar algo. Us. genrlm. en frase interj. 'Los cogerán por sorpresa. — *¡Magras!*' 'Le recordé que iría en tu lugar y me soltó que *magras*'

MAGREADA («Estar — ») (vulg.). Dícese de una mujer fácil o lujuriosa. 'Si te refieres a Loli, la del guardarropa, *está* pero que muy *ma-*

172

greada' 'Está ligeramente *magreada* la muchacha de la fonda'

MAGREAR(LA) (vulg.). Entregarse un hombre a acciones lascivas con una mujer que consiente. (D.). 'Muchas veces *la magrea* en la trastienda' 'Si ellas quisieran, no *las magrearían*'

MAGREARSE (vulg.). v. Darse el FILETE.

MAGREO (vulg.). Acción de magrear. 'Eso fue claramente una invitación al *magreo*' 'Su debilidad por el *magreo* era famosa.'

MAHOMA («¡Me cago en los cojones de — !») (vulg.). Exclamación de ira, enfado, fastidio o admiración. v. BUDA. '¡Se me ha pasa(d)o la hora! *¡Me cago en los cojones de Mahoma!*' Según la ley de Mahoma, tan maricón es el que da como el que toma. I) Pareado jocoso con que se censura por igual al homosexual activo y al pasivo. Por extensión, se emplea también para indicar que dos personas determinadas son culpables de algo en la misma proporción. II) Expresión propia de chicos, dicha en broma antes de dar a uno un golpe en el cogote, genrlm.

MAJARETA (inf.) («Estar»). Algo chiflado, trastornado. (D.). [T. Majara.] 'He nota(d)o que le hablas, y nada, como si *estuviera majareta*' 'Nos vamos a ir andando a casa. — ¡Tú *estás majareta!*'

MALAPATA (inf.) (n. cal.). Se aplica a una persona inoportuna o molesta y falta de gracia. (D.). '¡Había de venir el *malapata* a desbaratar nuestros planes!' 'Sí, otro que tal baila. Es *malapata* por toneladas.'

MALASANGRE (inf.) (n. cal.). Se dice de una persona que tiene inclinación a hacer daño. (D.).

173

[T. Malaúva.] '¡Venga a tirarle pellizcos a la niña! ¡Será *malasangre!*' 'No creo que le molestara mi juan. ¡Qué *malasangre* es el tipo!'

¡MALDITA SEA! (inf. o vulg.). Exclamación de disgusto, enfado, fastidio o irritación. [T., por aféresis, ¡Dita sea!] '¡Pues no me he queda(d)o sin gasolina! *¡Maldita sea!*' '¿Que ha tira(d)o a la calle los pendientes? *¡Maldita sea!*' ¡Maldito, -a sea [seas, etc.]! Excl. con que se manifiesta enfado o irritación contra alguien o algo. '*¡Maldita sea* la hora en que se me ocurrió salir!'

MALHECHO, -A (vulg.). 1.ª) Aplíc. a una persona fea o de mal tipo (¿D?). 'No es el traje, qué va. Lo que pasa es que eres un *malhecho*.' 2.ª) Us. como apelativo amistoso o afectivo. 'Ven un momento, *malhecho*, que vamos a echar a suertes.' '¿Nos traes una de bravas, *malhecho?*'

MALVAS («Criar — ») (fig. e inf.). Estar muerto y enterrado. [T. Estar criando malvas.] '¡No podrás disfrutar de tus millones, cuando *críes malvas*, so judío!' 'Casi todos sus familiares estaban ya *criando malvas*.'

MAMADO, -A (vulg.) («Estar»). Borracho. (D.). 'Dile al sereno que nos ayude, que éste *está mamao*.' 'Estaba *mama(d)o*. Iba dando tumbos por la calle.'

MAMAR (fig., inf. o vulg.). 1.ª) Adquirir alg. cierto hábito o cualidad por su nacimiento o el ambiente en que se ha criado. (D.). 'Eso de hablar a gritos lo *ha mama(d)o*.' '¿Y por qué sabe usté que es rotura de la transmisión? — ¡Porque lo *he mama(d)o!* 2.ª) Obtener o disfrutar una cosa sin méritos o sin esfuerzo. (D.). 'Con la sola finalidad de *mamar*. Así, como suena.'

174

'Se percata de que *maman*, pero hace la vista gorda.'

MAMARSE (vulg.). 1.ª) Emborracharse. 'Cerramos a las diez, pero siempre hay alguno que *se mama*.' 'Se mama con un chato de vino y le da por armar gresca.' 2.ª) Comer o tragar algo precipitadamente. ◆ Comer mucho. (D.). 'Se mamó los trozos de queso.' 'Se maman las empanadillas que es un contento.'

MAMERTO (vulg. o inf.). Usado como insulto equivalente a idiota, imbécil. '¿No sabes dónde has deja(d)o la cartera, *mamerto*?' 'Que nos saque las castañas del fuego el *mamerto* aquél, ¿no?'

MAMÓN, -A (vulg.). 1.ª) Se aplica a la persona que saca dinero a alg. con engaños o vive a costa de otros. 'Hoy llegarán nuestros muy estimados parientes... *mamones*.' 'Su hermano está hecho un *mamón* de mucho cuida(d)o.' 2.ª) Usado como insulto con sentido semejante al de necio o tonto. 'Le toman el pelo como quieren. Todo se lo cree este *mamón*.' '¡No te han podido engañar mejor, *mamón*!' 3.ª) Expresión afectuosa entre amigos. ◆ A veces, tiene valor despectivo, equivalente a mala persona. [T. Mamoncete.] 'Ve levantando las cartas una a una, *mamón*.' 'Ah, *mamón*, ¿conque no te quedaba chorizo?'

MAMONAZO, -A (vulg.). Aumentativo de mamón. '¡Pon atención a lo que te va a decir, *mamonazo*!' '¿Hasta cuándo voy a estar cuidándote, *mamonazo*?'

MANDANGA (vulg. o inf.). 1.ª) Calma. Flema, pachorra. (D.). 'Su mujer iba a dar a luz y él estaba, con toda su *mandanga*, senta(d)o en el butacón.' 2.ª) Cuento. Falsa excusa o pretexto. 'No me vengas con *mandangas*, que no me convences.'

175

3.ª) Cachete o bofetón. 'Mira, te doy una *man-danga* que no te encuentran.'

MANDUCA (inf. o joc.). Comida. 'Vamos a que nos den la *manduca*.' 'Hale, que está puesta la *manduca*.'

MANDUCAR[SE] (inf. o joc.). Comer[se] o tragar[se] algo precipitadamente. (D.). ◆ Comer mucho. '*Se manducaron* los conejos en cosa de minutos.' '*Se habían manduca(d)o* los bocadillos.'

MANGANCIA (inf.). 1.ª) Conducta o acción propia de un mangante. (D.). 'En mi tierra a eso lo llamamos *mangancia*.' 'Ya va siendo hora de que castiguen la *mangancia*.' 2.ª) Mentira, cuento. 'Piensa que en esta vida todo es *mangancia*.' 'Echan mano de la *mangancia*, que les sale muy barata.'

MANGANTE (inf.). 1.ª) Sablista, ladrón. (D.). '¡Pues no me pedía quinientas por la cotorra el *mangante*!' 'Ese *mangante* se está haciendo de oro con los muebles.' 2.ª) Sinvergüenza, desaprensivo. (D.). '¡Hay cada *mangante* por esos mundos de Dios…!' 'Todos estos *mangantes* deberían estar en la cárcel.'

MANGAR (germ. e inf.). Quitar una cosa a alg. o robársela. (D.). '¿Quién me *ha manga(d)o* el boli?' 'Le *mangaron* el bolso por el procedimiento del tirón.'

MANGUE(O) (inf.). Acción o práctica de robar. 'Por la mañana se dedican al *mangue* y por la tarde, al arrastrao.' 'Le habituaron al *mangueo*.'

MANGURRINA (vulg.). Usado achuladamente por bofetada o cachete. '¡Nada hombre, que te estás ganando una *mangurrina*!' Darle a alg. una media mangurrina. Abofetearle. '*Os da una media mangurrina* que os pone la cara al revés.' '*Le*

176

doy una media mangurrina y me quedo más ancho que largo.'

MANITAS («Hacer —») (vulg. e inf.). Hacerse caricias los enamorados; particularmente, acariciarse las manos. 'Está pendiente de las parejas que *hacen manitas* y eso.' 'Prohibido *hacer manitas*, ¿entendido?'

MANO («Meter(la) —») (vulg.). 1.ª) Propasarse. Permitirse un hombre un atrevimiento con una mujer. *'La metió mano* en el cine. No le preguntes qué echaban.' 'La camioneta iba de bote en bote y uno que tenía enfrente quería *meterme mano.'* 2.ª) Meterse mano. v. Darse el FILETE. ¡Las manos quietas (que van al pan)! Expresión que usan las mujeres cuando un hombre intenta propasarse. *'¡Las manos quietas!* ¡A ver si te doy un bofetón!'

MANÚS (git. y desp.). Hombre. '¡Jodó, es de armas tomar el *manús!'* 'Seguía el *manús* planta(d)o en la puerta, al acecho.' Manús de la Tolsiba. Uno cualquiera.

MAQUEADO, -A («Ir bien —») (achul.). Ir elegante, bien trajeado. *'Va bien maqueao*. Lo que no sé es de dónde saca la pasta.' 'Sabe que *yendo bien maquea(d)o* causará buena impresión.'

MAR (« ¡Me cago en la — (salada)! ») (vulg.). Interjección de enfado, fastidio, irritación, admiración o júbilo. '¡Que lo tiras, *me cago en la mar!'* '¡Me cago en la mar! ¡Cerrar la puerta!' '¡Qué niño más guapo tengo, *me cago en la mar!'* '¡Me cago en la mar, quién ha venido!'

MARCA («De — mayor») (inf. o vulg.). Tremendo o extraordinario. (D.). 'Es un fresco *de marca mayor.'* 'Aquello resultó un camelo *de marca mayor.'*

177

12

MARCARSE (achul.). Contar, decir; soltar, echar. '*¡Se marca* cada rollo el viejo!' 'Buenas peroratas *se marcaba* el cura.'

MARCHA («Apearse en —») (arg.). Practicar el «coitus interruptus». 'Cree que con *apearse en marcha* está todo resuelto.' '*Se apea en marcha* y la deja silbando melodías.'

MARICA (vulg.). 1.ª) Hombre afeminado, invertido.(D.). Son eufemismos las expresiones siguientes: Mari, Mariposa[o], Marinero. 'Se le acercó un *marica* y le preguntó que si esperaba a alguien.' '¡Coño con el *marica*, qué mala leche gasta!' 'Es una cafetería de *maricas*, dicen.' 2.ª) Se emplea como insulto, pero sin atribuirle su significado preciso. Equivale a idiota o estúpido. 'No le hagas caso. Es *marica*.' '¿Tú eres *marica* o qué? ¿No ves que estoy hablando con mi novia?' 3.ª) Malintencionado, que tiene inclinación a hacer daño. 'Para que no aparquen los coches ahí, les rompe los limpiaparabrisas. ¡Será *marica!*' '¡Que se gibe por *marica!*' 4.ª) Us. como insulto afectuoso entre amigos con el significado de mala persona. 'Anda, devuélvele el balón al chico, no seas *marica*.' 'Oye, *marica*, te esperé más de una hora, ¿sabes?' Gozarla[s] más que un marica con lombrices. Divertirse mucho, pasarlo muy bien. '*La hemos gozao en la piscina más que un marica con lombrices.*'

MARICÓN, -A (vulg.). 1.ª) (m.). Aumentativo de marica ◆ Homosexual. (D.). [T. Maricón de playa.] 'Conozco a un peluquero de señoras que es *maricón* perdido.' 'Hay tías fenomenales que no son sino el gancho de *maricones*.' 2.ª) Persona malvada, perversa o malintencionada. 'En nues-

178

tra fábrica hay mucho *maricón* disfrazao.' '¡Qué *maricones* son! ¡Qué manera de especular con cosas de primera necesidad!' 'Denunció el robo de unas alhajas que ella misma había empeñao. ¡Si será *maricona!* 3.ª) Usado como insulto grave y violento. '¿Querías que saltara el bordillo, *maricón?* '¡Así te estrelles, *maricón!*' ¡Maricón, el último! Lo dicen los chicos, en broma, cuando salen corriendo hacia un lugar determinado.

MARICONADA (vulg.). 1.ª) (no frec.). Acción, maneras o gesto propios de maricón. (D.). '¡Qué de *mariconadas* hizo en el pase de modelos!' 2.ª) (íd.). Grupo de maricones. 'La *mariconada* se reunía en un tugurio del centro.' 3.ª) Acción malintencionada y genrlm. injusta, que causa un gran perjuicio o fastidia mucho. (D.). 'Siendo yo jefe de sección, me hizo una *mariconada* que no la olvidaré en mi vida.' '¡Y luego dicen que las piamos! Una *mariconada* tras otra.'

MARICONAZO, -A (vulg.). 1.ª) Aumentativo de maricón, 2.ª y 3.ª acep. '¡Y yo que le tenía por mi mejor amigo! ¡Mariconazo!' '¿Para eso pediste el préstamo, so *mariconazo?*' 2.ª) (m.). Se usa como expresión afectuosa entre amigos. '¿No decías, *mariconazo,* que de casarte, ni hablar?' '¡Vaya un pinta que estás hecho, *mariconazo!*'

MARICONCETE (vulg.). 1.ª) Hombre algo maricón o afeminado. 'Algunos, de tanto estar entre mujeres, se hacen *mariconcetes.*' 2.ª) Se dice del hombre de poca categoría social o distinción. También, del malintencionado y cobarde. 'No vale la pena que se le revuelva la sangre por un *mariconcete* como ese.'

MARICONEAR (vulg.). 1.ª) Hacer lo propio de un maricón o imitar sus actitudes o ademanes. 'De joven ya le encantaba *mariconear*.' 2.ª) Tener trato con maricones. 'Sabía que era un poquito raro, pero no que *mariconease*.'

MARICONEO (vulg.). Acción, trato, práctica o vicio de maricones. 'Su tendencia al *mariconeo* le viene de familia.'

MARIMACHO (vulg.). Mujer de aspecto y modales masculinos. (D.). '¡Tenías tú que ver a mi masajista! Es un auténtico *marimacho*.' 'Parecerá un *marimacho*, pero la tratas y es una persona encantadora.'

MARIMARICA (vulg.). v. MARICA, 1.ª acep. (D.).

MARIQUITA (inf.). Diminutivo de marica, 1.ª acep. (D.). [T. Mariquilla.] 'Se puso muy irrita(d)o porque le dije *mariquita*.' '¡Jugando tú a la comba! *¡Mariquita!*'

MARMELLAS (fig. y vulg.). Usado por mamellas. Pecho de una mujer. 'Con esto del destape, deja a la vista las *marmellas* muy generosamente.' 'Tiene unas *marmellas* acojonantes.'

MARMOTA (vulg. o inf.). Muchacha de servicio. 'Como todos los jueves, se irán a ligar con las *marmotas*.' 'Tienes una *marmota* que está fenómena.'

MAROMO (vulg.) v. CHORBO.

MARRANADA (vulg.). Indecencia. Acción vil o indigna. (D.). v. CERDADA. 'Un día lo vieron haciendo *marranadas* con la secretaria.' 'Yo me he porta(d)o bien con ellos. No es justo que me hagan esta *marranada*.'

MARRANO, -A (vulg.). v. CERDO. (D.).

MARRÓN (inf.). Billete de cien pesetas. [T. Marroncete.] 'La broma te cuesta cinco *marrones*.'

180

'No me ha ido mal en este lunch. He saca(d)o un *marroncete*.'

MATAR (fig., inf. o vulg.). 1.ª) Molestar o fastidiar mucho (¿D.?). Us. genrlm. en frase interjectiva de tono achulado. '¡Que le metí yo en el frega(d)o, *no te mata!* 'Ahora me quedo con la vuelta. *¡Nos ha mata(d)o!* 'Está trabajando en una fábrica de harinas. —¡*No me mates!* 2.ª) Dejar pasmado con algo. *'Me has mata(d)o con esa diana.' 'Nos has mata(d)o con esa noticia, de veras.'* Ir uno que se mata. Tener bastante y darse por satisfecho con lo que se le ha dado o ha recibido. 'El libro te lo dejo una semanita y *vas que te matas.* 'Le hacemos el balance y *va que se mata.'* Ni aunque le [te, os, etc.] maten. Usado como expresión reforzatoria de negación. 'No va a misa *ni aunque le maten.'* 'No llamas *ni aunque te maten.'*

MAYORMENTE (vulg.). Máxime, especialmente; en particular, sobre todo. (D.). 'Es muy conocido, *mayormente* desde que salió en televisión.' 'Siempre hay que ir bien vestido, *mayormente* en estas fiestas.'

MEADA (vulg.). Orina expelida de una vez. ◆ Huella o mancha que deja. (D.). 'Sus *meadas* son de cinco minutos.' 'Fíjate qué *meada* llevo en el pantalón.' Echar una meada. Orinar. v. CHORRADA. 'Fueron a *echar una meada* detrás de los árboles.' '¿Quién me acompaña a *echar una meada?*'

MEADERO (vulg. y joc.). Urinario. (D.). 'Han toma-(d)o este rincón por *meadero.' '¿*Dónde está aquí el *meadero*, tú?'

MEADO, -A (vulg.). 1.ª) («Estar»). Se dice de una persona (particularmente, de un niño) que se ha orinado. '¡Qué delica(d)o es este crío! No puede *estar mea(d)o*.' *'Está* muy *mea(d)o*. Tendrás que cambiarle el pañal.' 2.ª) (íd.). Dícese de lo que es fácil de hacer o conseguir. También, se aplica, despectivamente, a una persona a la que se le gana fácilmente en el juego o en una pelea o se la supera en algo. 'El partido de mañana *está meao*.' *'Estaba mea(d)o* el examen de taquigrafía.' 'Esos en ajedrez *están meaos*.' 3.ª) (pl.). Orines. (D.). 'Creo que en guerra se bebían los *mea(d)os* de las caballerías.' 'Claro, como no friegan los *mea(d)os...*'

MEAR (vulg.). 1.ª) Orinar. (D.). 'Sal pronto, que me estoy *meando*.' '¡No te pongas a *mear* en medio de la calle, hombre!' 2.ª) (fig.). Vencer fácilmente a alg. en el juego o en una lucha. ◆ Superarle, aventajarle. 'En tenis lo *mea* como quiere.' 'Mejor será que no juguemos con ellos, que nos *mean*.' 3.ª) (íd.). Apabullar o humillar a una persona. 'Al técnico lo *mearon* sin la menor consideración.' '¡De qué forma le *han mea-(d)o* al hombre!' 4.ª) (arg.). Practicar el coito. ◆ Fornicar. 'En el primer permiso, ¡a *mear* como un león!' ¡A que te [le[s], os] meo! Expresión soez y achulada que denota burla, bravuconería o provocación. '¿Qué no? ¡*A que te meo*, cantamañanas!'

MEARSE (vulg.). 1.ª) Orinarse. (D.). 'Últimamente, *se mea* y se hace sus cosas en la cama.' 'A los diez años aún *se meaba*. ¡Lo que nos costó quitárselo!' 2.ª) («de risa»). Desternillarse, descuajaringarse. '*Se mean* en las actuaciones suyas.' 'Seguro que en cuanto se lo diga, *se mea*.' 'Cada vez que me acuerdo, *me meo de risa*.'

MECHERO (arg.). Miembro viril. 'A este paso se me va a oxidar el *mechero*.'

MELE (achul.). Bofetón o puñetazo. '¡Sin tocar, que te largo un *mele!*'

MELÓN (fig. e inf.). Cabeza, particularmente grande. [T. Meloncio.] '¡Se le está poniendo un *melón!*' '¿Qué, te duele el *melón?*'

MELOPEA (vulg. o inf.). Borrachera. (D.). 'No hay peor *melopea* que la de anís.' 'Coge una *melopea* que lo tienen que llevar en camilla.'

MENDA (git. y vulg.). El que habla, uno mismo. (D.). [T. Mi menda, Menda lerenda, Mendi lerendi.] 'Si alguien te lo pregunta, di que lo hizo *menda*.' '*Mi menda* no está hoy para chirigotas.'

MENEÁRSELA (vulg.). 1.ª) Masturbarse un hombre. [T. Meneársela como [más que] un mico.] *Se la meneaba* en el water, después de comer.' '¿De qué manera podríamos impedir que *se la meneara?*' 2.ª) Masturbar a un hombre. '*Se la meneó* un ratillo la puta.' ¡Me la menea [meneas, meneáis, etc.]! Locución con que se manifiesta desprecio, burla, displicencia, indiferencia, altivez o desafío. v. Traérsela FLOJA. 'A mí, los discursos y las glosas *me la menean*, palabra.' 'Vosotros dos *me la meneáis*, ¿te enteras?'

MENEO (arg.). Coito ◆ Fornicación. [T. Meneíto.] '¡No quiero un solo chiste en lo que respecta al *meneo!* ¡Ojo!' '¡Si sabré yo que se pirria por el *meneo* ésa!'

MENGUI (achul.). En la exclamación vulgar ¡Anda, tu [su] mengui!, que expresa burla, arrogancia, bravuconería, asombro o admiración. '*¡Anda tu mengui!* ¡Que me va a aplaudir la cara,

183

se pone!' '¡*Anda su mengui*, si va del brazo de Andrés!'

MENOS («En — que se santigua un cura loco») (vulg. o inf.). En un instante, con mucha rapidez. 'Te lo resuelvo *en menos que se santigua un cura loco*.'

MENTAL («Chorreo —») (vulg.). Memez, majadería; despropósito, disparate. [T. Diarrea mental.] '¡Que hayamos venido de tan lejos para escuchar este *chorreo mental!*' 'Como verás, el *chorreo mental* es algo que abunda en esta queridísima casa.'

MENTE («Masturbarse la —») (fig. y vulg.). Cavilar mucho, dar muchas vueltas a un asunto. '*Me he masturba(d)o la mente*, pero no he saca(d)o nada en limpio.' 'Ya encontraremos una solución. No *te masturbes* tanto *la mente*.'

MEÓN, -A (vulg.). Se aplica a la persona que orina mucho, particularmente a los niños. (D.). '¡Ya no te quiero, *meón!*' 'Está hecho un *meón* de miedo.' 'En el colegio la llaman la *meona*.' Cogerla meona. Se dice de la persona que repite machaconamente algo o que se obstina en cierta cosa. '¡Jolín, Rafa, *la has cogido meona!*' '¡*La han cogido meona* con el baloncesto!'

MEOS (vulg.). Orines. '¡Cómo huelen a *meos* los riñones!' 'Estos *meos* no desaparecen ni con lejía.'

MERDELLÓN, -A (gros.) (adj. y n.). 1.ª) Se aplica al criado o criada sucios. (D.). '¡Estoy hasta la coronilla de tener en mi casa a esa *merdellona!*' 2.ª) Petimetre, joven cursi. 'No tolero que me diga lo que he de hacer un *merdellón* como él.'

MERDOSO, -A (gros.) (adj. y n.). Sucio o asquero-

184

so. (D.). [T. Mierdoso.] 'Era una habitación toda *merdosa* y con humedades.' '¿Crees que llevo por mi gusto estos vestidos *merdosos* y pasa(d)os de moda?'

MERENGAR (fig.; vulg. o inf.). Fastidiar, molestar. Us. genrlm. en frase exclamativa y en tono achulado. 'No tiene dinero ni influencias. *¡Nos ha merenga(d)o el fulano!*' '¡Por *merengar*, que no quede!'

MERLUZA (fig. y vulg.). Borrachera. (D.). 'Agarra unas *merluzas* un tanto incordiantes.' 'En la fiesta pillaron una *merluza* de espanto.'

MES («Estar con el — ») (vulg.). Aplíc. a una mujer en período menstrual. [T. Tener el mes.] 'Ya se nota, hija, que *estás con el mes*, ya.' 'Os ponéis insorportables cuando *estáis con el mes*'

METÉR(SE)LA (obsc.). Hacer el acto sexual. ◆ Fornicar. 'Llegan a puerto deseosos de *meterla*.' 'A lo mejor quería que *se la metieras*.'

METIDO («Dar un — ») (vulg.). Dar un golpe, empujón o embestida. (¿D?). 'El del autocar le *dio un metido* a la furgoneta.' 'Le *dieron un metido* que le tiraron al suelo.'

MICO («De cojón de — ») (vulg.) (adj. y adv.). Extraordinario, formidable. 'La paella que nos sirvieron estaba *de cojón de mico*.' 'Con una fortuna así lo pasas *de cojón de mico*.'

MIEDO («De — ») (inf. o vulg.). Locución ponderativa de lo extraordinario. '¿Y de las nécoras, qué me dices? Están *de miedo*.' 'La Maruja se está poniendo *de miedo*.'

MIERDA (gros.). 1ª) Excremento humano o cualquier clase de suciedad. (D.). 'Ten cuida(d)o, no pises la *mierda*.' 'Las ventanas tienen *mierda* para parar un tren.' 2.ª) Cosa mal hecha o de

185

ínfimo valor. 'Le respondió que la novela era una *mierda*.' '¿Por qué no tiras a la basura toda esa *mierda*?' 3.ª) (n. cal.). Persona insignificante o despreciable. ◆ Cobarde o pusilánime. Usado frecuentemente como insulto. '¿Quieres que pierda mi puesto por ese *mierda*?' 'Un *mierda* como tú no es capaz de hacer nada importante.' 4.ª) Borrachera. 'Empezaron a mezclar bebidas, hasta que cogieron una *mierda* tremenda.' '¡Vaya *mierda* lleva encima!' 5.ª) Suerte (buena). Us. genrlm. entre chicos. '¡Ahí va qué *mierda*! Ha hecho carambola.' 'Tienes *mierda* en las rifas, tú.' ¡A la mierda! Excl. empleada para echar alg. de su compañía a uno, o apartarse o desentenderse de una persona o de cierta cosa. v. ¡A tomar por CULO! '¡No quiero saber más de ti ni de tus trampas! *¡A la mierda!*' '*¡A la mierda* el empapela(d)o y toda la leche!' Mandar a la mierda. Echar fuera o alejar de su trato a alg., o desentenderse de una persona o de una cosa. 'Se le *manda a la mierda* y a otra cosa, mariposa.' '*He manda(d)o a la mierda* varias ofertas.' ¡Qué se vaya [Vete, Váyase, etc.,] a la mierda! Frase interj. con que se rechaza con enfado a alg. que molesta por lo que dice o hace. También, se emplea para negar o rehusar. '*¡Que se vayan a la mierda* tu familia y sus manías!' 'Hombre, yo he hecho lo que he podido. — *¡Vete a la mierda!*' Cubrirse de mierda alg. Quedar mal o tener una intervención desafortunada o ridícula en algo. '*Se han cubierto de mierda* con las ponencias.' 'Esta vez *os habéis cubierto de mierda*, majos.' De la mierda. Usado despectivamente con referencia a una persona o una cosa

186

que fastidia o incomoda. '¡Jo, tenemos para rato con la excavadora *de la mierda!*' 'Se me puso farruco el niñato *de la mierda.*' De pura mierda. De suerte, por casualidad. 'Habéis sido puntuales *de pura mierda.*' 'Marcó un gol *de pura mierda.*' Hecho una mierda. («Estar, Dejar, Quedarse»). Hecho añicos, destrozado. Dícese, además, de una persona quebrantada en su salud, cansada o abatida. 'El avión quedó *hecho una mierda.*' 'Me ha deja(d)o *hecho una mierda* la hepatitis.' La mierda de. Se emplea en sentido despectivo para referirse a una persona o una cosa molesta, fastidiosa o inoportuna. '¡Estamos apaña(d)os con *la mierda del* calentador.' '¡Que no podemos ir nunca de visita por *la mierda del* crío!' ¡Me cago en la mierda! Interjección que denota ira, enfado, fastidio, sorpresa o admiración. '¡Ojalá te enchiqueren, *me cago en la mierda!*' '¡Ahora se me cala la moto, *me cago en la mierda!*' '¡Qué nervioso es, *me cago en la mierda!*' Ni mierda. Usado como locución reforzatoria de negación, particularmente con el verbo oír o entender. '¡Que no oigo *ni mierda*, te lo prometo!' 'Mucha labia, pero no entienden *ni mierda* de decoración.' ¡Ni qué mierda[s]! Expr. usada para negar o rehusar con enfado algo. '¡Qué prisa *ni qué mierdas!* ¿Para qué tiene los ojos?' 'Es un jilguero. ¡Qué ruiseñor *ni qué mierdas!*' ¡Qué mierdas! Excl. con que se manifiesta enfado, protesta, oposición, rechazo o negación. '¡Ustedes le han llama(d)o! ¡Allá ustedes, *qué mierdas!*' '¡Empezarán cuando me dé la gana, *qué mierdas!*' 'Preguntan si hemos recibido ya los bidones. — *¡Qué mierdas!*' ¿Qué mierdas?

Us., a veces, sin valor conceptual en frase interrogativa. 'Vamos a ver. *¿Qué mierdas* ocurre ahora?' *'¿Qué mierdas* querías decirme?' ¡Una mierda! Exclamación con que se niega o rechaza lo que alg. dice o pretende. También, se usa para expresar incredulidad o burla. 'Hemos pensa(d)o hacer la reunión en tu casa. —*¡Una mierda!*' 'Le pedimos una subida de incentivos y nos dice que *una mierda.*' 'En ese caso, le expropiarán el solar. — *¡Una mierda!*'

MIERDEAR (vulg.). 1.ª) Fastidiar, molestar o importunar. '¿Es que nunca van a dejar de *mierdearnos* estos tipos?' *'Te mierdean* cuanto se les antoja y encima has de poner buena cara.' 2.ª) Enfadar o soliviantar. v. PUTEAR. 'La coacción y la amenaza sólo sirven para *mierdear* a la gente, te lo digo de verdad.' '¡A mí no me *mierdean* más estos desgracia(d)os!'

MIERDICA (vulg.). Persona cobarde, pusilánime o insignificante. 'Es preferible que no les propongas nada, porque son todos unos *mierdicas.*' '¡Mira tú que no cantarle las cuarenta a ese *mierdica!*' '¡Venga, vámonos, no seas *mierdica!*'

MINGA (vulg.) Pene. [T. Mingo.] 'Para eso de la fimosis, tendrás que ir al médico a que te vea la *minga.*' '¡Anda su padre! Llevo el calzoncillo al revés y no me puedo sacar la *minga.*'

MÍNIMO («Lo más — ») (inf.). Expresión redundante empleada en frases negativas. 'Su prestigio no le importa *lo más mínimo.*' 'El aspecto que presenta no me gusta *lo más mínimo.*'

MININA (vulg. o inf.). Pene. (pop., pene de niño). '¡Qué frío! Se le queda a uno la *minina* congelada.' 'Él solito se saca la *minina* para mear.'

MIRANDA («Estar de — ») (inf.). Sin hacer nada

188

el que debía trabajar. (D.). ◆ Se dice del que se queda mirando cómo trabajan otros. 'Oye, ¿no te ponen nervioso los que *están de miranda?*' 'No *estés de miranda*. ¡Tú, a tu faena!'

MISMAMENTE (vulg.). 1.ª) Mismo, incluso; por ejemplo. 'Usted *mismamente* puede pasar por aquí.' 'Anoche *mismamente* hablé con él.' 2.ª) Precisa, casualmente. (D.). 'El marisco lo hemos recibido hoy *mismamente*.' 'Tenemos *mismamente* unas telas como las que usted busca.'

MOCHA (inf.). Cabeza. (D.). 'Aparta la *mocha*, que no veo la pizarra.' 'Me he dao en la *mocha* con el marco de la puerta.'

MOCHALES (inf.). («Estar»). Loco, chiflado. (D.). 'Unos días más en su casa y acabo *mochales*.' 'No saben el riesgo que corren. *Están mochales*.'

MOCHUELO (arg.). Org. gen. femenino. '¿Y cómo tendrían el *mochuelo* esas mujeres que, tras una operación, las convierten en hombres?'

MOJAR (arg.). Cohabitar. ◆ Fornicar. 'El método te dice los días en que puedes *mojar*, chala(d)o.' 'Eso le pasa por *mojar* con putangas.'

MOLAR (vulg.). 1.ª) Dar distinción, elegancia o categoría una cosa. 'Tener un bólido de estos *mola* un montón.' 2.ª) Presumir. Darse importancia o hacer ostentación de algo. 'Su novio *mola* un rato, pero no debe de tener un céntimo.' 3.ª) Gustar, agradar. Apetecer. 'No me *mola* el cinturón que llevas.' '¿Os *mola* un pitillo, chaveas?' 4.ª) Valer. Aceptar o estar de acuerdo. (Us. en 3.ª persona de s.). 'Te llevas el veinte por ciento de ganancia, ¿*mola?*'

MOLLERA (fig. e inf.). V. SESERA. (D).

MOLÓN, -A (vulg.). 1.ª) Elegante, distinguido; de buena calidad o de buen gusto. Se aplica, también, a cosas que indican un alto nivel de vida. 'Se ha compra(d)o un apartamento de lo más *molón.*' '¿Dónde venden camisas tan *molonas?*' 2.ª) Elegante, bien vestido. '¿Por qué vienes así de *molón*, si hoy no es domingo?' 3.ª) Presumido, presuntuoso. 'No es por envidia. Es, sencillamente, que no soporto a la gente *molona.*'

MOLONDRA (inf.). Cabeza, particularmente grande. (D.). 'No le pasaba el jersey por la *molondra.*' '¡Baja la *molondra*, que te van a ver!'

MONADA (vulg.). Us. en tono achulado o irónico como requiebro o apelativo. '¡Oye, *monada*, no seas tan antipática!' '¿Pero tú qué te has creído, *monada?*' De eso nada, monada, Se emplea como expr. de negación, rechazo, burla o incredulidad. 'Veo que vas a tener que ir a patita. — *¡De eso nada, monada!*'

MONAS («Mandar a freír — ») (inf. o vulg.). V. GÁRGARAS. (D.).

MONDA («La — ») (vulg.). Expresión calificativa de ponderación, que se aplica a una cosa que se juzga extraordinaria, por buena o por mala. Se dice, además, de lo que hace reír. 'Estas mujeres, cuando se ponen de palique, *son la monda.*' 'No das una en el clavo. *Eres la monda.*' 'Al alguacil se le cayeron los pantalones en mitad de la plaza. *¡Fue la monda!*'

MONIS [ES] (inf.). Dinero. (D.). 'Vienen del extranjero con *monises* y se dan la gran vida.' 'Como tiene *monis*, puede permitirse cualquier lujo.'

MONSTRUO (vulg.). Neologismo empleado como nombre calificativo en aposición, con el significado de magnífico, formidable. (D.). 'Tenemos un plan *monstruo* para la semana que viene.' 'Mañana hay en la tele un programa *monstruo.*'

190

MONTARLA (arg.). Ref. a una mujer, poseerla sexualmente. [T. Montar en barra.] 'Tú tira de cartera y verás qué pronto *la montas.'* 'Ninguno ha podido *montarla* hasta la fecha.'

MONUMENTO (inf. o vulg.). Dícese, hiperbólicamente, de una mujer hermosa o guapa. 'Se les cae la baba, contemplando los *monumentos* que pasan.' 'Mira la de la portada. ¡Échale, qué *monumento!'*

MOÑAZO (vulg.). V. COÑAZO, 2.ª acep.

MOÑO («Estar hasta el — ») (inf. o vulg.). Estar harto de algo o de alguien. '*¡Estoy hasta el moño* de indirectas y sonrisitas!' '*Está hasta el moño* de que le doren la píldora.'

MORADO, -A («Ponerse — ») (vulg.). 1.ª) Comer, disfrutar, etc., de una cosa en mucha cantidad y con mucho placer. '*Os habéis puesto mora(d)os* en la comunión de mis sobrinos.' 2.ª) v. Darse el FILETE.

MORCILLA (arg.). Pene. 'El tío sacó la *morcilla* y se puso a mear en el descansillo de la escalera.' Mandar a tomar morcillas. V. GÁRGARAS.

MORDERSE (vulg.). 1.ª) Besarse un hombre y una mujer lujuriosamente. [T. Morrearse.] '*Se estaban mordiendo* junto al porche, hace un momento.' 2.ª) v. Darse el FILETE.

MORDISCO (vulg.). Beso lujurioso. [T. Morrada, Morreo.] '¡Coño, nos hemos perdido el *mordisco* de todas las noches!' Darse el mordisco. v. Darse el FILETE.

MORROS (vulg. e inf.). Labios de una persona cuando son abultados. (D.). ◆ Labios. 'Lleva los *morros* mancha(d)os de tomate.' 'Se ha caído la niña y se ha lastimado los *morros.'* Dar en los morros. I) Abofetear o pegar a alg. [T. Ca-

191

near el morro, Sobar el m.] *'¡Dale en los morros,* puñeta! *'¿Quieres que te dé en los morros o qué?'* II) («con»). Vengarse o tomar revancha de una ofensa o un perjuicio recibido. [T. Pasar por los morros.] *'Le di en los morros* con el certificao.' La faltó tiempo para *darle en los morros* con el cheque.' Estar de morros. Estar enfadado y mostrarlo con el gesto o la actitud. (D.). 'Porque le haya dicho eso, no es para que *esté de morros.' 'Estuvo de morros* conmigo tres o cuatro días.' Partir los morros. Us. como expresión hiperbólica de amenaza o desafío. '¡Te voy a *partir los morros* por chulo!' 'De que asomen, les *partimos los morros.'*

MORROCOTUDO, -A (vulg. o inf.). Tremendo, descomunal; formidable, extraordinario. (¿D?). 'Esto de las licencias es un problema *morrocotudo.'* 'Primero salió una modelo que estaba *morrocotuda.'* '¡Qué golpe más *morrocotudo* se metió!'

MOSCA (fig. e inf.). Dinero. (¿D?). 'Di conmigo que te interesa por la *mosca* que tiene.' 'Ellos gastan *mosca* a porradas.' Aflojar [Soltar] la mosca. Dar una persona el dinero que se le pide o se espera de ella. (D.). 'Le cuesta mucho *aflojar la mosca.'* '¡Ve *soltando la mosca* y calla!'

MOSTRADOR (fig. e inf.). Pecho de una mujer. '¿Viste cómo agitaba el *mostrador* la del zapateao?' 'Digo que tiene un buen *mostrador* la chavala.'

MOVIMIENTO (arg.). Coito. ◆ Fornicación. 'No le dejaron dormir los de al la(d)o, porque estaban con el *movimiento.'* 'Es de las que les gusta el *movimiento,* pero da el pego.'

MUERDO (vulg.). Mordisco o bocado. (D.). 'Se agarraron y el más joven le dió un *muerdo* en la

192

oreja.' 'He traído un bocadillo de salchichón. Te dejo que le eches un *muerdo*.'

MUERTE («De — ») (inf.). Aplicado a disgusto, susto y palabras semejantes, muy grande. 'Le vas a dar un disgusto *de muerte*.' 'Al no verles allí, se pegó un susto *de muerte*.' De mala muerte. Aplicado a cosas, pobre o de poco valor o importancia. (D.). 'Después de dar muchas vueltas, entramos en un bar *de mala muerte*.' 'Se hospedan en una fonda *de mala muerte*.'

MUERTO (fig.; inf. o vulg.). 1.ª) Dícese de una persona muy calmosa o falta de actividad. (D.). 'Con él se nos amontona el trabajo. Es un *muerto*.' '¡Vamos, aligera las facturas, *muerto*!' 2.ª) Se aplica a la persona que conduce un vehículo con mucha lentitud o torpeza. '¡Qué caravana está haciendo el *muerto* ese!' 3.ª) Se dice de una persona o una cosa aburrida o pesada. '¿No pretenderéis dejarme toda la tarde con este *muerto*?' ¡Me cago en tus [sus, vuestros] muertos! Frase irreverente usada como imprecación o expresión de ira contra alguien. '¡Me has explota(d)o durante muchos años, miserable! *¡Me cago en tus muertos!*'

MUI («Achantar la — ») (vulg.). Callarse. Permanecer callado por intimidación o cobardía. V. ACHANTARSE. 'Te amenazan con ponerte de patitas en la calle y tú *achantas la mui* como el primero.' 'Me puse enérgico y el tío *achantó la mui* de inmediato.'

MÚSICA («Estar loca por la — ») (arg.). Se dice de una mujer fácil o lujuriosa. V. TRAGONA. '*Estaba loca por la música* la colegiala.' '¡Que la muchacha *está loca por la música*, te lo digo yo!'

193

13

MUSLADA (vulg.). Obscenamente, muslos de una mujer. [T. Muslamen.] 'La gachí iba enseñando toda la *muslá*.' '¡A ver qué vida! Una mujer con esa *muslá* se lleva el mundo por delante.'

¡MUTIS! (inf.). ¡Silencio! Exclamación usada para hacer callar a alg. o para impedirle que diga lo que va a decir o que siga hablando. [T. ¡Mutis y a la gavia!] '¡*Mutis*, que ya vienen!' '¡*Mutis* o le endiño un garrotazo que no lo cuenta!' Hacer mutis. I) Callarse. (D.). 'Si *hacen mutis*, eso que hemos ganao.' '*Hicieron mutis* porque les convenía.' II) («por el foro»). Marcharse, generalmente sin ser notado. 'De que veis mal el panorama, *hacéis mutis por el foro*, ¿eh?' '¿Que es un moñazo? *Hacemos mutis por el foro* y listo.'

NABO (vulg.). Miembro viril. 'El día menos pensa(d)o te entra una sífilis que te quedas sin *nabo.*' Estar tocándose el nabo. V. BOLO.

NACER (achul.). En la expr. Aún [Todavía] no ha nacido quien. Se emplea en frases que denotan bravuconería, burla, desdén, negación o rechazo. '¡Te voy a canear el morro! — *¡Aún no ha nacido quien!*'

NAJA («Salir de — ») (vulg. o inf.). Salir corriendo o marcharse con cierta precipitación. (D.). [T. Najarse.] *'Salimos de naja* ná más filar al vigilante.' 'Como les hice frente, *salieron de naja.*'

¡NAJENCIA! (achul. y vulg.). Exclamación de germanía equivalente a ¡largo!, usada para echar a alguien de un sitio. *'¡Najencia,* que tenemos mucho tajo!'

NANAY (vulg. o inf.). Expresión con que se niega o rehúsa algo o se manifiesta incredulidad o burla. (D.). Us. genrlm. en frase interj. 'Sería un buen detalle que pagaras las entradas. —

¡*Nanay!*' 'Le dijo que de hacer el canelo, *nanay*' 'Las chicas del club me han pregunta(d)o por ti. — ¡*Nanay!*'

¡NARICES! (vulg.). Interjección de enfado, fastidio, molestia o indignación. Se emplea, además, para negar o rehusar algo. '¡No toques eso, *narices*, que no es tuyo!' '¡No aguanto un segundo más, *narices!*' '¡Que lo resuelvan ellos, *narices!*' 'Es que los nuevos pagan el doble. — ¡*Narices!*' De narices. Us. como locución ponderativa de lo extraordinario, por bueno o por malo. [T. De tres pares de narices.] 'Se ha lleva(d)o un chasco *de narices* el dueño.' 'El chaval ese es tonto *de narices*.' 'Era guapa *de narices* aquella nórdica.' 'Les echaron un rapapolvo *de narices*.' De las narices. Se usa desp. con referencia a una persona o una cosa que fastidia o incomoda. '¡A ver si acabas ya con la manguera *de las narices!*' '¡Se va a oír unas cuantas cosas el panadero *de las narices!*' ¡Manda narices! v. ¡Manda COJONES! Ni narices. Usado con enfado como expr. reforzatoria de negación. 'Eres muy desobediente. De modo que ni tebeos *ni narices*.' '¡Ni inversiones *ni narices!* Bastante hemos gasta(d)o ya.' ¡Ni qué narices! Se emplea para negar o rehusar con enfado algo. '¿No ve que me está manchando el pantalón? ¡Qué disculpe *ni qué narices!*' '¡Qué baile *ni qué narices!* Lo primero es cumplir con su obligación.' Por narices. I) A la fuerza. Obligada y no voluntariamente. '¡Se quedarán en el cuartel *por narices!*' 'Ha de hacer el viaje *por narices*.' II) Inevitable o necesariamente; inexcusablemente. 'Tendrá que estar allí a las seis *por narices*.' 'Las obras deberán estar acabadas, *por*

196

narices, para el sábado.' ¡Qué narices! Excl. de enfado, irritación, negación o rechazo. 'Le hemos da(d)o muchas oportunidades. *¡Qué narices!*' 'Me han deja(d)o sin blanca. *¡Qué narices!*' 'A ti te darán un subsidio, ¿no? — *¡Que narices!*' ¿Qué narices? Usado, a veces, sin valor conceptual en frase interrogativa. '*¿Qué narices* le ocurre a la telefonista que no me pasa la llamada?' '¿Se puede saber *qué narices* queríais con tanta urgencia?' ¡Unas narices! Interjección con que se niega o rehúsa con enfado algo. También, se emplea para expresar burla, incredulidad o desafío. [T. ¡Por las narices!] 'Se han entera(d)o de que has hecho novillos. — *¡Unas narices!*' '¿Quieres ver cómo te parto la boca? — *¡Unas narices!*' Dar en las narices. Rechazar una pretensión o desairar a alguien. V. MORROS. 'Al empresario le *dio* con el cartel *en las narices*.' 'Le *ha da(d)o* con el pasaporte *en las narices* al club.' Estar hasta las narices. Estar harto de una cosa o circunstancia o de una persona. Dícese, también, de lo que lo causa. *'Estamos hasta las narices* de tanta ficha y tanta puñetita.' 'Es natural que *estén* de lavar *hasta las narices*.' Hinchársele las narices a alg. Hartarse, agotársele la paciencia. (D.). '¡No hay más bote ni más pinturas! Ya *se me han hincha(d)o las narices*.' 'Seguid con pullas, que como *se le hinchen las narices...*' Meter las narices en algo. Curiosear o entrometerse. (D.). '¿Quién le manda *meter las narices* en mis asuntos?' '¿Por qué *meten las narices* en nuestra vida privada?' Metérsele en las narices una cosa. Obstinarse en ella o encapricharsele. *'Se les metió en las narices* que no actuaban y se

197

fueron.' 'No, si cuando *se le mete* una cosa *en las narices...*' Romper las narices. Expr. empleada como amenaza hiperbólica. '¡Como sea verdad, *te rompo las narices!*' 'Si lo pesco ahora, *le rompo las narices.*' Romperse las narices. Us. hiperbólicamente y, en general, como anuncio o aviso, con el significado de caerse pegando con las narices en el suelo. '¡No te subas a la silla, que te *rompes las narices!*' '¡*Se rompe las narices* como se pise los cordones del zapato.' Salirle de las narices una cosa. Querer, apetecerle. Se usa más en fr. negativa. 'Viene a la hora que *le sale de las narices.*' 'No le saludo porque *no me sale de las narices.*' ¡Tiene narices la cosa! Frase exclamativa que denota fastidio, irritación, indignación, fatalidad, mala suerte o asombro. [T. ¡Manda narices.] '¡Nada, que no se deja probar el vestido la niña! *¡Tiene la cosa narices!*' 'Interviene en favor de un compañero y le forman expediente. *¡Tiene narices la cosa!*' Tocarse las narices. I) Estar ocioso o no trabajar lo debido. [T. Estar tocándose las narices.] 'No me parece nada bien que *se toque las narices*, mientras otros...' II) Estar distraído o no prestar atención. '*Os estáis tocando las narices* y luego queréis que os lo repita.' ¡Tócate las narices! Expr. con que se manifiesta fastidio, contrariedad, disgusto, asombro o admiración. 'Su madre, asistiendo para ganarse el pan y él, hecho un golfante. *¡Tócate las narices!*' 'Dijo que era sarampión, pero después resultó ser intoxicación. *¡Tócate las narices!*'

NARIZOTAS (inf. o vulg.). 1.ª) Narices muy grandes. (D.). 'Como tiene esas *narizotas*, no le favo-

198

rece nada el pelo corto. 2.ª) (n. cal.). Se aplica a una persona que tiene muy grandes las narices. '¿No era uno alto, *narizotas* y más bien delgao?' ◆ Se emplea también como insulto, particularmente entre chicos, pero sin atribuirle su significado preciso. '¡Tú cállate, *narizotas*, que no va contigo!'

NA[R]PIA (vulg.) (Más frec. en pl.). Nariz particularmente grande. (D.). 'Le quedan mal las gafas por las *narpias* que tiene.' '¡Ya puede tener buen olfato con esas *narpias!*'

NASTI («De eso —, monasti») (vulg.). Expr. achulada con que se niega o rechaza algo o se manifiesta incredulidad, burla o desafío. [T. De eso nada, monada.] 'Que nos pongan la espuela y nos vamos. —*¡De eso nasti, monasti!*' 'Si no haces más ventas, te bajo la comisión. —*De eso nasti.*'

¡NATURACA! (vulg.). Exclamación achulada usada para afirmar, confirmar o ratificar algo. Equivale a ¡naturalmente! 'Le habrás puesto las peras a cuarto, ¿no?—*¡Naturaca!*' '¿Te parece justa la postura de tus compañeros?—*¡Naturaca!*'

NEGRO («Más — que los cojones de un grillo») (vulg.) («Ser, Estar»). Se dice de la negrura de alg. o de la suciedad de algo. '¡Joder, si están los cristales *más negros que los cojones de un grillo!*'

NEN («De —») (achul.) v. NASTI.

NERVIOSILLO, -A (arg.) (no frec.) («Estar»). Ardiente. Dominado por el deseo sexual o propenso a sentirlo intensamente. v. CACHONDO. '*¡Estaba* la mar de *nerviosillo* en aquel momento!'

NINCHI (achul.). Mequetrefe. Hombre falto de formalidad y de juicio. '¡Un buen punto filipino es el *ninchi* ese!'

NIÑO («El —») (achul.) (no frec.). Expresión con que alg. se refiere a sí mismo. *'El niño* será el primero en elegir.' 'Tú tranquilo, que el *niño* te saca del apuro.' ¡Ni qué niño muerto! Expr. interj. usada vulgarmente para negar o rehusar algo. '¡Qué soborno *ni qué niño muerto!* Sólo tratamos de convencerle.' '¡Qué cobardía *ni qué niño muerto!'*

NOCHE (obsc.). En las expresiones ¡Está[s] para una noche!, ¡Qué noche tiene[s]!, aplicadas como requiebro o comentario a una mujer guapa o atractiva. *'¡Qué noche tiene* la tía, su padre!' *'¡Está pa una noche* la puñetera!'

NONES (inf.). No; se emplea particularmente como respuesta. '¿Me regalas el encendedor?—*Nones.*' 'Le pidió permiso para no venir el lunes y le dijo que *nones.*'

NOTA («Quedarse —») (vulg.). Quedarse estupefacto o boquiabierto. *'Se quedaron nota* cuando les dije que me largaba.' 'Al ver las fotos, *se quedó nota* el chorbo.'

NPI (vulg.). Abreviatura de Ni puta [puñetera] idea, expresión usada como enlace frecuente para indicar la ignorancia o el desconocimiento de una persona respecto a algo. '¿Sabes a qué hora volverá el asesor?—*Npi.*' '¿Qué día celebra la despedida?—*Npi.*'

NÚMERO («Tomar el — cambiado») (arg.). Dícese de una persona que pretende sacar partido de la supuesta ingenuidad o tolerancia de otra. Particularmente, lo dice la mujer del hombre que intenta propasarse. '¡Oye, rico, tú *has toma(d)o el número cambia(d)o!'*

200

ÑORDA (gros.). 1.ª) Excremento humano o animal. 'En esta cueva hay *ñordas* a porrillo.' '¿Puedes creer que tiran incluso *ñordas* al patio?' 2.ª) (fig.). Cosa mal hecha o de ínfimo valor. 'Las entrevistas que han hecho hasta ahora son una *ñorda*.' '¡Estos clavos son una *ñorda*!' ¡Una ñorda! Excl. que expresa negación, rechazo, burla, incredulidad o desafío. '¡Menuda paliza le han da(d)o a tu amigo! —*¡Una ñorda!*' 'Yo me quedo con este montón.—*¡Una ñorda!*'

OCUPACIÓN (j. prost.) («Tener, Dar»). Trabajo, servicio. 'A la media hora ya *tenía ocupación.*'

OCUPADA («Estar —») (j. prost.). Estar con un cliente. [T. Ocuparse.] 'No pudo ser con la Carmina, porque *estaba ocupada.*'

OJETE (gros.). Orificio anal. (D.). '¡No le has limpia(d)o bien el *ojete*, jolines!' Dar a alg. por el ojete. Practicar la sodomía. v. CULO. 'Que se pire, que esos *le dan por el ojete* en menos que canta un gallo.' ¡Que te [le(s), os] den por el ojete! Fr. interj. con que se corta la conversación o el trato con una persona o se desentiende uno de ella. 'Tu te has porta(d)o como un caballero, ¿no es eso? *¡Que les den por el ojete,* entonces!' ¡Te [le[s], os] van a dar mucho por el ojete! Expr. usada para desentenderse de una persona que enfada o importuna por lo que dice o hace. '¡Como continúe dándome el tostón, *le van a dar mucho por el ojete!*' Oír por el ojete. Ser tardo de oído o entender mal algo.

'¿Otra vez quieres que te lo diga? Pero chico, ¿es que *oyes por el ojete?*'

OLVIDAR (vulg.). En frases achuladas con que una persona se desentiende o se burla de otra o corta bruscamente la conversación o el trato con ella. Se usa en frase imperativa o interrogativo-negativa. '*¡Olvídame,* macho, que tengo prisa!' '*¡Que me olvides,* Juan, te he dicho!' '*¿Por qué no me olvidas,* majete?'

ÓRDAGO («De —») (vulg. o inf.). Expresión ponderativa equivalente a enorme o extraordinario. (D.). 'Su mujer armó una trifulca *de órdago.*' 'Me habéis pega(d)o un susto *de órdago.*'

ÓRDIGA («¡(Anda) la —!») (vulg.). Interjección de asombro, sorpresa, extrañeza o fastidio. (D.). '*¡Anda la órdiga,* me han roba(d)o la caja de herramientas!' '¡Es una calle sin salida, *la órdiga!*'

¡OSTRAS! (vulg.). Usado con pseudoeufemismo por ¡hostias!, interj. de sorpresa, asombro, admiración o irritación. '*¡Ostras,* qué pellizco me he lleva(d)o!' '*¡Ostras,* si te llega a alcanzar!'

204

PADRE (inf. o vulg.). Usado como adj. pospuesto (precedido de art. det. m. s.) de sentido ponderativo, equivalente a enorme, descomunal o extraordinario. (D.). 'No dejes que actúe por su cuenta, que te busca *el* lío *padre.*' 'En la romería se formó *el* cisco *padre.*' 'La has da(d)o *el* susto *padre.*' De padre y muy señor mío (inf.). Muy grande o extraordinario. (D.). 'Nos vino con una toña *de padre y muy señor mío.*' 'Se llevaron una reprimenda *de padre y muy señor mío.*' ¡Eres mi padre! (íd.). Exclamación con que una persona expresa, hiperbólicamente, la ayuda que le presta otra o le agradece un favor. *'¡Eres mi padre,* Adolfo! ¡Trato hecho!' ¡Me cago en tu [su, vuestro] padre! (vulg.). Se emplea como insulto grave o como expr. de irritación contra alguien. '¡Eres peor que carroña! *¡Me cago en tu padre,* desgracia(d)o!' *'¡Me cago en tu padre,* suelta la escopeta ahora mismo!' Su [tu, vuestro] padre. Usado como refuerzo de negación o como respuesta o término alusivo en expresiones de insulto o enfado. 'La cajera no sonríe ni a *su padre*.' 'A este no le entiende ni *su padre*.' '¡Maricón!—*¡Tu padre!*' '¡Gilipollas!—¡Eso lo será *su padre!*' 'Como se ponga tonto, el trabajo lo va a hacer *su padre*.' ¡Su padre! Interj. de asombro, admiración, fastidio o enfado. [T. ¡Anda mi [tu] padre!] '¡Qué sortija más bonita, *su padre!*' '*¡Su padre*, qué calor hace aquí!' '¡Qué plomazo es, *su padre!*'

PAJA («Hacer[se] una —») (vulg.). Masturbar[se]. 'De entrada *te hacen una paja*, como está manda(d)o.' 'Le sorprendieron *haciéndose una paja* en la azotea.'

PÁJARO (arg.). Pene. (pop., pene de niño) 'Cerca de la desviación estaba uno con el *pájaro* fuera, orinando' 'Si no le sacas el *pájaro*, no esperes que haga pis.'

PAJILLERA (arg.). Prostituta o mujer viciosa que masturba a un hombre. 'Había predominio de *pajilleras* en la casa.'

PAJOLERO, -A (inf.) (adj. y aplic. a pers. t. n.). 1.ª) Maldito. Se dice, generalmente en broma, de una persona o cosa que produce enfado. (D.). '¡Será respondón el *pajolero* muchacho!' 2.ª) Majadero, estúpido. '¿Qué se puede hacer con esta cuadrilla de *pajoleros?*'

PALA (fig. y vulg.). Mano. '¡Quita de ahí esa *pala*, si no quieres cobrar!' ¡Choca la pala! Exclamación achulada con que una persona saluda o felicita a otra o aprueba lo que dice. v. CHOCAR. '*¡Choca la pala*, coño! ¡Así se habla!'

PALIZA[s] (vulg.) (n. cal.). Persona pesada, fastidiosa o aburrida. '¡Es un *palizas*, qué caramba!

206

¡No hay quien lo aguante!' '¡Jo, no sabía que fuera tan *palizas!*'

PALMAR (vulg. o inf.). 1.ª) Morirse. (D.). [T. Palmarla.] 'Es una enfermedad que, como no te cojan a tiempo, *palmas.*' 'Le dio un ataque al corazón y *la palmó.*' 2.ª) Perder en el juego (genrlm. ref. a dinero). 'Esta vez me ha toca(d)o *palmar.*' 'Como el que no quiere la cosa, *has palma(d)o* casi veinte duros.'

PALO (arg.). Miembro viril. '¿Dónde voy yo con el *palo* así?' '¡Qué lata me está dando el *palo!*' Echar un palo. Cohabitar ♦ Fornicar. '*Echamos un palo* cada semana y aún dice que no cumplo.' 'Van a correrla y si se tercia, pues a *echar un palo* también.'

PAMPINFLÁRSELA (vulg. y joc.). v. REFANFINFLÁRSELA.

PÁNICO («De —») (inf. o vulg.). Locución ponderativa equivalente a tremendo o extraordinario. 'Su marido le salió un mujeriego *de pánico.*' 'En las rebajas se arma un jaleo *de pánico.*'

PANOJA (arg.). Dinero. 'Los ladrones se llevaron toda la *panoja.*' 'Haciéndolo bien sacaremos *panoja* en cantidad.'

PANOLI (vulg. o inf.) (m. y f.). Memo, bobo. (D.). '¡Qué *panoli* eres! ¡Hay que echar una peseta y apretar!' 'Si tan ilusiona(d)o está, que venga a buscarte. ¡No seas *panoli!*'

PANTALONES («Bajarse los —») (arg.). Ceder en condiciones deshonrosas. v. Poner el CULO. 'Aunque lleve las de perder, no *se bajará los pantalones.*' Tirar los pantalones (vulg.). Hacer de vientre. 'Me voy a *tirar los pantalones* a la cerca.'

PAÑUELO (arg.). Billete de cien pesetas. [T. Paño-

207

lito.] 'Los cuatro botijos por un *pañuelo*.' 'En unas chucherías se me ha ido un *pañuelo*.'

PAPA («Ni —») (inf. o vulg.). Nada en absoluto. Usado genrlm. con verbos de entendimiento. 'No contesté ninguna pregunta. No sabía *ni papa*, oye.' 'No entendió *ni papa* de lo que hablaron.'

PAPARSE (inf. o vulg.). Comer una cosa con exageración o abuso. (D.). v. JAMARSE. 'Él solito *se papó* los calamares.' 'Entre los dos *se paparon* un cochinillo.' ¡Pápate esa! Exclamación con que se acompaña o comenta el hecho de que una persona tenga que oír algo con lo que se la mortifica o deja confundida. (D.). 'Y encima perdió el juicio el tipejo y pagó daños y perjuicios. *¡Pápate esa!*'

PAPEO («Ir al —») (arg.). Fornicar. 'Hablaron por lo bajinis de *ir al papeo* después de la revista.'

PÁPIRO (arg.). Billete de mil pesetas. (¿D?). 'He aposta(d)o un *pápiro* por la potranca inglesa.' 'Dame cinco *pápiros* y la colección es tuya.'

PAPO (arg.). Órg. gen. de la mujer. 'Mira cómo se le marca el *papo* con esos leotardos.' De papo de mona (adj. y adv.). Formidable, estupendo. v. TETA. 'Está *de papo de mona* la parrillada.' 'En el Parque de Atracciones lo pasaron *de papo de mona*.' 'El champiñón está *de papo de mona*.'

PAQUETE («Dejarla con el —») (vulg.). Dejar embarazada a una mujer con la que no se está casado. 'El muy canalla *la dejó con el paquete* y hasta más ver.'

PARADA («Hacer la —») (j. prost.). Recorrer los lugares habituales en busca de cliente. '*Hace la parada* a partir de las ocho.' 'Ya no *hacen la parada* en ese bar. Hubo chivatazo.'

208

PARDILLO, -A (fig. y vulg.). Novato, inexperto ◆ Incauto, ingenuo. (D.). 'Se la perdonaremos. Es un *pardillo*.' 'No me gusta abusar de los *pardillos*.'

PARIDA (vulg.). Tontería o despropósito. Se usa mucho con el verbo decir o soltar. '¡Venga ya, hombre, no digas *paridas!*' 'Vez que habla, vez que suelta una *parida*.'

PARIENTA (inf.) (Más us. con art. que con adj. posesivo). Mujer, esposa. (D.). 'Hoy no hay partida de mus. Voy con *la parienta* al médico.' 'Anda, que me está esperando *la parienta*.'

PARIR (inf. o vulg.). Dar a luz. (D.). 'A este paso va a *parir* en Navidad.' '*Parió* una niña muy hermosa, pero le hicieron la cesárea.' ¡La madre que lo [la, te, etc.] parió! v. MADRE. Poner a alg. a parir (vulg.). Reprenderle duramente, insultarle o desacreditarle. 'Deja que me lo eche a la cara, que le voy a *poner a parir*.' 'El gerente se enteró y le *puso a parir* al adjunto.'

PARIRLA (vulg.). Cometer una torpeza, indiscreción o desacierto. v. JODERLA. '¿Por qué has dicho lo de la doble contabilidad? *¡La has parido*, listo!' 'Alguien ha habla(d)o más de la cuenta. *¡La hemos parido!*'

PARNÉ (git. y vulg.). Usado achuladamente por dinero. (D.). 'No tenía dónde caerse muerto. ¡Que no venga ahora fardando de *parné!*' 'De hacerte falta *parné*, no dudes en llamarme.'

PASAPORTE («Dar el — a alg.») (fig. e inf.). 1.ª) Echarle de un sitio. 'Con la mayor diplomacia *le dieron el pasaporte*.' 2.ª) (no frec.). Matarle. '*Le darán el pasaporte* como se les ocurra llamar a la policía.'

PASCUA («Hacer la — a alg.») (inf. o vulg.). Fastidiarle o causarle un perjuicio. (D.). v. PUÑETA. 'El retraso del tren me *ha hecho la pascua.*' 'Con cerrar la carnicería antes, nos *han hecho la pascua.*' Hacerse la pascua. Fastidiarse, aguantarse. '¡Yo a lo mío y los demás que *se hagan la pascua!*'

PASEO («Mandar a —») (inf. o vulg.). 1.ª) Echar o apartar a alg. de sí con enfado. (D.). '¡*Mándeles a paseo*, qué caramba!' 2.ª) Desentenderse de una persona o apartarla de su trato. (D.). 'No lo sabe hacer. Se le *manda a paseo* y sanseacabó.' ¡Vete [Váyase, Que se vaya, etc.] a paseo! Expr. de enfado con que se corta la conversación o el trato con alguien. (D.). 'Perdona, pero no sabía tu número de teléfono.—¡*Vete a paseo!*'

PASMADO, -A (vulg.) (adj. y n.). Atontado, sin comprender o sin saber qué hacer. (D.). Se emplea como expr. insultante. '¡Muévete, *pasma(d)o*, que así no acabaremos nunca!' '¡En tu vida te has visto en otra, *pasmao!*'

PASTA (fig. e inf.). Dinero o riqueza. 'Los que viven en este barrio son gente de *pasta.*' 'Antes de diez minutos traerán la *pasta.*' Soltar la pasta. Dar una persona el dinero que se le pide o se espera de ella. 'Que no se las pire sin *soltar la pasta*, ¿entendido?' 'Vosotros, de que *suelte la pasta*, cogéis un taxi y a la estación.'

PATA (inf. y joc.). Pierna o pie de una persona. (D.). 'Se ha roto una *pata* Manolillo.' '¡No pongas la *pata*, gilí, donde ponemos la comida!' Estirar la pata (fig. y vulg.). Morirse. (D.). 'El conde *estiró la pata* sin haber hecho testamento.' '*Estirarán la pata*, como todo hijo de vecino.' Irse por la pata abajo (gros.). I) Evacuar excremen-

210

tos involuntariamente. *'Se va por la pata abajo del susto.'* 'Ya no se controla. *Se va* muchas veces *por la pata abajo.'* II) Tener mucho miedo, amedrentarse. 'Al primer cañonazo *se van por la pata abajo.'* Mala pata (vulg.) («Tener»). Mala suerte. (D.). 'Está visto que *tengo mala pata* para esto de los regalos.' 'Le han da(d)o al coche tres golpes en menos de un mes. ¡Qué *mala pata tiene!'* Metedura de pata (vulg. e inf.). Equivocación, inconveniencia, indiscreción o desacierto. 'La *metedura de pata* le puso nervioso.' '¡Eso sí que fue una *metedura de pata!'* Meter la pata (íd.). Cometer una torpeza, indiscreción o desacierto. (D.). 'No quisiera *meter la pata,* la verdá.' 'Cuando ya teníamos camela(d)o al tío, *metió* uno *la pata.'*

PATADA (fig. e inf.). (Más frec. en pl.). Paso o gestión. (D.). 'Le costó muchas *patadas* conseguir el piso.' Dar la patada. Echar a alg. del cargo que ocupa. 'Si les creas problemas, te *darán la patada* más pronto.' 'En la factoría *han da(d)o la patada* a dos enlaces sindicales.' Como una patada en el estómago (vulg.) («Caer, Sentar»). Mal, pésimamente. [T. Como una patada en los (mismísimos) cojones.] 'La contestación que me dio *me sentó como una patada en el estómago.'* 'Ir a golpe de calcetín *me cae como una patada en el estómago.'* ¡Como te [le[s], os] dé una patada en los cojones! (vulg.). Ús. como expr. de amenaza, desprecio o rechazo, o para reprender a una persona o desentenderse de ella (T. ¡Te[le[s], os] voy a dar una patada en los c!] '¡*Como te dé una patada en los cojones,* imbécil!' A patadas. En mucha abundancia. (D.). 'En este monte hay conejos *a pa-*

211

tadas.' 'Me salen ligues *a patadas.'* Dar cien patadas una cosa o una persona (vulg.). Fastidiar, desagradar o incomodar. 'Le *da cien patadas* ir de visita.' 'Los sabihondos *me dan cien patadas.'*

PATATA («Ni —») (inf. o vulg.). Usado como expresión reforzatoria de negación, genrlm. con verbos de entendimiento. '¿Entiendes algo de ruso?—*Ni patata.'* '¡Que hable más fuerte, que no se oye *ni patata!'*

PATEAR (fig. e inf.). Ir de un sitio a otro haciendo gestiones o buscando cierta cosa. (D.). 'Para presentar a tiempo los documentos hay que *patear* todo Madrid.' 'Me *he patea(d)o* la tira de jugueterías hasta encontrar la dichosa muñeca.'

PATEARSE (vulg.). Despilfarrar dinero, malgastarlo. v. PULIR. 'Los fines de semana *se patean* mil duros y se quedan tan tranquilos.' '*Patea* los verdes que es un contento.'

PATINAR (fig. e inf.). Cometer una indiscreción o desacierto o estar a punto de cometerlo. (D.). v. COLARSE. 'Da la casualidad, guapo, que fue ella quien lo propuso. ¡Has *patina(d)o!'* 'Piénsalo bien antes de decírselo, no vayas a *patinar.'*

PATINAZO (fig. e inf.) («Dar [Pegar] un»). Indiscreción o desacierto que se comete o se está a punto de cometer. (D.). 'Pegó *un patinazo* de tres pares de narices.' '¡Qué *patinazo* has dao!'

PAVO (arg.). Moneda de cinco pesetas. v. MACHO. 'Le he presta(d)o tres *pavos* para el cine.' 'Como estibador ganaba sesenta *pavos* diarios.'

PEANA (fig. y vulg.). Pie particularmente grande. '¡Échale, qué *peana* tiene el pollo!' 'Con esa *peana* los zapatos serán de encargo, ¿no, tú?'

PECHOS (vulg.). Senos. (¿D?). 'No será por falta de aparatos para robustecer los *pechos*.' '¡Como se ponga de moda bañarse con los *pechos* desnudos...!' Tener los pechos bien puestos. Se dice de una mujer de senos turgentes o muy desarrollados. '¡Déjate, que aunque fea, *tiene los pechos bien puestos*' '¡*Tiene los pechos bien puestos* la condenada!'

PECHUGÓN, -A (vulg.). 1.ª) (m.). Lo dicen las mujeres de un hombre guapo o de buen tipo. 'Mi jefe está *pechugón*. ¡Lástima que esté casado!' 'A ellas también les gusta fardar de hombre *pechugón*.' 2.ª) (f.). Mujer de pecho muy desarrollado. (D.). 'Nos atendió una camarera madurita y *pechugona*.' 'Están *pechugonas* una y otra.'

PEDAZO (gros.). Aumentativo de pedo. 'Soltó un *pedazo* que se le oyó del otro extremo del pasillo.' '¿Quién ha sido el cerdo que se ha tira(d)o ese *pedazo*?'

PEDERSE (gros.). Expeler ventosidades. [T. Peerse.] (D.). 'Lo peor es si le da por *pederse* delante de tanta gente.'

PEDO (gros.). 1.ª) Ventosidad. (D.). Ús. con los verbos tirarse, echarse o soltar. 'Se tira unos *pedos* que atufan.' 'Estando boca abajo se echa algún que otro *pedo*.' 2.ª) (fig.). Estampido o explosión. Ús. genrlm. con el verbo dar. 'Al dar a la llave de contacto, el tubo de escape da *pedos*.'

PEDORRERO, -A (gros.) (adj. y n.). 1.ª) Se aplica al que expele con frecuencia y sin reparo gases intestinales. (D.). [T. Pedón.] 'Estás apaña(d)o si duermes con él. Es un *pedorrero* de campeonato.' 2.ª) (f.) Acción de expeler gases por el ano, a veces mezclados con excrementos, como

213

hacen, por ejemplo, los niños pequeños. (D.). '¡Qué día de *pedorrera* lleva el nene!'

PEDORREO, -A (gros.). Pedorrero, 1.ª acep. (D.).

PEGARSE (vulg.). Dícese de la persona (particularmente, de la mujer) que en el baile busca contactos físicos con otra de distinto sexo. [T. Pegarse como (una) lapa.] '*Se pegan como lapas* las dos hermanitas.' 'Antes de sacarlas a bailar, mira a ver si *se pegan* o no, tonto.'

PEGÁRSELA (inf.). Engañar. (D.). ◆ Particularmente, ser infiel un cónyuge al otro. v. Ponerle los CUERNOS. 'A él no *se la pegas*. Y si no, el tiempo.' 'Su mujer *se la pegó* con un arquitecto.'

PEGOTE (arg.). Entre chicos, «farol». Acción o rasgo con que alg. se luce mucho. '¡Jo, qué *pegotes* se tira el amigo!' 'Mira, no te tires *pegotes*, que ya nos conocemos.'

PELA (arg.). Moneda de una peseta. '¿Me dejáis tres *pelas* para llamar por teléfono?' 'Le ofrecieron un sueldo de cuarenta mil *pelas*.'

PELANDUSCA (inf.). Prostituta o mujerzuela. (D.). 'Yendo de hombre en hombre acabará hecha una *pelandusca*.' 'No se anda con chiquitas la *pelandusca*.'

PELÉ (git. y vulg.). Testículo. '¿Qué quieres que haga, coño, si me ha da(d)o en los *pelés*?' En pelés. En cueros, desnudo completamente. 'Hacen fotos de tíos *en pelés*.'

PELÍCULAS («¡Allá —!») (inf. o vulg.). v. CUIDADOS.

PELLEJA (vulg. o inf.). Prostituta. (D.). [T. Pellejo.] 'Se le insinúa muchas veces, pero siempre le deja con la miel en los labios. ¡Será *pelleja!*' 'La *pelleja* esa se codea con gente importante.'

PELMA (inf.) (n. cal.). Se aplica a una persona pesada, fastidiosa o tarda. (D.). '¿Y tú soportas a

214

un ser tan *pelma?*' '¡Todavía nos cierran! ¡Mira que eres *pelma!*'

PELMAZO, -A (inf.). Pelma. (D.). 'Pasó casi todo el día en su habitación, por huir de los *pelmazos*.' '¡Que ya te he oído, no seas *pelmazo!*'

PELMEZ (inf.). 1.ª) Cualidad de pelma. 'Lo que más me cabrea de él es la *pelmez*.' 2.ª) Pesadez o fastidio. 'Repite cien veces las cosas. ¡Qué *pelmez*, chico!'

PELO («Hacerlo a — ») (arg.). Fornicar sin preservativo. 'No, yo todas las veces *lo hago a pelo*.' '*Hacerlo a pelo* tiene sus riesgos, ¿eh?'

PELOTA. 1.ª) (fig. e inf.). Cabeza. 'Tengo la *pelota* llena de fórmulas y ecuaciones.' '¿Qué tendrás tú dentro de esa *pelota?*' 2.ª) (íd.). (n. cal.). Persona adulona o lisonjera. '¡Menudo *pelota* está hecho el bedel!' 'Sois unos *pelotas* de lo más tira(d)o.' Hacer la pelota. Adular o halagar interesadamente a alg. [T. Hacer la pelotilla.] (D.). '¡Qué modo tan descara(d)o de *hacer la pelota!*' 'Algo querrán cuando te *hacen la pelota*.' 3.ª) (pl.) (vulg.). Testículos. v. COJONES. (Se le puede aplicar prácticamente toda la fraseología citada.) 'Con razón se revolcaba de dolor el chico. Le dio con la regla en las *pelotas*.' En pelotas. I) En cueros, desnudo completamente. [T. En pelota (viva) (D.).] '¡Te digo que él sale *en pelotas* en esta escena!' 'Entró la chica en la habitación y los pescó *en pelotas*.' II) («Coger [Pillar] a alg.»). Sorprenderle, cogerle de improviso o sin estar preparado. ◆ Ref. a una clase o examen, sin prepararlo. 'El chófer vino a buscarme, pero *me pilló en pelotas*.' 'Pones un examen de este tipo y *coges en pelotas* a más de media clase.' 'Lo que no se puede es ir

215

en pelotas a una oposición.' III) («Dejar»). Despojar a uno de todo lo que tiene de cierta cosa consabida. Particularmente, en el juego. (D.). 'Me *dejan en pelotas*, pero volando' 'Jugó con ellos a la ruleta y *le dejaron en pelotas*.'

PELOTAMEN (vulg. y joc.). Testículos. 'No le van los pantalones ajusta(d)os, porque dice que se le marca el *pelotamen*.'

PELOTAZAS (vulg.). Aumentativo de pelotas (v.). 'Dibujaron un Apolo con unas *pelotazas* enormes.'

PELOTERA (inf.). Gresca, trifulca. Riña o discusión violenta. (D.). 'Con motivo de la carta se organizó una *pelotera* tremenda.' 'O muy cariñosos o estáis de *pelotera*.'

PELOTILLERO, -A (inf.) (adj. y n.). Dícese del que acostumbra hacer la pelota. (D.). [T. Pelotilla.] 'Le hacen el vacío por ser un *pelotillero*.' 'Lo de *pelotillera* es una verdad como un templo.'

PELOTONES («Por —») (vulg.) v. Por COJONES.

PELOTUDO, -A (vulg.) v. COJONUDO.

PENDÓN (inf.) (n. cal. m.) 1.ª) Mujer holgazana y despreciable. '¡Buen *pendón* ha salido mi nuera! ¡Si llego a saberlo antes...!' 2.ª) Prostituta o mujer libertina. (D.). 'Va detrás de los hombres como un *pendón*.'

PÉNDULOS (fig. y vulg.) (no frec.). Testículos. [T. Péndolas.] '¡Vaya unos *péndulos* que tiene el pequeñajo!'

PEPINO (fig. y vulg.) 1.ª) Cabeza grande o deforme. 'Mal se va a ver el peluquero cuando te tenga que lavar el *pepino*.' 'Dile a ese que agache el *pepino*, si no le cuesta mucho trabajo.' 2.ª) Pene. 'Cogió el vicio de tocarse el *pepino* con las manos metidas en los bolsillos.' Dar a

216

alg. por donde amargan los pepinos, ¡Que te [le[s], os] den por donde...! v. Dar por CULO. Importar un pepino. No importar nada. (D.). [T. Importar tres pepinos.] '¡A tí te *importa un pepino* si sufro o no!' 'Me *importa un pepino* la Aurorita.'

PERA (fig. y vulg.). Órg. genitales masculinos. 'Entre las muchas bestialidades que hacían, una era la de cortarles la *pera*.' Estar tocándose la pera. v. BOLO. Ser la pera. v. CARABA.

PERENDENGUES (inf.) («Tener»). Dificultades o inconvenientes. [T. Pelendengues.] (D.). 'No lo logrará a la primera porque *tiene* sus *perendengues*.' '¡No, si las computadoras *tienen* sus *perendengues!*' ¡Tiene perendengues la cosa! v. ¡Manda COJONES!

PERICO (fig. e inf.) (n. cal.). Mujer holgazana y libertina. '¡Mira por dónde su hijo fue a enamorarse de un *perico!*' 'O eres un dechado o eres un *perico*. ¡Aquí no hay término medio, chica!'

PERRA («Hijo [-a] de —») (vulg.). Se emplea como insulto grave y violento. '¡Le machacaré los huesos a ese *hijo de perra!*'

PERSONAL (vulg.). Gente o público. 'Había tanto *personal* en la feria que no podías dar un paso.' '¡Cuánto *personal* hay en estas fechas por los comercios!'

PESAS (fig. y vulg.). Testículos. [T. Pesos.] 'No me hace ni pizca de gracia que me tanteen las *pesas*.'

PESCA («Y toda la —») (inf. o vulg.). Y todo lo demás. 'Se había lleva(d)o la guitarra, los libros *y toda la pesca*.' 'Vino con los niños, los suegros *y toda la pesca*.'

PESETERA (arg.). Meretriz ínfima. 'Yo, cuando pu-

217

teo, no es con *peseteras.* ¡Siempre hubo clases!'

PESTIÑAZO (vulg.). Aumentativo de pestiño. 'Nuestro queridísimo dire nos largó el acostumbrado *pestiñazo.*' '¡Qué *pestiñazo* de obra!'

PESTIÑO (vulg.) (n. cal.). 1.ª) Persona o cosa pesada, fastidiosa o aburrida. 'Por una vez que vamos al cine, nos hemos traga(d)o un buen *pestiño.*' '¡Jo, si es que invitáis a unos señores que son *un pestiño!* 2.ª) Se dice de una mujer fea. v. CALLO. '¡Anda, que se le ve con cada *pestiño...!*' '¡Menudo *pestiño* es! ¡El antídoto de la lujuria!'

PETA (inf.). Usado por peseta. 'Pues la corbata le costó trescientas *petas.*' 'Salimos a cincuenta *petas* por barba, aproximadamente.'

PETARDO (vulg.) (n. cal.). v. PESTIÑO.

PEZUÑAS (fig. y vulg.). Pies de una persona. 'Dimos la capa de cemento y al rato alguien plantó las *pezuñas.*' Meter la pezuña. v. Meter la PATA.

PIANTE (vulg.). Se aplica a la persona que se queja o protesta por hábito o con poco fundamento. (¿D?). [T. en f., pianta.] 'No queremos *piantes* en nuestra panda.' 'Todos hemos cobra(d)o lo mismo. Conque no seas *piante.*' 'Esta Trini es una *pianta.*'

PIARLAS (vulg.). Quejarse o protestar por costumbre o sin causa justificada. 'Cuanto más dinero tiene, más *las pía.*' '¡Cuida(d)o que les gusta *piarlas!*'

PICA (vulg.). Pene. 'Tiene la *pica* muy alborotá éste.'

PICARLA (vulg.). Ref. a una mujer, poseerla sexualmente. 'El tío intentó *picarla*, pero la otra dijo que leches.'

218

PICHA (vulg.). Miembro viril. 'Abróchate la bragueta, que se te va a salir la *picha*.' Tener la picha hecha un lío. Estar muy asustado, desconcertado o preocupado. 'No sabía qué hacer, te lo juro. *Tenía la picha hecha un lío*.'

PICHABRAVA (vulg.) (n. cal; con art. m.). Hombre disoluto. [T. Pijabrava, Pichadura.] 'Ahí tienes a Cipri, que nos ha salido un *pichabrava*.'

PICHAFLOJA (íd.; íd.). Se dice del hombre que sólo tiene hijas. [T. Pichiflojo.] 'Ella no tiene la culpa de que su marido sea un *pichafloja*.'

PICHAFRÍA (íd.; íd.). Díc. de un hombre indolente, pusilánime o tranquilo. 'Le entra por un oído y por el otro le sale. ¿No ves que es un *pichafría*?'

PICHAGORDA (íd.; íd.). Aplícase al hombre cachazudo, flemático o sin carácter. v. COJONAZOS, 2.ª acep. 'Con lo *pichagorda* que es, dirá que se lo traigan cuando les venga en gana.'

PICHAORO (íd.; íd.). Se dice, en sentido ponderativo, del hombre que tiene hijas muy bellas. [T. Pichadeoro.] 'Deberían darle una medalla al *pichaoro* ese.'

PICHAZO (vulg.). Golpe o empujón dado con el pene. [T. Pichada.] 'Fue un *pichazo* poco eficaz, seguramente.' Dar un pichazo. Cohabitar. ◆ Fornicar. 'Se me ha olvida(d)o ya lo que es *dar un pichazo*.' 'Cogemos la moto, nos acercamos *a dar un pichazo* y regresamos de madrugada, ¿vale?'

PICHI (vulg.). 1.ª) Elegante, bien vestido. 'Me encontré con Ramiro. Iba muy *pichi*, de boda.' '¿A dónde vas tan *pichi*, chaval?' 2.ª) Usado como apelativo achulado entre amigos. '¡Eh,

219

pichi, pásame la mayonesa!' '¡Que hace un año que las hemos pedido, *pichi!*'

PICHINA (vulg.). Pene. 'Como sigan así las cosas, va a sobrar la *pichina* y vamos a sobrar los hombres.'

PICHOTE («Más tonto que —») (vulg. o inf.). Se dice de una persona ingenua, estúpida o engreída. '¡Pagarles el viaje...! Eres *más tonto que Pichote.'*

PICO («Cerrar el —») (inf. o vulg.). Quedarse callado o no decir algo que se sabe. Us. genrlm. en frase imperativa. [T. Callar el pico.] (D.). 'Por muchas preguntas que te hagan, tú *cierra el pico.'* '¡*Cierra el pico* o te estampo contra la paré, mecagüen...!' Darse el pico. Besarse un hombre y una mujer. 'Que no lo niegue, porque yo misma vi cómo *se daban el pico.'* Hincar el pico. I) Morirse. (D.). '*Hincó el pico* la vieja del puesto.' 'Aquí dejará usté, señor Juan, sus dineros cuando *hinque el pico.'* II) Rendirse, someterse o ceder. 'Al cabo de varios días de resistencia, acabaron por *hincar el pico.'*

PICULINA (arg.). Prostituta. Usado particularmente por mujeres. 'Estos sitios los frecuentan mucho las *piculinas.'* 'Las malas lenguas dicen que hubo un tiempo que estuvo lia(d)o con una *piculina.'*

PIEDRA («Pasár(se)la por la —») (arg.). Ref. a una mujer, poseerla sexualmente. '*Se la pasó por la piedra* en un albergue, un fin de semana.' 'Claro, son chavalas que ya *se las han pasa(d)o por la piedra.'*

PIERNAS (inf. o vulg.) (n. cal. m.). Pelanas, pelagatos. Hombre insignificante, sin posición social ni económica. '¡Con la cantidad de buenos partidos que tuvo y fue a casarse con un *piernas!*' Abrirse de piernas (vulg.). Ref. a una mujer, entregarse sexualmente o incitar de esa forma.

PIJA (vulg.). Miembro viril. 'Los chicos se ponían en fila con la *pija* fuera, a ver quién orinaba más lejos.'

PIJADA (vul.). 1.ª) Chinchorrería. Cosa fastidiosa, molesta o inoportuna. (D.). 'Siempre nos viene con *pijadas* a la hora de cerrar la edición.' 'Ahí se queda usté. Estoy hasta la coronilla de sus *pijadas*.' 2.ª) Tontería, simpleza. Cosa sin importancia. (D.). [T. Pijadita.] 'Sí, ya sé que es una *pijada*, pero repararlo lleva su tiempo.' '¿No te cansas de decir *pijadas*, Eduar?'

PIJÁRSELA (vulg.). Poseer sexualmente a una mujer. v. PICARLA. '*Se la pijó* durante las fiestas del pueblo.'

PIJAS (vulg.). Persona chinche, exigente o reparona. 'Me extraña que siga en el bar. El dueño es un *pijas* inaguantable.' '¡Pues dile al maestro tornero que no sea tan *pijas!*'

PIJO, -A (vulg.). 1.ª) (m.). Pene. [T. Pijote.] 'Antes las fábricas de juguetes hacían muñecos sin *pijo*.' '¡Hace un efecto que vaya un hombre por la calle y se rasque el *pijo*...!' 2.ª) (adj. y n. cal.). Chinchorrero, quisquilloso. '¡En mi vida he visto un sargento más *pijo!*' '¡Anda que no eres *pijo* ni ná, tú!' 3.ª) Imbécil, estúpido o ridículo. 'Se necesita paciencia para tratar con gente tan *pija*.' 'Le coloco en una empresa de categoría y a los quince días va y se sale. ¡Será *pijo!*' Ni pijo. Nada en absoluto. Usado genrlm. con verbos de entendimiento. 'Levanta la voz, que los de allí atrás no te oyen *ni pijo*.' 'No te es-

221

fuerces, que no te entienden *ni pijo.'* ¡Ni qué pijo[s]! Se emplea para negar o rechazar con enfado algo. '¡Si te ha cobra(d)o de más! ¡Qué descuento *ni qué pijos!'* '¡Qué letras *ni qué pijo!* Ya las he paga(d)o todas.' ¡Qué pijos! Expr. con que se manifiesta enfado, protesta, rechazo o negación. '¡Que se lisia uno con los suelos encera(d)os, *qué pijos!'* ¿Qué pijos? Usado, sin valor conceptual, en fr. interrogativa. *'¿Qué pijos* haces que no te marchas?'

PIJOTADA (vulg.). v. PIJADA.

PIJOTERÍA (vulg.). Pretensión o exigencia que molesta o fasticia. (D.). '¿Crees que pueden soportarse estas *pijoterías?'* ◆ Menudencia o chinchorrería. (D.). 'Están pendientes de *pijoterías* y descuidan lo más importante.'

PIJOTERO, -A (vulg.). 1.ª) Persona que fastidia o incomoda por quisquillosa o reparona. [T. Pijudo, Pijolero.] ◆ Cosa fastidiosa o molesta. (D.). 'No puedes trabajar a gusto. Estos *pijoteros* vejestorios te incordian continuamente.' 2.ª) Tonto, estúpido. 'Estamos rodea(d)os de *pijoteros* por todas partes.'

PILILA (vulg.). Miembro viril. (pop, pene de niño.) '¡Muchacho, que se te va a ver la *pilila!'* 'Procura ponerle la *pilila* hacia abajo, para que no se mee la fajita.'

PIMIENTO (arg.). Órgano genital de la mujer. 'Tendrá escocido el *pimiento* por el flujo.' Importarle a alg. un pimiento (vulg.). No importarle nada una cosa o una persona. [T. Importar tres pimientos.] '¡Me *importa un pimiento* la alta sociedad!' 'Le *importa un pimiento* el fútbol.'

PINCHAR (arg.). Practicar el coito. ◆ Fornicar. 'El

médico le ha advertido que no debe *pinchar* mientras dure el tratamiento.'

PINCHO (arg.). Pene. 'Te echas un poquillo de pomada en el *pincho* y ya está.'

PINDONGA (inf.). Mujer callejera o amiga de ir de un sitio a otro en vez de estar haciendo las cosas de su casa. (D.). 'La chica se está haciendo una *pindonga* de espanto.'

PINDONGUEAR (inf.). Callejear o vagar una mujer. (D.). 'Lo suyo es *pindonguear* y vivir a la gran dumón.'

PINGO (inf.) (n. cal.). Prostituta, mujer viciosa o mujer callejera, holgazana e inútil. (D.). 'Y para que usté lo sepa, su hija es un *pingo*.' 'De familia pudiente, sí, pero son unos *pingos* de aúpa.' Ir [Estar] de pingo. Callejear. (D.). 'Les gusta una burrada *ir de pingo*.'

PINGONEAR (inf.). Callejear; ir una mujer de un sitio a otro curioseando, chismorreando o divirtiéndose, en vez de estar en su obligación. 'Oye, nadie es más que nadie. La que *pingonea* tanto, seguro que descuida la casa.' 'Las dejan que *pingoneen* todo lo que quieran. ¡Así saldrán ellas!'

PINGONEO (inf.). Acción de pingonear. 'No se cansaba de *pingoneos* ni de convites.'

PINREL (git. y vulg.). Pie de las personas. (D.). '¡Vaya cacho *pinrel* que gasta el fulano!' 'Le agradecería mucho que retirara el *pinrel*, caballero.'

PIPA (vulg. o inf.) (adj. y adv.). Estupendo, extraordinario. Usado genrlm. entre jóvenes. 'Lo pasamos *pipa* en la excursión.' 'Por cierto, ella tiene un hermano que está *pipa*.' 'Se lo pasan *pipa* bailando.'

PIRA («Irse de —») (git. y vulg.). 1.ª) Pirárselas. 'Cansa(d)os de aguantarle, *se fueron de pira*.' '*Se irán de pira* a la madrugada, supongo.' 2.ª) Irse de juerga. (D.). 'Claro, *te vas de pira* todas las tardes y...' '¡Que *nos vamos de pira*, chaveas!'

PIRADO, -A (íd.: íd.) («Estar; Ser un»). Loco, chalado. 'Tú estás más *pira(d)o* que otra cosa.' '¡A quien se le diga...! ¡Es un *pira(d)o* el Lolo!'

PIRÁRSE(LAS) (íd.; íd.). Marcharse precipitadamente de un sitio, huyendo o para eludir algo. (D.). 'No te molestes en buscarle, que *se las ha pira(d)o*.' 'Yo en cuanto den las seis, *me las piro*.'

PIRINDOLO (vulg.). Genitales masculinos. 'Échale más talco en el *pirindolo*, hombre.' 'Cuando le quita la braguita al niño, se palpa el *pirindolo*.'

PIRO («Darse el —») (vulg.). Pirárselas. '*Daros el piro*, que os vienen pisando los talones.' '¡No me des la murga, macho! *Date el piro*.'

PIRULA («Hacer la —») (vulg.). Fastidiar, perjudicar o molestar a alg. v. PUÑETA. 'De este modo no *hacemos* a ninguno *la pirula*.' 'Estaba dispuesto a *hacerme la pirula* el andoval.'

PIRULO (fig. y vulg.). Pene. [T. Pirula.] 'Venga, tonto, que las enfermeras están habituadas de todos los días a ver el *pirulo*.' '¡Qué miedo le metieron en el cuerpo al cateto con lo de medirle el *pirulo!*'

PISTOLA (fig. y vulg.). Miembro viril. (pop, pene de niño.) '¡Menudo vicio ha cogido el pequeñín de tocarse la *pistola!*' 'Habrá que operarle de la *pistola*.'

PISTOLÓN (íd.; íd.). Pene grande. 'Abrió la puerta del water y se encontró a un tío gordinflas con la mano en el *pistolón*.'

PISTONUDO, -A (vulg.). Expresión ponderativa que equivale a estupendo, magnífico o tremendo. (D.). 'En aquella piscina había chicas *pistonudas.'* 'Ofreció un almuerzo *pistonudo* a los representantes.' 'Eso le proporciona unos ingresos *pistonudos.'*

PITO (fig. y vulg.). Pene. 'Me pica a rabiar el *pito.'* 'Al recluta le dijeron que tenía el *pito* fatal.' Estar tocándose el pito. v. BOLO. Importarle a alg. un pito (vulg.). No importarle nada una cosa a una persona. (D.). [T. Importar tres pitos.] 'Le *importa un pito* nuestra situación.' 'Lo que hagas me *importa un pito.'*

PITONES (arg.). Pecho de una mujer. 'Ha echa(d)o unos *pitones* impresionantes. ¡Mira que era lisa!' 'Bien puede presumir de *pitones* la moza.'

PITORREARSE (inf. o vulg.). Burlarse de una persona. (D.). v. CHOTEARSE. 'Se están *pitorreando* de tí. ¡A ver si te empapas!' 'Se *pitorrean* del bedel como les da la gana.'

PITORREO (íd.). Acción y efecto de pitorrearse. '¿De quién era el *pitorreo?* — De una pareja de novios muy acaramela(d)os.' 'El *pitorreo* terminó esta vez en lágrimas.'

PITOTE (inf.). Escándalo o barullo. 'El cantaor estaba piripi. ¡Qué *pitote* se preparó!' 'El *pitote* que armaron las fans fue sona(d)o.'

PLAN (inf. o vulg.). 1.ª) En lenguaje juvenil, salida con un muchacho o muchacha de distinto sexo. Us. con los verbos tener, salir o sacar, principalmente. 'Con nosotros no cuentes. Ya tenemos *plan* para mañana.' 'No consigues un *plan* ni aunque te maten.' 2.ª) Relaciones amorosas irregulares con una persona de otro sexo. En

225

ese sentido se emplea la expresión «una chica [mujer] de plan». 'Encontrarás un *plan* en esos lugares de tanto turismo.' 'Desde luego, en los clubs te salen buenos *planes*.' Estar [Ponerse] en plan. Excitarse sexualmente. 'Los dos *estábamos en plan.*'

PLANCHA (fig. e inf.) («Darse, Pegarse»). Indiscreción, torpeza o equivocación cometida por alguien, con la que queda en una situación ridícula o violenta. [T. Planchazo.] (D.). 'Creyó que había llega(d)o yo tarde y mandó retirar las fichas. ¡Qué *plancha* se pegó!' 'Comentaron con una señora que ese pintor era un camelista y resultó ser la mujer de él. ¡Jo, se dieron una *plancha...!*'

PLANCHADA (fig. y vulg.). Dícese de una mujer de senos pequeños. 'Está tan *planchada* que le sobra el sostén.' 'Después de tener el hijo se ha queda(d)o *planchada.*'

PLANTA («Vérsele la — de los pies») (vulg. y joc.). Se dice de una persona que bosteza de un modo exagerado. *'Se te ha visto la planta de los pies*, Angel. ¡Qué bárbaro!'

PLASTA (vulg. o inf.). 1.ª) Porción de excremento pastoso. 'No me dio tiempo a ponerle. Tenía ya la *plasta* debajo.' '¡No pises la *plasta*, cebollo!' 2.ª) (adj. y n. cal.). Persona que resulta pesada o aburrida. 'Una hora para decirnos cuatro tontadas. ¡Qué tío más *plasta!*' 'Será un experto en Cibernética, no lo discuto, pero es un *plasta.*'

PLATA (fig. e inf.). Dinero en general, o riqueza. (D.). 'Se gastaron toda la *plata* en unos meses.' 'Sólo en chucherías se dejan un montón de *plata.*'

226

PLATANITO (arg.). Pene. 'Sería una oportunidad para el *platanito*.'

PLIN («¡A mí —!») (inf.). v. CUIDADOS.

PLUMA (arg.). 1.ª) Moneda de una peseta. 'Ganó trescientas mil *plumas* en las quinielas.' 'No me explico cómo se las pudo industriar para sacar el medio millón de *plumas*.' 2.ª) Miembro viril. 'Se me va a quedar chuchurría la *pluma*.'

POLI (inf.). Usado por policía. 'Inmediatamente se presentó la *poli*.' 'Le siguió un *poli* hasta el aeropuerto.'

POLISÓN (inf. y joc.). Nalgas de una persona, particularmente si son muy grandes. 'Tenía la señora un *polisón* enorme.' 'Iba tan campante meneando el *polisón*.'

POLIZONTE (inf. y desp.). Policía o guardia. (D.). 'Le dieron un buen manteo al *polizonte*.' 'Estoy convencidísimo de que era un *polizonte*.'

POLLA (vulg.). Pene. 'Con el bromuro la *polla* se queda más sosegada.' 'Le envolvieron la *polla* con unas gasas.' De la polla. Us. despectivamente con referencia a una persona o una cosa que fastidia o molesta. '¡Me tiene negro el abriguito *de la polla*!' ¡Ni qué pollas! Us. en fr. interjectiva para negar o rehusar con enfado algo. '¡Pero bueno, qué miedo *ni qué pollas*! ¿Van a rajarse ahora?' '¡Qué bebercio *ni qué pollas*! No he toma(d)o más que un chato.' ¿Qué pollas? Se emplea, sin valor conceptual, en fr. interrogativa. '¿*Qué pollas* tengo yo que ver con la quiebra de sus almacenes?' '¿*Qué pollas* me va a enseñar a mí el pipiolo ese?' ¡Qué pollas! Expr. con que se manifiesta protesta, enfado, indignación o negación. 'Hemos brega(d)o mucho por ganarnos los garbanzos.

227

¡Qué pollas!' '¡Qué pollas! No se merece ni siquiera eso.' 'Creo que tú también estabas metido en el tomate, ¿no? —¡Qué pollas!' ¡Una polla (como una olla)! Excl. usada para negar o rehusar con enfado algo o para expresar burla o incredulidad. '¿Por qué no alquilamos un autocar para todos? —¡Una polla!' 'He visto a tu hermana del brazo de un militroncho. —¡Una polla!' Salirle a alg. de la polla una cosa. Querer, apetecerle. Se usa más en frase negativa. '¡No me sale de la polla llevarle!' '¡Hago lo que me sale de la polla!'

POLLAZO (vulg.). v. PICHAZO.

POLLO (vulg.). Esputo, escupitinajo. (D.). 'El pollo que echaste no le cayó encima de milagro.' '¡Qué cerda es la gente! ¡Sueltan pollos a diestro y siniestro!'

POLVETE (vulg.). Coito. ◆ Fornicación. 'Me daba en la nariz que no estaba ella para polvetes.' 'Le costó el polvete más de cuatrocientas.' Echar un polvete. Hacer el acto sexual. ◆ Fornicar. 'La dijo que si echaban un polvete antes de salir de viaje.' 'Irá a echar un polvete, me imagino.' Sábado sabadete, camisa limpia y polvete. Pareado soez usado por el bajo pueblo y de significado claro.

POLVO (vulg.). Coito. ◆ Fornicación. [T. Polvazo.] 'Esa frigidez es por aversión al polvo.' '¡Coño, pues caro te va a salir el polvo!' Echar un polvo. Cohabitar. ◆ Fornicar. 'Después de haber reñido, echaron un polvo.' 'Se les veía con ganas de echar un polvo.' ¡Qué polvo tiene[s]!, ¡Está[s] para un polvo! Expresiones obscenas aplicadas, como requiebro o comentario, a una

228

mujer hermosa o atractiva. v. NOCHE. '¡Está como quiere! ¡Qué polvo tiene la tía!'

POMPIS (inf.). Nalgas de una persona. '¡Que se te ve el pompis, Merche!' 'Estas fajas reducen poco el pompis.'

PONÉRSELOS (vulg. o inf.). Ser infiel un cónyuge al otro, particularmente la mujer. v. Ponerle los CUERNOS. '¡Cuántas hay que se los ponen a sus maridos y ellos es que ni se enteran!' '¡Menuda bicha! ¡Se los pone hasta en sueños!'

POPA (fig. e inf.). Jocosamente, nalgas de una persona. '¡Qué popa tendría la mujer que no cabía en el asiento!' 'Luisito está echando también una buena popa.'

PORRA (vulg.). 1.ª) Nariz grande o abultada. v. NARPIAS. 'No se quejará por narices, porque con esa porra...' 'En lo de la porra ha salido al padre.' 2.ª) Miembro viril. 'Iba distraído por una callejuela y de repente un maricón le echó mano a la porra. ¡Allí es tremendo!' 'Lo que debes hacer es precintar la porra.' ¡A la porra! Expr. con que una persona echa o rechaza a otra o corta bruscamente la conversación con ella. Úsase también para desentenderse de una persona o de cierta cosa. '¿Que no acepta? ¡Hale, a la porra!' '¡A la porra los quebraderos de cabeza!' Mandar a la porra. Echar alg. de su compañía a la persona de que se trata, o apartarse de alguien o de algo. '¡Mándale a la porra a ese tío gruñón, jolines!' '¡No me calientes, que mando a la porra el piso y...!' ¡Vete [Váyase, Que se vaya, etc.] a la porra! Excl. con que se rechaza con enfado a una persona, se muestra enojo por lo que dice o se desentiende uno de ella. 'Para ir a casa de otros sí que tienes tiempo, ¿verdad? *¡Vete a la porra!'* *'¿No podéis esperarme unos minutos? ¡Iros a la porra!'* De la porra. Usado despectivamente con referencia a una persona o una cosa que molesta o enfada. *'¡Anda y que no tiene humos la señoritinga de la porra!'* *'¡Estamos avia(d)os con la llavecita de la porra!'* ¡Porras! Interjección con que se manifiesta enfado o fastidio o se deniega algo. (D.). *'¡Que se vayan de la cocina, porras!'* *'Dice el contratista que si puede recibirle. —¡Porras!'* ¡Ni qué porras! Us. para negar o rehusar con enfado algo. *'¡Qué jupa ni qué porras! Lo acabamos en media hora.'* ¡Qué porras! Frase que denota enfado, protesta, rechazo o negación. *'¡Pesa un disparate la caja, qué porras!'* ¡Una porra! Excl. usada para negar o rehusar con enfado algo o para expresar burla o incredulidad. *'Te han elegido a ti como portavoz. —¡Una porra!'* *'Haremos las fotos con este carrete. —¡Una porra!'*

PORRADA («Una —») (inf.). Abundancia de ciertas cosas. (¿D?). *'Había una porrada de jamones en la bodega.'* A porradas. En abundancia, copiosamente. *'Sirvieron comida a porradas.'* *'Entre estos escombros encontrarás baldosines enteros a porradas.'*

PORRETA[S] («En —») (inf.). En cueros, completamente desnudo. (D.). *'Se metió en el río en porreta con la mayor tranquilidad del mundo.'* *'El chala(d)o iba en porretas paseándose por la calle.'*

POSTERIDAD (fig. e inf.). Jocosamente, nalgas de una persona. *'¡Pobre de la silla en que asiente la posteridad!'* *'Le dio con la posteridad en la cara.'*

POTRA (fig. y vulg.) («Tener»). Suerte. (D.). 'En esta vida muchas veces es sólo cuestión de *potra*.' '¡Qué *potra* tiene! ¿Quién le gana así?'

POTROSO, -A (vulg.). Afortunado, con suerte. (D.). [T. Potrudo.]. 'Hay que reconocer que eres un *potroso*.' 'Es bueno estar cerca de personas *potrosas*, dicen.'

PRECIPOCIARSE (vulg. y joc.). Usado achuladamente por precipitarse. Apresurarse u obrar con irreflexión. 'Tú no te *precipocies*, muchacho, que todo se hará a su tiempo.' '¡Que no se *precipocie* y que tenga cacumen!'

PRENDA (vulg.). Usado en tono achulado como apelativo o requiebro. '¿Adónde vas tan solita, *prenda*?' 'Oye, *prenda*, tienes los ojos más grandes que los pies.'

PREÑADA (vulg.) («Estar, Dejar»). Se dice de una mujer embarazada. (D.). 'Se llevó una alegría enorme al saber que *estaba preñada*.' 'El novio la *dejó preñada*, pero no quiso casarse con ella.'

PREÑAR(LA) (vulg.). Embarazar a una mujer. (D.). '¿*La preñó* durante el invierno, entonces?' 'Cuando ya habían perdido las esperanzas, logró *preñarla*.'

PREÑEZ (vulg.). Estado de la mujer embarazada. (D.). 'Menos mal que es una *preñez* de tres meses y se nota poco.' 'El militroncho tendrá enseguidita noticias de la *preñez*.'

PRIMAVERA (achul.) (n. cal.). Se aplica a una persona falta de viveza, ingenua. (D.). '¿Crees que se acordará de ti el día de mañana? ¡Venga ya, no seas *primavera*!'

PRIMO, -A (fig. e inf.) (adj. y n. cal.). Despectivamente, cándido o tonto. Se aplica a una per-

231

sona sin viveza o malicia, que se deja engañar con facilidad. (D.). 'La chica, viendo que era un *primo*, trató de camelarle a toda costa.' '¿Es que me habéis toma(d)o por *primo*?' Hacer el primo. I) Dejarse engañar. (D.). 'Te pondrán todo de color de rosa, pero no *hagas el primo*.' II) Dejar que abusen de uno; particularmente, trabajando más de lo debido o pagando algo innecesariamente. 'El caso es que siempre *hace el primo* con la familia.'

PRINGADO, -A (fig. e inf.). («Estar). Se dice de la persona que ha intervenido en un negocio sucio. 'Los dos *están pringa(d)os* en tráfico de estupefacientes.' '*Estaban pringa(d)as* altas personalidades de la vida política.'

PRINGAR (fig.; vulg. o inf.). 1.ª) Perder en el juego. 'Ya era hora de que *pringase* usté al mus.' 2.ª) Trabajar, genrlm. de mala gana. 'Le ha toca(d)o *pringar* en el hospital.' 'Yo *pringo* también los sábados por la tarde.' 3.ª) Morirse. '*Pringó* el boticario de una bronconeumonía.' '*Ha pringa(d)o* el barman. De repente.'

PRINGARLA (íd., íd.). 1.ª) Cometer una torpeza, indiscreción o desacierto. 'Hemos corta(d)o el cable del teléfono. ¡*La hemos pringa(d)o*!' '¡Vaya, hombre, tenías que *pringarla* tú!' 2.ª) Morirse. 'No llega a casa. *La pringa* en el camino.' 'Te entra una intoxicación que *la pringas*.'

PRIVE (arg.) (con art. det. f.). Bebida. 'Le gusta más la *prive* que a las moscas el azúcar.' 'Le cuesta trabajo dejar la *prive*.'

PRÓJIMO, -A (inf.). 1.ª) Se emplea despectivamente aplicado a una persona. V. TIPO. 'Ayer vi a Quique. Salía del cine con una *prójima*.' 'No me hables de ese *prójimo*, por favor.' 2.ª) (f.). Mu-

232

jer dudosa o prostituta. (D.). V. FULANA. 'Se la llevó a la *prójima* a un hotel de dos estrellas.' 'Quería enrollarse conmigo la *prójima* de la barra.'

PRONUNCIARSE (arg.). Usado achuladamente por pagar, dar el dinero consabido. 'El manús no *se pronuncia* ni a la de tres.' 'Llevo esperando una semana. ¡A ver cuándo *te pronuncias!*'

PÚA (arg.). Moneda de una peseta. 'Le soltaron cinco mil *púas* por el acordeón.' 'Le devolveré las mil *púas* a primeros.'

PUDRIRSE (inf. o vulg.). En la locución ¡Ahí te pudras!, con que se expresa el desprecio, desdén u olvido de una persona respecto a otra. 'Se desvive uno por ellos y luego *¡ahí te pudras!*'

PUERCO, -A (fig. y vulg.) (adj. y n. cal.). 1.ª) («Ser»). Se aplica a una persona muy sucia. (D.). Us. como insulto. 'La camisa puesta de hoy y mira qué lámparas traes. ¡Qué *puerco* eres!' 2.ª) De instintos o proceder innobles, indelicados o groseros. (D.). '¡El muy *puerco*, viendo que estaba yo sola en casa…!' 3.ª) (f.). Mujerzuela. '¡Cómo no la van a señalar con el dedo, si es una *puerca!*'

PUESTOS («Tenerlos bien — ») (vulg.). Ser hombre enérgico, resuelto o con carácter. 'Mientras él esté al frente, todo marchará bien. *¡Los tiene bien puestos!* '¡Pues claro que sí! ¡Un alcalde siempre debe *tenerlos bien puestos!*' Con los cojones bien puestos. V. Con COJONES. Tener los pechos bien puestos. V. PECHOS.

PULIR (arg.). 1.ª) Robar o hurtar una cosa. (D.). 'Le *pulieron* un mechero electrónico.' 'Que te lo *pulen*, lo saben hasta los negros.' 2.ª) Gastar mucho dinero o despilfarrarlo. (D.). 'Éstos *pulen* al mes treinta verderones, por lo menos.'

PULMONES (arg.). Pecho de una mujer. 'Vamos, que tiene unos *pulmones* que tira de espaldas.' 'Eso son *pulmones*, ¿verdá, tú?'

PULPO («Tía —») (vulg.). Aplicado como apelativo o requiebro a una mujer hermosa o atractiva. '¡Que te pillo, *tía pulpo!*' '¡Se ve cada *tía pulpo* por estos Madriles!'

PUNTO («Ponerse al —») (j. prost.). Trabajar como meretriz. ◆ Acudir habitualmente a un lugar en busca de cliente. 'A los dieciocho años *se puso al punto.*' '*Se pone al punto* en cafeterías de postín.'

PUÑETA (vulg.). 1.ª) Pejiguera, chinchorrería. ◆ Tontería, bobada. [T. Puñetita.] 'No me vengas con *puñetas*, que ya he saca(d)o los billetes del avión.' '¡Sí, vosotros andar perdiendo el tiempo en *puñetas!* 2.ª) ¡Puñeta[s]! Interjección de enfado, fastidio, admiración, asombro o negación. '¡Escúchame un momento, *puñeta!*' '¡Deja que te quite la espina, *puñetas!*' '¡Qué piso más grande, *puñeta!*' 'El resto lo pagamos nosotros. —*¡Puñetas!*' De la[s] puñeta[s]. Usado despectivamente con referencia a una persona o una cosa fastidiosa o molesta. 'Me ha deja(d)o hecho polvo el catarro *de la puñeta.*' '¡Vais listos con el fontanero *de la puñeta!*' De puñetas. Locución ponderativa equivalente a tremendo, extraordinario. [T. De tres pares de puñetas.] 'Armaron un cacao *de puñetas.*' 'Les salió una urticaria *de puñetas.*' En [A, De] la quinta puñeta. En un lugar muy lejano o apartado. 'Tienen el almacén *en la quinta puñeta.*' 'La parada del autobús está *en la quinta*

234

puñeta.' Hacer la puñeta. Fastidiar, molestar o importunar a alguien. 'Pues como no lo traigan esta tarde, me *hacen la puñeta.'* 'Hay muchas maneras de *hacerle la puñeta.'* Hacerse la puñeta. Fastidiarse, aguantarse. v. JODERSE. 'Ellos van a su negocio y los demás, que *se hagan la puñeta.'* 'Bueno, si tengo mala suerte, *me haré la puñeta.* ¡A ver qué remedio!' Importar tres puñetas algo o alguien. No importar nada. 'Tener un puesto seguro o no, le *importa tres puñetas.'* 'Nos *importa tres puñetas* lo que le suceda después.' Mandar a hacer puñetas. Echar alg. a una persona o alejarla de su trato, o desentenderse de una persona o una cosa. '*Mandó* al decorador *a hacer puñetas.'* '¿Por qué no *mandas* la radio a *hacer puñetas?'* ¡A hacer puñetas! Expr. usada para echar alg. de su compañía a una persona, o para desentenderse de ella o de algo. 'No lo digo dos veces, ¿sabes? ¡*A hacer puñetas!'* '¡Déjeme tranquilo, joroba! —¡*A hacer puñetas!'* ¡Vete [Váyase, Que se vaya, etc.] a hacer puñetas! Frase con que se rechaza o echa con enfado a una persona o se corta la conversación con ella. '¡Que venga el chico a verte y tú le eches una regañina...! ¡*Vete a hacer puñetas!'* Más... que la puñeta. Se emplea como término de comparación en sentido ponderativo. 'Son preguntas *más* difíciles *que la puñeta.'* 'En la pensión estaba *más* aburrido *que la puñeta.'* 'Eres *más* exagera(d)o *que la puñeta.'* Ni puñeta[s]. Usado como expr. reforzatoria de negación. '¿Qué ha puesto en la tarjeta de presentación? No se entiende *ni puñeta.'* 'Cinco minutos con estos auriculares y luego no oyes *ni puñeta.'* ¡Ni qué puñetas! Ús.

235

para negar o rehusar con enfado algo. '¡Qué permiso *ni qué puñetas!* ¡Que venga a su hora!' 'Es solamente un consejo que te doy. ¡Qué mangoneo *ni qué puñeta!*' ¿Qué puñetas? Usado sin valor conceptual en frase interrogativa. '*¿Qué puñetas* le habrá pasa(d)o para retrasarse tanto?' 'Le dijo que era inmoral o no sé *qué puñetas.*' ¡Qué puñetas! Frase interjectiva que denota enfado, fastidio, rechazo u oposición. 'Ya son muchos favores. *¡Qué puñetas!*' 'Dile que no aceptamos limosnas. *¡Qué puñetas!*' '¿Construyeron por fin las viviendas? —*¡Qué puñetas!*' Ser la puñeta. Aplícase a una persona o a una cosa para significar que es extraordinaria, bien en sentido laudatorio, bien desfavorablemente. v. HOSTIA. 'Me enseñó unas cartas de póquer con gachises que *son la puñeta.*' 'Tienes unos padres que, en cuestión de prejuicios, *son la puñeta.*' ¡Una puñeta! Exclamación con que se niega o rehusa algo, o se expresa incredulidad o burla. [T. ¡La puñeta!] 'Las cestas deberán estar hechas para el lunes. —*¡Una puñeta!*' 'Mira, invitaremos a los de la cocina también. —*¡Una puñeta!*' 'Te han concedido el primer premio. —*¡Una puñeta!* Es una trola, seguro.'

PUÑETERÍA (vulg.). 1.ª) Exigencia o minuciosidad exagerada. ◆ Cosa fastidiosa o molesta. v. PIJADA. 'En estos momentos no te conviene andar con *puñeterías.*' '¡Basta de *puñeterías,* leche!' 2.ª) Tontería, bobada. Cosa sin importancia. 'Son *puñeterías* que, poco a poco, te quitan la ilusión por casarte.' '*Puñeterías* aparte, lo cierto es que estamos considera(d)os peor que un albañil.'

236

PUÑETERO, -A (vulg.). 1.ª) Dícese de una persona fastidiosa o cargante por reparona, quisquillosa o exigente. '¡Qué inspector más *puñetero!* 'Mi opinión es que los críticos, en general, son gente *puñetera*.' 2.ª) Se aplica a una cosa fastidiosa, molesta o difícil, que requiere paciencia, sacrificio o esfuerzo. 'Tiene la *puñetera* costumbre de reírse en el momento más inoportuno.' 'Decía la bordadora que su oficio es *puñetero*.' 'Las cosas de la vesícula, ya se sabe, son *puñeteras*.' 3.ª) Persona mala o malintencionada; que tiene gracia maliciosa. 'El *puñetero* tira chinas desde la terraza que no veas.' '¡Fíjate si sabe el *puñetero!* ¡Menudo danzante!' 'No te puedes fiar de ninguno. Son tipos *puñeteros*.' 4.ª) Maldito. Miserable, despreciable o insignificante. 'Sin una *puñetera* fiesta por medio, la semana se hace larguísima.' '¡No tener un *puñetero* bidón para el agua!' '¡Y todo por un sobresueldo *puñetero!* 5.ª) Usado sin valor conceptual o en sentido despectivo. 'No le hicieron ni *puñetero* caso.' '¡Vete ya de una *puñetera* vez!'

PUPAS («El —») (inf. o vulg.). Se usa como término de comparación de sentido ponderativo. 'Eres más desgracia(d)o que *el Pupas*.' 'Tengo más hambre que *el Pupas*.'

PUTA (vulg.). 1.ª) Prostituta. (D.). [T. Putanga.] 'Las *putas* salieron zumbando cuando llegó la policía.' 'Se lió de conversación con una *puta*.' 'La viuda saca pasta en cantidad de la casa de *putas*.' 2.ª) Usado como insulto grave. [T. ¡La muy puta!, ¡Grandísima puta!] '¡No tenías bastante con uno, so *puta!* '¡Me ha roba(d)o el marido *la muy puta!* 3.ª) Se aplica a una mujer

237

malvada o malintencionada. ◆ Astuta, viva. '¡Ojito con la Neme, que es muy *puta!*' 'Las mujeres, en cuestión de ataques e indirectas, son muy *putas.*' 4.ª) Dícese de una cosa mala, perniciosa o que causa gran daño o quebranto; fastidioso o molesto. 'El cáncer es una enfermedad verdaderamente *puta.*' 'Entró a trabajar en unas condiciones bastante *putas.*' 'Son *putas* esas recaídas en tan poquito tiempo.' 5.ª) Maldita. Miserable, despreciable. 'Estuvieron tres meses sin cobrar una *puta* peseta.' '¡No puede uno ni dormir en esta *puta* casa!' 6.ª) Usado sin valor conceptual o en sentido despectivo. 'Lo echaron a la *puta* calle con muy buenas palabras.' 'Dijo que no volvería al pueblo en su *puta* vida.' De puta madre. v. MADRE. Hijoputa. v. HIJO de puta. Ir de putas. Frecuentar el trato con prostitutas. '¡A ver cuándo *vamos de putas* algún día!' 'No te digo que no. *Habrán ido de putas* en una escapadilla.' ¡La puta! Excl. de admiración, sorpresa, fastidio o enfado. [T. ¡Anda la puta!, ¡La puta de oros [bastos]!] '*¡La puta,* qué ración de calamares!' '*¡La puta!* ¿Y cómo abrimos la lata?' '¡Qué tontorrón eres, *la puta!*' '¡Cuida(d)o que son lentos, *la puta!*' ¡Me cago en la puta [de oros; de bastos]! Expr. de ira, enfado, fastidio, sorpresa o asombro. '¡Se lo va a tragar por narices, *me cago en la puta!*' '*¡Me cago en la puta!* ¡He mancha(d)o las cuartillas!' '*¡Me cago en la puta!* ¡Cómo tú por aquí!' ¡Me cago en tu [su, vuestra] puta madre! Frase usada como insulto grave y violento. A veces, se usa como expr. de ira o enfado. '*¡Me cago en tu puta madre!* ¡Vas a morder el polvo!'' '¡Que no entra la dinamo! *¡Me*

238

cago en su puta madre!' Pasarlas putas. Verse en situación apurada o arriesgada. v. CANUTAS. *'Las pasó putas en la frontera.'* 'Fueron diez días sin agua. *Las pasamos putas.'* Ser más puta que las gallinas. Se dice de una mujer fornicadora o muy lujuriosa. 'Y aquella, tres cuartas de lo mismo. *Es más puta que las gallinas.'*

PUTADA (vulg.). Acción malintencionada con que una persona perjudica o fastidia mucho a otra. v. CABRONADA, 3.ª acep. 'Le han hecho una *putada* tremenda.' '¡Se habrá queda(d)o a gusto con la *putada* que nos ha hecho!' 'El no dejarle salir del país fue una *putada.'*

PUTADITA (vulg.). Acción que realiza alguien para fastidiar, molestar o causar perjuicio a otro. ◆ Faena, jugada. 'A él no le hacen mella esas *putaditas.'* '¿Por qué hemos de soportar las *putaditas* que se le antojen?'

PUTEADO, -A (vulg.) («Estar») 1.ª) Maleado, pervertido. ◆ Baqueteado. 'Uno *está* ya muy *putea(d)o* y no es fácil que cambie. Eso es lo que pasa.' 'Son trabajadores que vienen *putea(d)os* de la vendimia.' 2.ª) Escarmentado, desconfiado o resentido. *'Estaba putea(d)o* el personal y la cosa era más peliaguda.' 'Conviene que tengas tacto con ellos, porque *están* un tanto *putea(d)os.'*

PUTEAR (vulg.) 1.ª) Frecuentar el trato con prostitutas. [T. Putañear.] (D.). 'En sus años mozos *puteó* de lo lindo.' 'Ahora le ha da(d)o por *putear* y estar de jolgorio.' 2.ª) Malear, pervertir. ◆ Hacer pasar trabajos o penalidades. 'Quieras o no, estos tiparracos te *putean.'* 'Ten por seguro que aquí al más bueno lo *putean.'* 'Ya ves que nos están *puteando* constantemente.' 3.ª)

Hacer que alguien desconfíe o recele. 'Lo único que consiguen es *putearles*, a fuerza de tanta filfa y engaño.' 4.ª) Enfadar, malhumorar o importunar. v. ENCABRONAR. 'Son cosas que están pensadas para *putear* al bando progre.' 'No hay día que no le *puteen*. ¡Verídico!'

PUTEO (vulg.). Acción de putear. 'Todavía no ha perdido el vicio por el *puteo*.' 'Mis amigotes saben muy bien lo que es el *puteo* y lo que es una entretenida.' 'Así impiden que los que vienen pegando se promocionen. Es el clásico *puteo*.'

PUTERÍA (vulg.). 1.ª) Profesión, vida, costumbres, etcétera, de prostituta. [T. Putaísmo, Putanismo.] (D.). ◆ Reunión de prostitutas. (D.). ◆ Prostíbulo. (D.). 'En todo lo referente a la *putería*, él es el número uno.' 'Allí estaba la *putería* dándole a la lengua.' 2.ª) Zalamería o roncería. 'Echará mano de *puterías* con tal de satisfacer sus caprichos.' '¡La de *puterías* que se baraja esa bribona!'

PUTERO, -A (vulg.). 1.ª) (m.). Hombre que frecuenta el trato con prostitutas. [T. Putañero.] (D.). 'Le dijo que tenía cara de *putero*.' '¡Coño! ¿Desde cuándo eres tú *putero*?' 2.ª) Zalamero, marrullero. 'El *putero* le trastea de maravilla a su padre.' 'Mira cómo camela a la abuela. ¡Qué *putero* es!'

PUTESCO, -A (vulg.). Propio de prostitutas o relativo a ellas. (D.). 'Está muy impuesto en el lenguaje *putesco*.' 'Tiene una habilidad *putesca* para encandilarle a uno.'

PUTILLA (vulg.). Mujer fácil o libertina. V. TRAGONA. 'Salí con una chica que era *putilla* de narices.' 'Tiene fama de *putilla*, según me han dicho.'

240

PUTIPLISTA (arg.). Pseudoeufemismo por puta. Usado genrlm. entre mujeres. 'No quiere ser visto en compañía de *putiplistas*.' 'También hay *putiplistas* entre niñas de familia acomodada, ¿qué te has creído?'

PUTO (vulg.). 1.ª) Homosexual pasivo. (D.). 'Dio con un *puto* interesadillo en ganar dinero deprisa.' 'El *puto* esperaba a su amor a la salida del Metro, todas las tardes. ¡Era muy bueno aquello!' 2.ª) Se dice de un hombre malvado o malintencionado. ◆ Astuto, avispado. 'Ha pega(d)o el frenazo a mala leche. ¡Qué *puto!*' 'No perdáis de vista al mayordomo, que es muy *puto*.' 'Al de la taquilla no se le pasa una. ¡Es un *puto!*' 3.ª) Usado como insulto afectuoso entre amigos, con el significado de mala persona. V. CABRÓN, 4.ª acep. '¡Jódete, *puto*, que ya me han licencia(d)o!' 'No seas *puto* y dame la cajetilla.' 4.ª) Malo, pernicioso; molesto, fastidioso o desagradable. 'Estuve en cama un par de semanas con un cólico algo *puto*.' 'Pasamos momentos *putos* en la Legión.' 'En esta zona hace siempre un tiempo *puto*.' 5.ª) Maldito. Miserable, insignificante. '¡Jo, no le conceden a uno ni un *puto* descanso!' '¡Es horrible no tener un *puto* céntimo nunca!' 6.ª) Usado sin valor conceptual o en sentido despectivo. 'Estamos sin tabaco. Y lo peor es que a estas horas no hay un *puto* estanco abierto.' '¡Esto de que no puedas disponer de un *puto* teléfono, me pone de una leche...!'

PUTONA (vulg.). 1.ª) Prostituta. [T. Putorra.] 'Es una novela que trata sobre la regeneración de una *putona*.' 'Antiguamente este era un barrio de *putonas*.' 2.ª) Mujer licenciosa o liviana. '¿Y en qué te basas tú para decir que es *putona*?' '¡Qué porvenir más oscuro le espera, si se casa con una *putona* de esa calaña!'

QUEDARSE («con») (vulg.). 1.ª) Mirar fijamente o con insistencia una persona a otra de distinto sexo, en señal de interés o agrado, o con deseo de conversar con ella. 'Este hombre es un caso. *Se queda con* cualquier chavala en el Metro.' 'La rubia *se ha queda(d)o contigo*.' 2.ª) Burlarse de alguien. Tomarle el pelo. '¿No pretenderás ahora *quedarte con* nosotros, verdad?' 'Majete, *quédate con* otro que yo estoy de vuelta.' 3.ª) Cansar o aburrir a una persona, hablándole de cosas que no le interesan o atañen. v. Contar la VIDA. 'Esta mañana quería *quedarse contigo* el de las revistas.' 'No, es que *se quedó conmigo* el conserje y no había manera de quitármelo de encima.'

QUEDÓN, -A (vulg.). Se aplica a la persona que «se queda con» otra. En femenino tiene sentido peyorativo. v. LIGÓN. '¡Anda ya, no seas *quedón!*' 'Sois unos *quedones* de poca monta.' '¿Que no se atreve? ¡Pero si es una *quedona!*'

QUEO («Dar el — ») (arg.). Avisar, dar la señal de peligro. Usado particularmente entre chicos. 'Si viene alguien, *das el queo.*' '*Dieron el queo* demasia(d)o tarde.'

QUERER (vulg.). En la expresión ¡Está[s] como quiere[s]!, con que un hombre pondera la belleza, el atractivo o el buen tipo de una mujer. (También es usada por mujeres, con referencia a un hombre, pero se toma en mal sentido.) '*¡Estás como quieres*, prenda!' '*¡Está como quiere* el solista!'

QUERIDO, -A () (Con art. o con adj. posesivo). Amante. Persona con quien otra mantiene relaciones amorosas irregulares. (D.). 'Un día la sorprendió con *el querido.*' 'Todo el mundo sabe que es *su querida.*' 'Me importa un bledo que tenga *una querida.*' 'La viene a recoger *su querido.*'

QUERINDONGO, -A (vulg. y desp.). Querido. [T. Querindango.] (D.). '¡Está ya más visto el tema de las *querindongas!*' 'Tuvo una discusión con el *querindongo* y acabaron mal.'

QUESOS (fig. y vulg.). Pies de una persona. V. TACHINES. 'Casi le pones los *quesos* en la boca.' 'Aunque se lavara los *quesos*, no perdía nada.' Oler a quesos. Oler a pies. 'Aquí *huele a quesos* que no hay quien lo aguante.'

QUICO («Ponerse como el — ») (vulg. o inf.). 1.ª) Comer (y beber) en abundancia. 'El que más y el que menos *se pone como el Quico* en las bodas.' 2.ª) v. Darse el FILETE.

QUILAR (git. y arg.). Practicar el coito. ◆ Fornicar. 'Hombre, ellos dirán que no será por no *quilar.*' 'Lógicamente, conta(d)os eran los que podían *quilar* en esos burdeles de lujo.'

244

QUILÉ (git, y arg.). Pene. 'El *quilé* lo tengo pachu-chillo. No contéis conmigo.' 'Estaban dispuestos a cortarme el *quilé* en rodajas.'

QUIQUI («Echar un — ») (arg.). Cohabitar. ◆ For-nicar. 'Se queda torra(d)o después de *echar un quiqui*.' '¿Quién se anima a *echar un quiqui?*'

QUISQUI («Cada — ») (vulg. o inf.). Cada uno, cual-quiera. (D.). [T. Todo quisqui.] 'Tiene que tra-bajar, como *cada quisqui*.' '¡Aquí *tó quisqui* paga su entrada!' Ni quisqui. Nadie. 'Seguro que no suelta prenda *ni quisqui*.' 'No había *ni quisqui* en la estación.'

QUISQUILLA (arg.). Órgano genital femenino. 'Al ni-ño le llamó la atención la *quisquilla* de su her-mana.' 'La mujer, la inmediata, se llevó la mano a la *quisquilla*.'

R

RÁBANO («Importar algo un — ») (vulg. o inf.). No importar nada. 'Les *importa un rábano* la actualidad internacional' 'Te *importa un rábano* que tu padre esté enfermo.' ¡Un rábano! Expr. interj. con que se niega o se rehusa algo. 'La compañía correrá con los gastos. — *¡Un rábano!*' 'Eso sería lo mejor. — *¡Un rábano!*'

RAJA (obsc.). Órg. gen. femenino. 'Se clavó, jugando, el ganchillo cerca de la *raja.*' '¿Tan nervioso estabas que no encontrabas la *raja?*'

RAJADO, -A (vulg.) (p. adj.). 1.ª) Se aplica, generalmente entre chicos, al que falta a una promesa o un trato o se desdice de un propósito. 'Estaba convencido de que no lo haría, porque es un *raja(d)o.*' '¡Somos unos *raja(d)os*, qué narices!' 2.ª) Cobarde, miedoso. 'No comprendo cómo pueden decir que eres un *raja(d)o*, Simón. — ¡Que te den morcillas!' 'Si les das tiempo a pensarlo, se hacen unos *raja(d)os.*'

RAJAR (fig. e inf.). Hablar mucho. (D.). '¡No paráis de *rajar* todo el santo día!' 'Luego dirás que no te gusta *rajar*.'

RAJARSE (fig. y vulg.). 1.ª) Desistir de un propósito o no cumplir lo prometido o acordado. (D.). 'Olvida lo de la escalada. *Se han raja(d)o* 'A última hora *se rajaron* y se fueron a la piltra.' 2.ª) Acobardarse, amedrentarse. 'Amenázales con expulsarles. Verás qué pronto *se rajan*.' 'Seguirían su ejemplo y *se rajarían*.'

RANA («Salir — ») (inf.). Defraudar, decepcionar. 'Le *salió rana* el grupo de vendedores.' 'Nos *ha salido rana* el muchachote.' Cuando las ranas críen pelos (debajo del sobaco) (D.) (inf. o vulg.). Nunca. Se emplea para negar o rehusar algo. 'Harán la asociación, *cuando las ranas críen pelos*.' '¡Cuándo disfrutaremos de unas vacaciones! —*Cuando las ranas críen pelos*.'

RANDA (inf.). Ratero. Astuto o hábil desaprensivo. ◆ Granuja. (D.). 'Un *randa* le espabiló el proyector.' '¡Menudo *randa* es el payo!'

RANDAR (inf.). Robar o hurtar algo. 'Les *randaron* unos pendientes de perlas.' 'Te expones a que te lo *randen*.'

RARO (arg.) (no frec.). Invertido, homoxesual. 'Su hijo es un tipo especial, de los que llaman por ahí un *raro*.'

RAYO («¡Que te [le, os, etc.] parta un — !») (vulg.). Fr. interj. con que una persona se desentiende de otra con enfado o desprecio. '¡Que *le parta un rayo* al forofo!' '¡Cálmate, que no vale la pena! ¡Anda y *que les parta un rayo*!'

REALÍSIMA («Darle a alg. la — ») (vulg.). V. GANA.

RECOCHINEARSE (vulg. o inf.). Burlarse o reírse de alguien con regodeo. 'Se *recochinean* de los listorros hablándoles de lo mucho que valen.'

248

RECOCHINEO (vulg. o inf.). Burla, ensañamiento o refinamiento añadidos a una acción, con que se molesta o perjudica a alguien. Se usa precedido de la preposición con o de. 'Te obligan a hacer algo que no es lo tuyo y encima se andan *con recochineos.*' '¡Sólo falta que me vengan *con recochineos!*' 'Esta carambola va *de recochineo.*'

¡RECOJONES! (vulg.). V. COJONES, 3.ª acep.

REDAÑOS (fig.; inf. o vulg.) («Tener»). Brío, decisión, energía o valor. (D.). V. Tener COJONES. 'El patrón *tiene re(d)años* para eso y mucho más.' '¡Hay que *tener reaños* para pasar la noche con el muerto!'

REFANFINFLÁRSELA (arg. y joc.). Masturbarse un hombre. '¡Allá él, si *se la refanfinfla!* ¡No te joroba!' ¡Me la refanflinfla[n]! (vulg.). Frase que denota burla, desprecio, indiferencia, displicencia o superioridad respecto a la persona a la que se dirige. '¡A mí *me la refanfinfla* la junta directiva!'

REGADERA («Como una — ») (fig. e inf.) («Estar»). Loco, chiflado. '¡Estos chicos *están como una regadera!* Y si no, que me maten.' 'Este tío *está como una regadera.* Pero por completo.'

¡REHOSTIA[s]! (vulg.). V. HOSTIA, 3.ª acep.

REÍR (vulg.). En la expr. ¡No me haga[s] reír!, usada en tono achulado para manifestar burla, desafío o incredulidad. 'Menda te va a inflar a tortas. — *¡No me hagas reír!*' 'Ya me suplicará que le perdone. — *¡No me haga reír!*'

RELECHE («La —») (vulg.). V. Ser la LECHE.

REOCA («La —») (vulg.). Aplícase a una cosa o a una persona como expr. de lo extraordinario, sea en sentido encomiástico, sea censurable o desfavorablemente. 'Son *la reoca* estas películas mudas.' 'Nos envían ustedes unos auxiliares que son *la reoca*.' 'Tenemos una selección que es *la reoca*.'

REPAJOLERO, -A (inf.). Maldito. Apelativo aplicado a una cosa o a una persona, con enfado ligero o jocoso. '¡Cuida(d)o qué picardías se le ocurren al *repajolero!*' '¡Que lo vas a caer, *repajolero!*'

REPAMINONDA («La — ») (vulg. o inf.). Se usa como expr. de sorpresa, entusiasmo o ponderación. 'No conozco mejor negocio. ¡Es *la repaminonda!*' 'Salen unas gachís con unos trapitos que son *la repaminonda*'

REPAMPIMPLÁRSELA (arg.). V. REFANFINFLÁRSELA.

REPANOCHA («La — ») (vulg. o inf.). Expresión con que se califica una cosa que se considera extraordinaria, por buena o por mala, abusiva, etcétera. También, se aplica a personas. 'Tienes unas salidas tronchantes. Eres *la repanocha*.' 'Escribe unas historietas que son *la repanocha*.' 'Dan unas soluciones estos mantas que son *la repanocha*.'

REPATEAR (vulg. o inf.). Fastidiar, molestar o desagradar mucho a alg. una cosa o una persona. v. Dar cien PATADAS. 'Me *repatea* ese aire de superioridad que tiene.' 'Le *repatean* una enormidad los pelotas.' 'Me *repatean* los que dogmatizan al hablar.'

RESBALAR (fig. e inf.). 1.ª) Equivocarse. Cometer un desacierto o una indiscreción. (D.). V. COLARSE. 'Fue el propio director quien pensó lo de tu traslado. ¡Mira por dónde *has resbala(d)o!*' 2.ª) Dejar indiferente, no importar nada. 'La pintura abstracta me *resbala*, ¿sabes?' 'A mucha gente la tele le *resbala*. Conque...'

250

RESPECTIVE (achul.). Novio, -a; esposo, -a. Más frecuente en plural. 'Deberéis venir con vuestros *respectives*.' 'Se pasan la tarde del domingo de bailoteo con sus *respectives*.'

RETIRADA («Tenerla — ») (arg.). Ref. a una mujer, instalarla por cuenta propia en una casa, para vivir amancebado con ella. [T. Retirarla.] 'Meses después de dejar las tablas, compró un apartamento con idea de *tenerla retirada*.'

RETRATARSE (arg. y joc.). Pagar, dar el dinero consabido. 'O *se retrata* o va al juzga(d)o.' 'Lo suyo es que *se retrate* sin necesidad de indirectas.'

REVENTAR (fig.; vulg. o inf.). 1.ª) Fastidiar, molestar o causar un perjuicio a alguien. (D.). 'A mi marido le *revienta* trasnochar.' 'Me *revientan* los cumplidos y las buenas caras.' '¡Nos *han reventa(d)o* con la suspensión del partido!' 2.ª) Morirse. (D.). [T. Dar un reventón.] 'Tanto había sufrido la mujer que estaba deseando *reventar*.' 'Hasta que *reventó*, le estuvieron poniendo inyecciones y más inyecciones.'

REVENTARSE (íd., íd.). Trabajar con mucho esfuerzo o excesivamente. (D.). '*Se revientan* currando para ganar dos gordas.' '*Te revientas* por dejar vistosa la casa y no te sirve de nada.'

REVOLCARSE (vulg.). Refocilarse. Divertirse groseramente un hombre y una mujer. [T. Darse un revolcón [revolcones].] 'Me consta que fueron al campo a *revolcarse*.' 'Es bochornoso que *se revuelquen* en público.'

RICO, -A (vulg.). 1.ª) Apelativo usado en tono achulado o despectivo. '¡Que te lo has creído, *rico*!' 'Oye, *rica*, no quiero líos.' 2.ª) Se dice, obscenamente, de una mujer hermosa o atractiva.

'¡Qué *rica* estás, caramba!' '¡Pero qué *rica* está la vedette!'

RICURA (vulg.). Rico, 1.ª acep. '¡Se te ha acaba(d)o el momio, *ricura!*' '¡Déjame tranquilita, *ricura!*'

RIDI («Hacer el — ») (achul.). Por apócope, hacer el ridículo. 'No me presento, porque para *hacer el ridi...*' 'Tienes ganas de *hacer el ridi*, por lo que se ve.'

RILADO, -A (vulg.). 1.ª) («Estar»). Derrengado o muy cansado. '*Estoy rila(d)o*, te lo juro.' 'Vinieron *rila(d)os* de las pruebas.' 2.ª) («Ser un»). Cobarde, miedoso. 'Ese *es un rila(d)o*, te lo digo yo.' 'El tiempo ha hecho de él *un rila(d)o.*'

RILARSE (vulg.). 1.ª) Derrengarse, agotarse. 'No aguantan el esprín. *Se rilan* mucho antes.' 2.ª) Desistir de un propósito o no cumplir lo prometido o acordado. ◆ Entre chicos, rendirse. '*Os habéis rilao* como unos vulgares cochinos.' '¡*Se ha rilao, se ha rilao*, el equipo colorao...!' 3.ª) Acobardarse, atemorizarse. 'Salió a la calle muy decidido el tío, pero *se riló* y volvió a meterse.' '*Se ha rila(d)o* por lo que le han dicho.'

RIÑÓN («Costar algo un — ») (fig. e inf.). Resultar muy caro en dinero o en cualquier otra cosa con que se paga. (D.). v. Un COJÓN. 'Esa parcela le *habrá costado un riñón.*' 'Le va a *costar un riñón* la cena, ¿no crees?' Tener riñones (inf.). Tener energía, brío, decisión, valor o pocos escrúpulos. (D.). '*Tiene riñones* el viejo, sí.' '¡Se les exige que *tengan riñones* y sanseacabó!'

RIÑONUDO, -A (inf.). Persona fuerte, enérgica, valiente o decidida. v. COJONUDO. 'Son *riñonudos* los vascos en levantamiento de peso, ¿eh?'

'¡Nos hace falta gente *riñonuda,* no mozalbetes!'

RISA («Mearse de — ») (vulg.). Desternillarse, descuajaringarse. (D.). [T. Descojonarse de risa.] 'Viéndoles actuar *me meaba de risa.*' *'Te meas de risa,* si les llegas a ver disfraza(d)os de criadas.'

ROLLAZO (vulg.). Aumentativo de rollo. (v.). '¡Qué *rollazo* fue el certamen!' 'Son un *rollazo* esos dos amigos suyos.'

ROLLISTA (vulg.). 1.ª) Persona mentirosa, chismosa o exagerada. '¿Vais a hacer caso a este *rollista?*' 'Me di cuenta de que era un *rollista,* pero le seguí la corriente.' 2.ª) Persona que cansa o aburre con una conversación. '¡Como te coja por banda el *rollista* ese...!' 'No hubo forma de que me dejara el *rollista* de la puñeta.'

ROLLO (fig.; vulg. o inf.). 1.ª) Conversación, charla o discurso que resulta molesto por su pesadez o monotonía. (D.). ◆ Cuento, historia. Se usa mucho con los verbos soltar, largar, echar o meter. V. COÑAZO. 'Nos *largaron un rollo* de aquí te espero.' 'Les *soltó un rollo* interminable.' 'Le *he metido un rollo.* Que se había muerto un pariente.' 2.ª) Dícese de una cosa o de una persona aburrida o pesada. También, se dice de una mujer fea. V. PESTIÑO. 'La conferencia era un *rollo.* Nos hemos salido antes de que acabara.' '¡No sea usté *rollo,* señor Lumi!' '¡Qué tía más *rollo!*' Dar el rollo a alg. V. ENROLLARSE. ¡Qué rollo más pobre! Usado achuladamente como expresión de burla o desdén respecto de lo que dice alg. '¡Qué *rollo más pobre,* Claudio! ¡Un poquillo variedá!'

ROSCA («Hacer la — a alg.») (inf.). Agasajarle, adularle o lisonjearle para conseguir algo. (D.). [T. Hacer la rosquilla.] V. PELOTA, 2.ª acep. 'Le *hacen la rosca* al profe del modo más rastrero.' 'No me gusta *hacer la rosca*.' No comerse una rosca. I) No hacer o no conseguir nada en un asunto consabido. Suele decirse de un hombre respecto a una mujer. '¡Amos venga! ¡Tú *no te comes* ni *una rosca* con la de azul!' 'Llevaba ya un par de horas que *no me comía una rosca*.' II) No percatarse de lo que dice o hace alg. V. ENTERARSE. '¿Qué te puede decir él, si *no se come una rosca*?'

ROSTRO («Tener — ») (vulg.). V. CARA.

RUBIA (inf.). Moneda de una peseta. [¿T. Rupia?] 'Sacó cuarenta *rubias* de la venta de los papeles.' 'Por ciento ochenta *rubias* merece la pena, oye.'

254

SÁBANA (arg.). Billete de mil pesetas. 'Con cinco *sábanas* vas que chutas.' 'Metió la mano en el bolsillo y sacó un fajo de *sábanas* que no veas.'

SACÁR(SE)LA (arg.). Sacar el pene. 'Dejó entreabierta la puerta del coche y *se la sacó*. ¡Qué ganas de orinar tenía!'

SACO («Dar por — ») (vulg.). v. Dar por CULO.

SACUDIR (fig. e inf.). Dar dinero. 'Le *sacudieron* cincuenta mil calas al momento.' '¡Joder, si te *sacuden* unos cuantos billetes, eso que tienes!'

SALIDO, -A (vulg.). («Estar»). 1.ª) (f.). Se aplica a las hembras de los mamíferos que se muestran en celo. (D.). '¡Pero esta perra siempre *está salida!* 'La mona del zoo *estaba salida*. ¡Qué espectáculo, macho!' 2.ª) Se dice de una persona ardiente, rijosa. V. CACHONDO. 'Me parece que *estás salido*, Juan.' 'En la mirada notó que *estaba salido*.'

SANTÍSIMA («Hacer la — ») (vulg. o inf.). V. PASCUA.

SARASA (inf.). (con art. m.). Hombre afeminado.

255

(D.). V. MARICA. '¡Quién iba a pensar que era un *sarasa!*' 'Por esa parte hay *sarasas* a montones.'

SEDA («Hacer — ») (fig. e inf.). Dormir. 'Su mayor felicidad es *hacer seda*.' '¡Ya estás *haciendo seda*, muchacho!'.

SEMENTAL (fig. y vulg.). Hombre de intenso ardor sexual. V. JODEDOR. 'Le hace mucha gracia que le digan que es un *semental*.' '¡Este Teófilo es un *semental!* ¡Ya tiene cinco chavales!'

SEÑOR (j. prost.). Cliente. 'Dila que la espera un *señor*.' 'Tengo un *señor* que viene dos veces por semana.'

SERIE («De la — D») (arg.). Dícese de un hombre afeminado. V. ACERA. 'Pero tú no sabes lo mejor. Resultó que era uno *de la serie D*.' 'Al pronto y por la forma de gesticular, dices que es *de la serie D*.'

SESERA (inf.). 1.ª) Cerebro. (D.). 'Hay que estrujarse mucho la *sesera* para hacer algo original.' 'Ni siquiera piensas. Llevas la *sesera* de adorno.' 2.ª) Inteligencia. 'Falta que le den una oportunidad, porque *sesera* sí que tiene.' 'Tu chico llegará lejos. Tiene mucha *sesera*.'

SETA (arg.). Órgano genital femenino. 'Se vio obligada a ganarse la vida con la *seta*.' 'Les recomendaría que se lavaran la *seta* con más frecuencia.'

SINDICATO («Casarse por el — (de las prisas)») (vulg. y joc.). Se dice de los que se casan con cierta precipitación, porque la mujer está embarazada. '¡Si supieras cuántos *se casan por el sindicato!*' '¡Es una lástima que se hayan tenido que *casar por el sindicato!*'

SOBACO («Oler a —.de comanche») (vulg. y joc.). Oler a sudor. 'En este ascensor *huele a sobaco*

256

de comanche.' '¡Calla hombre! Que venía a mi lao uno que *olía a sobaco de comanche.'* Pasarse por el sobaco algo. No importarle en absoluto. Burlarse o mostrarse indiferente. V. ENTREPIERNA. 'Las críticas *se las pasa por el sobaco.'* 'Vuestro escrito *se lo pasan por el sobaco.'*

SOBADA (vulg.) («Estar»). Dícese de una mujer fácil o liviana. V. MAGREADA. '¡Anda que no está *sobá* ni ná la niña!' 'Ésa está ya más *sobada* que las pesetas.'

SOBARLA (vulg.). Permitirse un hombre acciones lascivas con una mujer. (¿D?). v. Meterla MANO. '*La sobó* todo lo que quiso.' 'Te digo que *la soba* aun el más cortón.'

SOBARSE (vulg.). v. Darse el FILETE. [T. Darse un sobo.]

SOBÓN, -A (vulg. o inf.). Se aplica, en mal sentido, a la persona que acaricia o toca demasiado a otra. (¿D?). '¿Qué te pasa hoy, que estás tan *sobón?'* '¡Ya está bien, guapa, no seas *sobona!'*

SOCIA (arg.). Meretriz. 'Cuando salí ya me estaba aguardando la *socia.'* 'La había toma(d)o por una *socia.'*

SONADO, -A (fig.; vulg. o inf.). («Estar»). Loco, chiflado. ◆ Locatis o atolondrado. 'Se ve que está *sonao.* ¡Qué bárbaro!' '¡Coño, ni que estuvieras *sonao!'*

¡SOPLA! (vulg. o inf.). Interjección de asombro, admiración o ponderación. (D.). '¡*Sopla*, qué piernas tiene la moza!' '¡*Sopla*, buena orgía habéis prepara(d)o!'

SOPLAMOCOS (inf. o vulg.). Golpe que se da a alg. en la cara, especialmente tocándole en la nariz. (D.). ◆ Cachete o bofetada. 'El abuelo se cabreó

257

17

y le soltó un *soplamocos*.' 'Quieres ganarte un *soplamocos*, está visto.'

SOPLAPOLLAS (vulg.). Hombre engreído, estúpido o ingenuo. [T. Soplapichas.] '¡Que no puede ir en autobús! ¡Es un *soplapollas!*' '¡Cuánto *soplapollas* hay perdido por el mundo!'

SOPLAPOLLEZ (vulg.). Presunción, estupidez o ingenuidad. V. GILIPOLLEZ. 'No deja de ser una *soplapollez* lo que dice.' 'Las armas y las letras siempre fueron juntas. ¡Qué *soplapollez!*'

SOPLAR (fig. e inf.). 1.ª) Hurtar o quitar una cosa a escondidas. (D.). ◆ Obtener de una persona algo con habilidad o engaño. V. BIRLAR. 'Le *soplaron* del coche un muestrario de relojes.' 'Me *han sopla(d)o* veinte pavos por una docena de claveles.' '¡Que me *hayan sopla(d)o* el jersey! 2.ª) Beber mucho. (D.). '¡La puñeta, cómo *sopla* el viejo!' 'A pesar de estar recién opera(d)o, *sopla* que es un contento.' 3.ª) (arg.). Tener suficiente energía sexual. 'En vista de que su marido ya no *sopla*, se entiende con uno.' 'Roza los sesenta, pero *sopla* todavía el tío.' 4.ª) (arg.). Practicar el coito. ◆ Fornicar. 'Aún puedo *soplar*, no crea usté.' 'De vez en cuando se pasa por aquí a *soplar*.'

SOPLÁRSELA (arg.). 1.ª) Poseer sexualmente a una mujer. 'Se la *sopló* en el hotel, sin esperar a más.' '¿Por qué crees que se alejó de nosotros? Para *soplársela* en la playa.' 2.ª) (no frec.). Masturbarse un hombre. 'Se la *soplaba* más que un mico el condenao.' 'Se la *sopla* que es una cosa mala.'

SORCHI (inf. o vulg.). Soldado, recluta. (D.). [T. Sorche, Chorchi.] '¿Sigue saliendo con el *sorchi?*' 'La han echa(d)o piropos unos *sorchis*.'

258

TABLA (arg.). Homosexual. 'El dueño de la tienda es un *tabla*. ¡No hay más que verle!'

TACHINES (vulg.). Pies de una persona. '¡Qué peste echaban sus *tachines!*' '¡Si le jumearán los *tachines* que a su la(d)o no paras ni un minuto!'

TAJADA (fig. y vulg.). Borrachera. (D.). '¡Se agarra unas *tajadas* el yerno...!' 'Cada vez que coge una *tajada* le da por insultar a la gente.' Sacar tajada. v. Darse el FILETE.

TALEGA (arg.). Escroto o testículos. 'Le has tira(d)o, sin querer, un pellizco en la *talega*.'

TAPACOJONES (vulg.). Taparrabos. 'Me he quedao el *tapacojones* en los vestuarios.' 'Es la mínima expresión de un *tapacojones*.'

TARADO, -A (vulg. o inf.) (adj. y n. cal.). Loco, perturbado. (¿D?). 'No puede uno vivir tranquilo con él. Es un *tarao*.' '¡Qué cosas se te ocurren! ¡Estás *tarao!*'

TARARÍ (vulg.). 1.ª) («Estar»). Loco, chiflado. 'Déjale y vámonos, que *está tararí*.' '*Está* algo *ta-*

259

rarí, de resultas de la caída.' 2.ª) Usado como interjección de negación, rechazo, burla, incredulidad o desconfianza. [T. ¡Tararí que te vi!] 'Acompáñame hasta la parada. — *¡Tararí!'* 'Te lo entregaría mañana mismo. — *¡Tararí!'* '¿Qué te va a que pierdes el culo, apenas te llame? — *¡Tararí!'*

TATO («El — ») (inf. o vulg.). Usado como término de comparación de sentido ponderativo. 'No es ningún secreto. Lo sabe hasta *el tato.'* 'Chico, das más lástima que *el tato.'*

TEJO (arg.). Duro. Moneda de cinco pesetas. 'Te habrán da(d)o un *tejo* de vuelta, ¿no?' 'Para las treinta me falta un *tejo.'*

TELA (arg.). Dinero. (D.). 'Has de sacar un montón de *tela* con ese invento.' '¡Anda, leche! ¡Pues pídele *tela* al viejo!'

TENERLO (arg.). Experimentar la eyaculación o el orgasmo. 'Ustedes procuren *tenerlo* al mismo tiempo.' 'En el año que lleva de casada no *lo ha tenido.'*

TENERLOS (vulg.). v. Tener COJONES.

TESTICULAMEN (vulg. o inf.; joc.). Testículos grandes. 'Se quedaron mirando el *testiculamen* del gachó del cuadro.' '¡Haberle agarra(d)o bien del *testiculamen*, cuando te estaba apretando la nuez!'

TETA (vulg.). 1.ª) (adj.). («Estar»). Extraordinario, formidable. [T. De teta de novicia.] 'La fabada *estaba teta.' 'Están teta* los canapés que has hecho, ¿eh?' 'Así te pasas una vida *teta.'* Estar mejor que teta de novicia. Se dice, obscenamente, de una mujer guapa o atractiva. También, de algo muy bueno. 'La morena *está mejor que teta de novicia.'* 'El cóctel que preparó *es-*

taba mejor que teta de novicia.' 2.ª) (pl.). Pecho de una mujer. 'Era un bikini tan reducido que llevaba las *tetas* fuera.' '¡Échale, qué *tetas* tiene la tipa!'

TETAMEN (vulg. y joc.). Senos exuberantes. 'La modelo tenía un *tetamen* de impresión.' 'En esas playas, me han dicho, muchas tías van con todo el *tetamen* colgando.'

TETAZAS (vulg.). Tetamen. [T. Tetorras.] '¡Qué dos hermosas *tetazas* asomaba la protagonista!' 'Tetazas así se consiguen a base de hormonas.'

TETUDA (vulg.). Mujer de pecho muy desarrollado. [T. Tetona.] (D.). 'Al cabo de un rato te cansas de ver tanta tía *tetuda.'* 'Es *tetuda* de verdá. No le caben en el sostén.'

TIAZO, -A (inf. o vulg.). Aumentativo de tío (v.), aplicado admirativamente a alguien. 'Me abrió la puerta un *tiazo* enorme.' 'Tampoco es bueno demasiada natación. Las convierte en *tiazos.'*

TIERRA («En toda — de garbanzos») (inf.). En todas partes, en cualquier sitio. Suele emplearse para reforzar una idea o afirmación. (D.). 'Eso es dar coba, *en toda tierra de garbanzos.'* '¡Treinta y ocho es fiebre *en toda tierra de garbanzos!'*

TIESA («Ponérsele [Tenerla] — ») (obsc.). Tener el pene erecto. Estar un hombre excitado sexualmente. *'Se le pone tiesa* nada más verla.' 'Esto mío, de *tenerla* casi siempre *tiesa,* debe de ser una enfermedad.'

TIGRE («Oler a — ») (fig. y vulg.). Oler a sudor. *'Olía* un horror *a tigre* en el gimnasio.' 'No hay quien entre en la clase. *Huele a tigre* que tira para atrás.'

261

TÍO, -A (vulg. o inf.). 1.ª) Se emplea para designar despectivamente a una persona o como calificativo insultante. En femenino puede tener, a veces, matiz peyorativo equivalente a mujerzuela o pelandusca. (D.). V. GACHÓ. '¿Qué te decía el *tío* ese?' '¡Menuda lengua tiene la *tía*!' '¡Será descara(d)o el *tío*!' 'Una de las *tías* le preguntó si estaba casa(d)o.' 2.ª) Usado en sentido ponderativo o de admiración (D.), o como apelativo amistoso o afectuoso. [T. en m., Tío grande.] V. MACHO, GACHÍ. 'Estaba piropeando a las *tías*.' '¿Os habéis fija(d)o qué *tía*, esa que cruza?' 'Él solito empujó el coche hasta la gasolinera. ¡Qué *tío*!' '¡Así me gusta que contestes! ¡Eres un *tío*!' '¡Qué bien maneja la chenga el *tío*!' 3.ª) Tía buena (vulg.). Expresión usada como apelativo o requiebro a una mujer guapa o atractiva. [T. Tía pulpo.] '¡Cántala otra vez, *tía buena*!' '¡Qué cantidad de *tías buenas* han venido!' Cuéntaselo a tu tía (inf.). Expr. de incredulidad respecto de algo dicho por la persona a quien se dirige. (D.). 'A las cinco estaba yo en la glorieta. — ¡Eso *cuéntaselo a tu tía*!' No hay tu tía (inf.). Locución con que se señala la imposibilidad de hacer o lograr una cosa. (D.). 'Si hubieras traído rueda de repuesto, tal vez. Pero así, *no hay tu tía*.' Su tía. Us. como término de referencia o comparación en frases que denotan enfado. '¡Pues hoy va a fregar *su tía*!' '¡Como no lo haga *su tía*...!' ¡Su tía! Interjección de asombro, sorpresa, extrañeza, fastidio o enfado. '¡Vaya paliza nos han da(d)o, *su tía*!' '¡Qué cambiazo pegaron, *su tía*!' '¡*Su tía*, qué broche más precioso!' ¡Tu tía, la gorda! Expresión usada para manifestar negación,

262

rechazo o incredulidad. 'Creíamos que nos ibas a convidar. — ¡Sí, *tu tía la gorda!* Un tío (grande), Un tío con toda la barba. Expresiones informales de admiración hacia un hombre. 'Por fin te saliste con la tuya. ¡Eres *un tío grande!*' 'Ya es *un tío con toda la barba.* Déjale que alterne.'

TIPAZO (inf.) (n. cal.). Se aplica a una persona alta y arrogante. 'Todo el mundo se volvía a mirarla. ¡Qué *tipazo!*' 'Su padre es un *tipazo.*'

TIPO, -A (inf.). v. TÍO, 1.ª acep. (D.). (En f. tiene sentido peyorativo, equivalente a mujerzuela o mujer despreciable por cualquier concepto.)

TIRA («La — ») (vulg.). Usado como locución adjetiva con el significado de mucho. 'Tiene *la tira* de cromos el danzante.' 'De monedas antiguas había *la tira.*' 'Os queda aún *la tira* de tiempo.'

TIRADO, -A (inf.). 1.ª) («Estar»). Se dice de las cosas que se hacen sin dificultad o que se consiguen fácilmente. (¿D?). 'Para él, el combate *está tira(d)o*' 'Estaban *tira(d)os* los ejercicios.' 2.ª) (f.) («Ser una»). Mujerzuela o prostituta. (D.). '¡Qué vergüenza que hayas salido una *tirada!*' 'La ambición hizo de ella una *tirada.*'

TIRARSE (vulg.). Se dice de una mujer que fornica. 'Esa que está charlando tan animadamente con el camarero, esa sí que *se tira.*' 'Se tiran con el primero que se lo pide.'

TIRÁRSELA (vulg.). Ref. a una mujer, poseerla sexualmente. 'A pesar de su carita de niña decente y tal, pero *se la han tira(d)o* un par de veces.' '*Se la tiró* un día que fueron a la sierra.'

TIRO («Ponerse a — ») (fig. y vulg.). Ref. a una mujer, ofrecerse sexualmente. [T. Ponerse a huevo.] 'Decía que a él *se le habían puesto* mu-

263

chas *a tiro*. ¡Fantasmón!' *'Se le puso a tiro* y la despachó.'

TOCÁRSELA (vulg.). 1.ª) Masturbarse un hombre. 'A sus treinta y pico años, *se la sigue tocando* el payo.' 2.ª) Estar alg. sin trabajar o no hacer nada del trabajo que tiene obligación de hacer. v. Estar tocándose el BOLO. '¡Anda ya, que *se la tocan* las veinticuatro horas del día!'

TOCATEJA («A — ») (inf.). Entregando en el acto el dinero de que se trata. (D.). 'Dieron las cien mil *a tocateja*.' 'Pagaron el chalé *a tocateja*.'

TOCÓN, -A (inf.). Dícese de la persona que gusta de tocar o manosear mucho. Particularmente, lo dicen las mujeres del hombre que intenta propasarse. v. SOBÓN. '¡Nos ha resulta(d)o *tocón* el mocito!' '¡Qué hombre más *tocón* este Josechu!'

TODO («Llegar a — ») (arg.). (no frec.). Fornicar. 'No me preguntes cómo fue. El caso es que *llegamos a todo*.' 'Eso de que *llegaron a todo* no se lo cree ni él.'

TOLE («Coger el — ») (inf.). Marcharse de un sitio, generalmente con precipitación. Suele usarse con redundancia. (D. Tomar el tole.) '¡Como me canséis *cojo el tole* y me largo!' 'No seas tonto y *coge el tole*, que será mejor.'

TOMANTE (arg.). Homosexual pasivo. v. MAHOMA. 'En resumen, que el *tomante* se quedó con un palmo de narices.' '¿No dicen que la mayoría de los *tomantes* son unos masoquistas?'

TOMAR (vulg.). En las expresiones interjectivas ¡Toma, castaña!, ¡Toma del frasco, Carrasco!, ¡Toma Jeroma, pastillas de goma!, etc., usadas para poner énfasis en algo sorprendente, oportuno, agudo o picante, dicho con intención de

264

mortificar o dejar confundida a una persona. 'Se las daba de farruco. ¡*Toma, castaña!*'

TONTO, -A. 1.ª) (vulg.). Se usa como insulto violento, acompañado de términos despectivos: tonto del culo, tonta de las narices, tonto de los cojones, etc. 'Se le ha olvida(d)o el número al *tonto de los cojones.*' '¡Dejarse engañar el *tonto del culo* este!' Ser más tonto que hecho de encargo. v. PICHOTE. 2.ª) (arg.) (m.). Órgano genital femenino. 'No se paran a pensar que peligra el *tonto.*' '¿Has oído tú el término centro de gravedad, aplicado al *tonto?*'

TOÑA (vulg.). 1.ª) Golpe o trastazo. ◆ Patada (particularmente, en la espinilla). 'Tropezó con el pie de José y se pegó una *toña* fenomenal.' 'Cuando iba a tirar a puerta, le dieron una *toña.*' 2.ª) Borrachera. 'No te quedas a gusto, hasta que no cojas la *toña.*' '¡Jobar, pilló una *toña* de aúpa!'

TOÑAZO (vulg.). Aumentativo de toña, 1.ª acep.

TORRADO, -A (vulg.). 1.ª) («Estar, Quedarse»). Dormido. 'Después de comer *se queda torra(d)o* de todas todas.' 'Estaba echa(d)o sobre el sofá, *torrao.*' 2.ª) (n.) (con art. m.). Cabeza. 'Ponte algo en el *torra(d)o,* que calienta mucho el sol.' 'No tiene tanto *torra(d)o* como dices.'

TORRAR (arg.). Robar o hurtar algo. 'La *han torra(d)o* el monedero.' 'La gente es la releche. ¡Pues no le *han torra(d)o* la pierna ortopédica!'

TORRARSE (vulg.). Dormirse. 'No les dejes sentarse, que *se torran.*' 'No tardó ni dos minutos en *torrarse.*'

TORTA (fig. y vulg.). 1.ª) Bofetada o cachete. (D.). 'Ella se volvió y le pegó una *torta*' '¡Escapa(d)o le da un par de *tortas!*' 2.ª) Golpe, trastazo. 'Se

265

dio una *torta*, montando en bici.' 'Por no atropellar un perro, se pegaron la *torta*.' 3.ª) Borrachera. 'Con la *torta* que lleva encima no puede dar un paso.' 'Agarraron una *torta* de órdago.' Estar con la torta. Estar distraído o atolondrado. '¡Venga, Mariano, espabílate, que *estás con la torta!*' '¡Está con la torta el aprendiz de camarero este!' La torta. Se usa ponderativamente como locución adjetiva, equivalente a mucho. 'Hemos vendido cantidad de ellos, pero aún nos quedan *la torta*.' '¿Vinieron muchas a verte? — ¡Huy, *la torta!*' Ni torta. Nada en absoluto. Us. genrlm. con verbos de entendimiento. 'No entendísteis *ni torta* de lo que os dije.' 'Se oye fatal, hija. No te entiendo *ni torta*.'

TORTAZO (vulg.). Aumentativo de torta, 1.ª y 2.ª acep. (D. Sólo ref. a 1.ª acep.) '¡Quita, hombre, que le voy a arrear un *tortazo!*' 'Se han da(d)o el *tortazo* padre con la motocicleta.'

TORTILLERA (vulg.). Lesbiana. Mujer aficionada a las de su sexo. 'En esos cafetuchos del puerto hay maricas, *tortilleras* y toda la pesca.' '¿Y salió con vosotras esa *tortillera?*'

TRABAJARLAS (vulg.). Ref. a mujeres, insistir o perseverar con el fin de conquistarlas o seducirlas. [T. Trajinarlas.] 'No tienes ni idea, chaval. Te he dicho mil veces que hay que *trabajarlas*.' '¿Cómo quieres que se vuelvan cariñosas si no *las trabajas?*'

TRABUCO (vulg.). Miembro viril. '¡No nos andemos con puñetas! ¡Al aparato, *trabuco!*' 'Que salen de los bailes los tíos con el *trabuco...*'

TRACATRÁ (vulg.). 1.ª) Exclamación de negación, rechazo, burla o incredulidad. '¡Que se ha lleva(d)o tu coche la grúa, Paco! —*¡Tracatrá!*'

266

'¿Me prestas la corbata? —¡*Tracatrá!*' 2.ª) Expresión con que se alude al coito. 'La chavala se le puso a tiro y él, *tracatrá*.'

TRAGAR (vulg.). Ref. a una mujer, ser fácil o tolerante en cuanto a moral sexual. 'Por lo visto esa *traga* a más y mejor.' 'No es precisamente de las que *tragan*.'

TRAGONA (vulg.). Dícese de una mujer que accede fácilmente a las solicitaciones masculinas. 'Sí, ya sé que es una *tragona* de miedo.' 'Me lo encontré con una *tragona* en la fila de los mancos.'

TRANCA (arg.). Pene. [T. Tronca.] 'Es un calavera. No puede estar sin mover la *tranca*.'

TRANQUILO («¡Tú, —!») (vulg. o inf.). Expresión (convertida en tópico) usada en tono achulado o jocoso para recomendar calma, tranquilidad o paciencia a una persona. '¡*Tú, tranquilo*, Mauricio!' '!*Tú, tranquilo*, hombre! ¡No te acirules!'

TRAPO (fig. e inf.). Velocidad. '¡Qué *trapo* lleva el tío!' 'Pasó por aquí a un *trapo* que casi no se le veía.' A todo trapo. A toda velocidad. 'Me llevó *a todo trapo* a la estación.' 'Ahora he de ir *a todo trapo*, por el maldito embotellamiento.'

TREN («Estar como un —») (vulg.). Aplícase a una persona para ponderar su belleza, atractivo o buen tipo. '¡*Está como un tren* la morena!' 'El mayor, sobre todo, *está como un tren*.'

TRIGO (fig. e inf.). Dinero o bienes de una persona. (D.). 'Y traducido a *trigo*, ¿cuánto supone?' '¡Vengo en busca del *trigo*, elementos!'

TRINCAR (vulg. o inf.). 1.ª) Apresar o coger a alguien. (¿D?) 'Al día siguiente lo *trincó* la se-

267

creta.' 'Les *han trinca(d)o* en un tiempo record.' 2.ª) Hurtar o robar una cosa. (D.). ◆ Echar mano a algo. *'Habían trinca(d)o* muchos discos en la tienda.' 'Entonces *trincó* un garrote y le amenazó.'

TRINCARSE (vulg.). Tomar alguna bebida alcohólica, generalmente con exceso. (D.). 'Se *trincó* media botella de ron.' '¡Ni hablar! ¡Que *se trincan* el coñac y nos dejan al verlas!'

TRINCÁRSELA (vulg.). Ref. a una mujer, poseerla sexualmente. 'A fin de cuentas, *se la trincó* porque ella le dio pie.' 'Eso es que intentó *trincársela* y ella se resistió. Más claro que el agua.'

TRIPA («Con —») (vulg.) («Estar; Dejarla»). Se dice de una mujer embarazada. (¿D?). '¡Ya *está* otra vez *con tripa!*' 'El fulano negó *haberla deja(d)o con tripa.*'

TRIPEAR (vulg. o inf.). Comer, particularmente de modo excesivo. '¡Qué aburrido eres! Sólo piensas en *tripear.*' 'Mira, que se pone a *tripear*, y esto y lo otro y así.'

TRIPERO, -A (vulg.). Persona comilona. 'Todos los míos son *triperos.*' 'Me he da(d)o cuenta que eres un rato *tripero.*'

TROMPA (fig. e inf.). 1.ª) Jocosamente, nariz muy grande. '¡No metas la *trompa* en las natillas!' 2.ª) Borrachera. 'Nos pillamos una *trompa* de cuidao.'

TRONCO (vulg.). 1.ª) Miembro viril. [T. Troncho.] '¡Jo, hay la tira de expresiones para llamar al *tronco!*' 2.ª) Úsase como apelativo achulado entre amigos. v. CHELI. 'Bájate de la burra, *tronco.*' '¡Eres un suertudo, *tronco!*'

TURURÚ (vulg.). 1.ª) («Estar»). Loco, perturbado.

'Parece mentira que no os hayáis da(d)o cuenta. *Está tururú.*' 'Estos de la pintura *están tururú.*' 2.ª) Se emplea como interj. de negación, rechazo, burla, incredulidad o desconfianza. 'A los de la G les ha toca(d)o a África. —*¡Tururú!*' 'Han llama(d)o de la oficina. Que estés mañana sin falta. —*¡Tururú!*' 'En el anuncio dice que ganarán cuarenta mil pesetas demostrables. —*¡Tururú!*'

VACILA («Ser un —») (vulg.). v. VACILÓN.

VACILAR («con») (vulg.). 1.ª) Burlarse de alguien, particularmente empleando labia. 'Vacilamos con las dependientas como queremos.' 'Diego vacila con las chicas que da gusto.' 2.ª) Molestar o aburrir a una persona, hablándole de cosas baladíes o que no le interesan. [T. Vacilar con diez de higos [pipas]]. 'Dile que no vacile contigo, que no es tu santo.' '¡Hombre, ya está bien! No vaciles con el chico.'

VACILE (vulg.). 1.ª) Acción de vacilar. 'Se le da de hongos el vacile.' 'Te diré algo que te va a quitar las ganas de vacile.' 2.ª) Conversación burlona, jocosa o irónica. [T. Vacilada.] 'Perdona, pero no estoy para vaciles.' 'No deberían admitir estos vaciles en la tele.' Estar de vacile. Vacilar. 'Viene muy cambia(d)o. Estuvo de vacile con las mecanógrafas.' '¿Se nota que estamos de vacile?'

VACILÓN, -A (vulg.). Se dice de una persona que

271

«vacila». '¡Joroba! ¡Como se ha hecho tan *vacilón*, no sé si lo dice en serio!' 'Te advierto que es un *vacilón* de pánico.' Estar [Ponerse] vacilón. Vacilar. 'Viendo que el periodista *estaba vacilón*, decidí seguir el cachondeo.'

VENDER (achul.). v. ANUNCIAR.

VENIR (vulg.). En la expr. interj. ¡Venga ya!, con que se desdeña o rechaza lo que dice alg. o se muestra burla o incredulidad. v. AMOS. 'Creo que podíamos esperar un poco más. —*¡Venga ya!*' 'Parecía arrepentido de lo que había hecho. —*¡Venga ya!*'

VENIRLE (arg.). Experimentar el goce sexual. 'A ella *le viene* con mucho retraso.' 'De lo que se trata es de que *le venga* en el momento preciso.'

VENTILÁRSELA (vulg.). Ref. a una mujer, poseerla sexualmente. '¡Que *se la ventiló*, se pone! Dime de qué alardeas y te diré de qué careces!' '¡Muy confia(d)o está en que *se la va a ventilar!*'

VER (vulg.). En la expresión Que no vea[s], usada para ponderar o realzar algo. 'Luego le entra un sueño *que no veas*.' 'Y se lleva una alegría *que no vea*.'

VERDE (inf. o vulg.). (n.). Billete de mil pesetas. [T. Verderón.]. 'Nos resolvían la papeleta unos cuantos *verdes*.' 'Abrió un sobre y sacó diez de los *verdes*.' Darse un verde. v. Darse el FILETE.

VERGA (arg.). Pene. (¿D?). 'Ha castiga(d)o mucho con la *verga* el amigo.'

VERGAJO (arg.). Miembro viril. 'Hace un montón de tiempo que no uso el *vergajo*.' Dar un vergajo. Practicar el coito. ◆ Fornicar. 'Se marchó cabrea(d)o de casa de sus suegros, porque no

272

podía *dar un vergajo.*' 'Se habrán ido a *dar un vergajo* por ahí.'

VESTIR (inf. o vulg.). v. FARDAR, 1.ª acep.

VIAJE (vulg.) («Dar un»). 1.ª) Golpe, empujón o embestida. 'Al salir del fútbol uno le *dio un viaje* que...' 2.ª) Puñalada. (D.). 'Durante la riña, el rubio sacó una navaja y le *dio un viaje* al matón.'

VIDA (vulg.). Usado en tono achulado como apelativo o requiebro a una mujer. '¡Que palmito y qué garbo tienes, *vida!*' '¡Oye, *vida,* no te me pongas moños!' Contar la vida a alg. Molestarle o aburrirle con una conversación trivial o sobre cosas que no le interesan o atañen. Se usa en frase negativa, interrogativo-negativa o de sentido irónico. '*No me cuentes tu vida,* que todos tenemos problemas.' '*¿Por qué no me cuentas tu vida,* salao?' 'Anda, *cuéntame tu vida,* que será muy triste.' La gran vida («Darse; Pegarse») (vulg.). Extraordinariamente buena vida (con comodidades y regalo y sin trabajar o trabajando muy poco). [T. Darse la vida padre, D. la vidorra, D. vida de canónigo.] (D.). 'Con varios milloncetes sí que podemos *pegarnos la gran vida.*' 'Trabajan dos o tres horas y *se dan la gran vida.*'

VIRGO (vulg.). Himen. ◆ Virginidad. (D.). 'Perdió el *virgo* antes de cumplir los dieciséis.' 'Del *virgo* no le queda más que el recuerdo.'

VIRGUERÍA (vulg.). 1.ª) Filigrana, fililí. Adorno, detalle o cosa que sorprende por bonita o por estar hecha con primor. 'Me enseñaron un mechero que era una *virguería.*' '¡Qué *virguerías* salieron a subasta, chico!' 'En lo que toca a espadas y sables, tiene verdaderas *virguerías.*'

273

18

2.ª) Pejiguera o chinchorrería. Detalle o refinamiento añadido a una cosa, que se considera exagerado o molesto. ◆ Futilidad, algo de escasa importancia. 'A su maestro le gusta ver muchas grecas y *virguerías* en los cuadernos.' 'Los trajes de luces son pesa(d)os de hacer, porque llevan demasiada *virguería*.' Hacer virguerías («con»). Tener una persona habilidad suficiente para hacer lo que quiere con algo. ◆ Conocer y saber utilizar cierta cosa aprendida. 'Hay conductores que *hacen virguerías con* el volante.' 'Este escritor que te digo *hace virguerías con* la pluma.' '*Hacía virguerías con* la moto, por ciudad o por carretera.'

VIRGUERO, -A (vulg.). 1.ª) Bonito, primoroso; magnífico, estupendo. 'Se compró en el Japón un tomavistas *virguero*.' 'Ese señor siempre le hace unos regalos *virgueros*.' 'Diseñando es un tío *virguero*, te lo prometo.' 2.ª) Elegante, bien vestido. 'Va *virguero* a todos la(d)os, aunque sea más feo que Picio.' 'Hoy día lo que cuenta es ir *virguero*, desengáñate.'

VISTA («Darse una ración de —») (vulg.). Mirar atentamente y con complacencia o sensualidad determinadas partes del cuerpo de una mujer. '¡Buena *ración de vista te habrás da(d)o* en la elección de misses!' '¡Jo, qué *ración de vista nos dimos* con el estriptis aquel!'

VOLTIO («Darse un —») (arg.). Achuladamente, darse una vuelta, pasear. '¿*Nos damos un voltio* hasta la hora de cenar?' 'Voy a *darme un voltio* por la Gran Vía.'

274

ZORRA (vulg.). 1.ª) Prostituta. (D.). 'Hizo de ella una *zorra*, pero de las caras.' 'Se levantó las faldas la *zorra* y se puso a bailar unas sevillanas.' 2.ª) Aplicado a una mujer como insulto grave y violento. '¡Dime qué cantidad te dio él, cacho *zorra!*' '¡Una *zorra!*, eso es lo que tú eres.' 3.ª) Se emplea, a veces, sin valor conceptual o en sentido despectivo. 'No tenéis ni *zorra* idea de lo que esto significa para ellos.' '¡Toda la *zorra* noche que estuvo sonando el teléfono!'

ZORRILLA (vulg.). Mujer fácil o libertina. '¿Vas a decirme acaso que no es *zorrilla?*' '¡Bien engaña(d)os que tiene a los padres la *zorrilla* esa!'

ZORRONA (vulg.). Aumentativo de zorra, 1.ª y 2.ª acep. [T. Zorrupia.] 'Citó a la vez a dos tíos la *zorrona*. ¡Vaya ocurrencia!' 'Se me puso en jarras la tía *zorrona*, en plan agresivo.'

ZUMBÁRSELA (vulg.). 1.ª) Ref. a una mujer, poseerla sexualmente. 'Entraron a saco en el poblado y *se zumbaron* a unas cuantas.' '*Se la zumbó* un hombre madurito, que a ella le gustaba mucho. ¿Te acuerdas?' 2.ª) Masturbarse un hombre. 'De vez en cuando *se la zumbaba* en el sobrao.' 'Incluso *se la zumbaban* en grupo.'

ZUPO (arg.). Pene. [¿T. Zumbo?] 'Entonces, pocos extras puedes permitirte con el *zupo*.'

ZURCIR (vulg.). En la expresión interjectiva ¡Que te [le, etc.] zurzan!, usada para desentenderse con enfado de alguien o de lo que dice o pretende. '*¡Que le zurzan* al cateto, qué coño!' '¿Sabes lo que te digo, majo? *¡Que te zurzan!*'

ZURI («Darse el —») (achul.). Irse o escaparse. v. PIRARSE. '*¡Date el zuri*, chavea, si no quieres que te avíe!' 'Que *se dé el zuri* cuanto antes, dile.'

DISTRIBUCIÓN POR CAMPOS SEMÁNTICOS

PARTES ANATÓMICAS
DEL CUERPO HUMANO

CABEZA

AZOTEA, CHIMENEA, CHIRIMOYA, *chola* [cholla], COCO, CRISMA, *melón* [meloncio], MOCHA, MOLONDRA, PELOTA, PEPINO, TORRADO.

(afines)

ACHANTARSE, ANORMAL, no estar bien de la *azotea*, *berzas* [berzotas], BESTIA, estar hecho un *bestia*, ser una mala *bestia*, como una *cabra*, *cachondo, -a* mental, CAPULLO, CASTAÑA, como un *cencerro*, CHALADO, -A, CHALUPA, como una *chiva*, CHOLA, CHORIZO, como una *chota*, CIPOTE, COGORZA, metérsele [ponérsele] en los *cojones*, CORNAMENTA, CORNUDO, CORNÚPETA, ir de *cráneo*, romper[se] la *crisma*, ponerle los *cuernos*, romperse los *cuernos*, CURDA, ENCORNUDAR, ESCORNARSE, ser [estar hecho] un *fiera*, adornarle la *frente*, pegar la *gorra* [poner el gorro], *gui-llado, -a* [guilloti], GUILLARSE, LANAS, tener más *lanas* que el borrego del Tercio, *majara* [ma-jareta], MELOPEA, chorreo [diarrea] *mental*, masturbarse la *mente*, cogerla *meona*, MERLU-ZA, MIERDA, MOCHALES, MOLLERA, estar hasta el *moño*, metérsele en las *narices*, hincar el *pico*, PIRADO, -A, PONÉRSELOS, como una *regadera*, SE-SERA, SONADO, -A, TAJADA, TARADO, -A, TARARÍ, TO-ÑA, TORTA, TROMPA, TURURÚ.

ABORTO, ACHANTADO, -A, *achantamiento* [achante], ACHANTAR[SE], ACOJONACIÓN, ACOJONADO, -A, ACOJONAMIENTO, ACOJONAR[SE], *acojono* [acojone], ACOQUINAMIENTO, ACOQUINAR[SE], AGALLAS, de buen *año*, APROVECHARSE, ARREAR, *bandera* [de bandera], aplaudir el *belfo*, BESTIAL, BIENHECHO, -A, chupar del *bote*, hecho una *braga*, ligar *bronce*, estar *buena* [buenaza, buenona, buenorra], tía *buena*, hecho una *caca*, CALENTAR, *callo* [callicida], como un *camión*, *canear* [canear el morro], CANUTO, -A, CAÑÓN, echarle [tener] *cara*, echarse a la *cara*, partir la *cara* [romper [aplaudir] la cara], que te puedes echar a la *cara*, tener la *cara* más dura que el cemento arma(d)o, tener más *cara* que un buey con flemones [que un elefante con paperas; que un saco de perras chicas], CARADURA, tener la *caraja*, CARAPIJO, CAROTA, CASTAÑA, CATE, CHAFADO, -A, CHAFAR, CHUFA, CHULANGA, CHULETA, *chulo* [chulo (de) putas], CHUPÓN, -A, CHUPÓPTERO, -A, COJINES, COJONES, COJONUDO, -A, COLADURA, COLARSE, COMERLA, CORTE, más feo que el *culo* de una mona, DESPAMPANANTE, ENGENDRO, ESCULPIDA, ¡está para hacerle un *favor!*, FENOMENAL, FENÓMENO, -A, FETO, GALLETA, GAMBA, no dar (ni) *golpe*, GUARRA, HÍGADOS, HOSTIA, *hostiar* [inflar a hostias], *hostiazo* [hostión], HUEVOS, JACA, JAMÓN, JETA, JETAZO, JETUDO, -A, JODIDO, -A, JOROBADO, -A, LACHA, LANZADO, -A, LECHE, MACIZA, ¡viva [bendita sea] la *madre* que te [le, etc.] parió!, MALHECHO, -A, MAMAR, MAMÓN, -A, MAMONAZO, -A, MANDANGA, MANGANTE, MANGURRINA, dar una media *mangurrina,* meterla *mano,* ¡las *manos* quietas (que van al pan)!, MELE, hecho una *mierda,* MONUMENTO, más *negro* que los cojones de un grillo, ¡está[s] para una *noche!,* ¡qué *noche* tiene[s]!, quedarse *nota,* metedura de *pata,* meter la *pata,* PECHUGÓN, -A, PESTIÑO, PIPA, PLANCHA, PLANCHAZO, tía *pulpo,* ¡está[s] como *quiere[s]!,* RE[D]AÑOS, estar *rica,* RIÑONES, ROLLAZO, ROLLO, ROSTRO, echarle [tener] *rostro,* SOPLAMOCOS, estar mejor que *teta* de novicia, TÍO, -A, TIPAZO, TORTA, TORTAZO, como un *tren.*

NARIZ (afines)

ALBONDIGUILLAS, olerse el *cabrito*, CACA, CAGADA, CAGARRUTA, CATALINA, CHORIZO, CUESCO, que *echa* [tira] para atrás, tener el *fuelle* flojo, GAPO, GARGAJO, IRSE, JUMEARLE, JUMILLO, LAPO, MANGURRINA, MIERDA, canear el *morro*, ¡NARICES!, dar en las *narices*, de *narices* [de tres pares de narices], estar hasta las *narices*, hinchársele las *narices*, meter las *narices*, metérsele en las *narices*, ni *narices*, ¡ni qué *narices!*, por *narices*, ¡qué *narices!*, ¿qué *narices...?*, romper[se] las *narices*, salirle de las *narices*, ¡tiene *narices* la cosa! [¡manda narices!], tocarse [estar tocándose] las *narices*, ¡tócate las *narices!*, ¡unas *narices!* [¡por las narices!], NARIZOTAS, NA(R)PIAS, ÑORDA, *pederse* [peerse], PEDORRERA, PLASTA, POLLO, PORRA, oler a *quesos*, oler a *sobaco* de comanche, SOPLAMOCOS, TACHINES, oler a *tigre*.

283

ACHANTAR[SE], darse el *banquete*, BEBERCIO, aplaudir el *belfo*, partir la *boca*, BOCAZAS, BOCERAS, ponerse las *botas*, chupar del *bote*, BUSA, CAGARLA, CAMELAR, CAMELO, parar el *carro* [¡alto el carro!], CASCAR, *chamullar* [chamullar caló], echar un *charla(d)o*, *chivarse* [chivatearse], *chivatazo* [chivatada], CHIVATO, -A, CHUPARSE, CHUPÁRSELA, ¡me la *chupa*[s]!, ¡y luego me la *chupa*[s]!, CHUPÓN, -A, CHUPÓPTERO, -A, chuparle un *cojón* [los cojones], meterse la lengua en los *cojones*, COLADURA, COLARSE, escupir por el *colmillo*, COMERLA, CORTE, CORTÓN, -A, hablar en *cristiano*, echar la *cremallera*, darse una *culada*, lamer el *culo*, meterse la lengua en el *culo*, meter el *cuezo*, DESEMBUCHAR, ENROLLARSE, FORRARSE, ¡chupa [toma] del *frasco*, Carrasco!, GAPO, GARGAJO, GORRÓN, -A, GORRONEAR, *gorronería* [gorroneo], GUSA, pasar [tener] *hambre*, HAMBRIENTO, -A, hacer un pan como unas *hostias*, *inflapollas* [inflagaitas], JALAR, JALUFA, JAMAR[SE], JETA, JETUDO, -A, JINDAR[SE], escupir de medio *lado*, LAMECULOS, LANZADO, LAPO, darse la *lengua*, LIARSE, LIGAR, LIGÓN, -A, LIGUE, MAMADO, -A, MAMAR, MAMARSE, MAMÓN, -A, MANDUCA, MANDUCAR[SE], MARCARSE, cubrirse de *mierda*, ponerse *morado*, -a, *morderse* [morrearse], *mordisco* [morrada, morreo], darse el *mordisco*, MORROS, dar en los *morros* [canear [sobar] el morro], dar en los *morros* con [pasar por los morros], estar de *morros*, partir los *morros*, un *muerdo*, achantar la *mui*, ¡*mutis*! [¡mutis y a la gavia!], hacer *mutis*, quedarse *nota*, PAPARSE, ¡pápate esa!, PARIRLA, me-

284

tedura de *pata*, meter la *pata*, PATINAR, PATI-
NAZO, PELOTA, hacer la *pelota* [pelotilla], *pelotillero, -a* [pelotilla], meter la *pezuña*, PIANTE,
PIARLAS, cerrar [callar] el *pico*, darse el *pico*,
hincar el *pico*, PLANCHA, PLANCHAZO, vérsele la
planta de los pies, POLLO, PRIVE, *quedarse* con,
ponerse como el *Quico*, RAJAR, RESBALAR, dar el
rollo, hacer la *rosca* [rosquilla], SOPLAMOCOS,
soplapollas [soplapichas], SOPLAR, TRAGAR, TRA-
GONA, TRINCAR[SE], TRIPEAR, TRIPERO, -A, *vacilar* con, *vacile* [vacilada], estar de *vacile*, darse
un *verde*, contar la *vida*.

MANO (afines)

AFANAR, AGAFAR, APANDAR, APAÑAR, ARREAR, aplaudir el *belfo*, BIRLAR, partir la *boca*, estar tocándose el *bolo*, CALENTAR, dar el *callo*, CANEAR, partir la *cara* [romper [aplaudir] la cara], CASCAR, CASCÁRSELA, CASTAÑA, CATE, CEPILLAR, CHOCAR, *choricear* [chorimanguear], *choricero* [chori], CHORIZO, CHUFA, CHULETA, chupar [tocar] un *cojón* [los cojones], meterse las manos en los *cojones*, pasarse por los *cojones*, tocarse [estar tocándose] los *cojones*, ¡tócate los *cojones!* (v. ¡Échale *cojones!*), romper la *crisma*, *currar* [currelar], DESPLUMAR, sudar [trabajar] más que *Dios*, ENDIÑAR, pasarse por la *entrepierna*, ESPABILAR, ESTRECHA, FINGAR, FROTÁRSELA, GALLETA, GUARRA, GUINDAR, GUINDE, HOSTIA, *hostiar* [inflar a hostias], *hostiazo* [hostión], JETAZO, LECHE, LECHUGA, LEÑAZO, LIMPIAR, MACHACÁRSELA, ¡me la *machaca[s]!*, ¡por mí como si se la *machaca[n]!*, MANDANGA, MANGANTE, MANGAR, MANGUE[O], MANGURRINA, dar una media *mangurrina*, hacer *manitas*, meterla *mano*, meterse *mano*, ¡las *manos* quietas (que van al pan)!, MELE, MENEÁRSELA, ¡me la *menea* [meneas, etc.]!, METIDO, dar en los *morros* [canear [sobar] el morro], partir los *morros*, estar tocándose el *nabo*, romper las *narices*, tocarse las *narices*, ¡tócate las *narices!*, hacer[se] una *paja*, PAJILLERA, PALA, PAMPINFLÁRSELA, dejar en *pelotas*, estar tocándose la *pera*, PRINGADO, -A, PRINGAR, PULIR, RANDA, RANDAR, REFANFINFLÁRSELA, ¡me la *refanfinfla[s]!*, REPAMPINFLÁRSELA, pasarse por el *sobaco*, SOBADA, SOBARLA, *sobarse*

286

[darse un sobo], SOBÓN, -A, SOPLAMOCOS, SOPLAR, SOPLÁRSELA, TOCÁRSELA, TOCÓN, -A, TORRAR, TORTA, TORTAZO, TRINCAR, ZUMBÁRSELA.

NALGAS

CACHAS, CULAMEN, CULO, POLISÓN, POMPIS, POPA, POSTERIDAD.

(afines)

Estar con el *bolo* colgando, *bujarra* [bujarrón], CARROZA, CULADA, darse una *culada*, CULARRA[S], CULAZO, CULERA[S], ¡a tomar por *culo!*, *culo* de mal asiento, *culo* de vaso, caerse de *culo*, con el *culo* a rastras, con la hora pegada al *culo*, dar a alg. por (el) *culo*, dar por *culo* algo, del *culo*, enseñar el *culo*, ir de (puto) *culo*, irse a tomar por *culo*, lamer el *culo*, mandar a tomar por *culo*, más feo que el *culo* de una mona, meterse la lengua en el *culo*, meterse por el *culo*, que te caes de *culo*, ¡que te [le, etc.] den por el *culo!*, ¡te [le, etc.] van a dar mucho por *culo!*, tomar por *culo*, ¡vete [que se vaya, etc.] a tomar por *culo!*, CULÓN, -A, DANTE, JEBE, dar por el *jebe*, JIBIA, *jula* [julai], *julandra* [julandrón], LAMECULOS, dar el *lique*, MACARRA, *maricón* [maricón de playa], OJETE, dar por el *ojete*, oír por el *ojete*, ¡que te [le, etc.] den por el *ojete!*, ¡te [le, etc.,] van a dar mucho por el *ojete!*, bajarse los *pantalones*, dar la *patada*, en *pelés*, en *pelotas* [en pelota (viva)], dar por donde amargan los *pepinos*, ¡que te [le, etc.] den por donde amargan los *pepinos!*, en *porreta[s]*, PUTO, RARO, dar por *saco*, TABLA, TOMANTE.

Ahuecar el ala, darse el *bote*, enseñar [vérsele]
las *bragas*, darse un *bureo*, CACHAS, *calcetín* de
viaje, ir a golpe de *calcetín*, CALCOS, meter el
cuezo, enseñar el *culo*, perder el *culo*, pasarse
por la *entrepierna*, ESPATARRARSE, hacer *foto*,
GACHÍ, GACHONA, a toda *galleta*, GAMBA, darse
un *garbeo*, *guillarse* [guillárselas], echando
[cagando] *hostias*, JALAR, JAMONA, JUMEARLE, JU-
MILLO, LARGARSE, LECHE, echando [cagando]
leches, LIQUE, dar[se] el *lique*, ¡maricón, el
último!, *muslada* [muslamen], salir de *naja*
[najarse], PATA, estirar la *pata*, irse por la *pata*
abajo, mala *pata*, MALAPATA, metedura de *pata*,
meter la *pata*, PATADA, ¡como te [le, etc.] dé
una *patada* en los cojones!, [¡te [le, etc.] voy a
dar una patada en los cojones!], como una *patada* en el estómago [en los (mismísimos) co-
jones], dar la *patada*, a *patadas*, dar cien *patadas*, PATEAR, PATEARSE, PATINAR, PATINAZO, PEANA,
PEZUÑAS, meter la *pezuña*, PIERNAS, abrirse de
piernas, PINREL, irse de *pira*, PIRÁRSELAS, darse
el *piro*, vérsele la *planta* de los pies, QUESOS,
oler a *quesos*, REPATEAR, RESBALAR, TACHINES,
TÍA, TIPAZO, TOÑA, TOÑAZO, TRAPO, a todo *trapo*,
darse una ración de *vista*, darse un *voltio*, darse
el *zuri*.

EXCREMENTO

CACA, CAGADA, CATALINA, CHORIZO, MIERDA, ÑORDA, PLASTA.

(afines)

ACOJONACIÓN, ACOJONAMIENTO, ACOJONARSE, *acojono* [acojone], ALBONDIGUILLAS, ALIGARLA, CAGADERO, CAGADO, -A, *cagalera* [cagaleta], CAGAR, CAGARLA, CAGARRUTA, CAGARSE, *cagarse* de miedo, ¡me cago en! [¡mecagüen!], ¡me cago en diez!, ¡me cago en el padre que te [le, etc.] hizo!, me cago en la leche!, ¡me cago en la leche puta [jodía]!, ¡me cago en la leche que te [le, etc.] han da(d)o!, ¡me cago en la madre que te [le, etcétera] parió!, ¡me cago en la mar (salada)!, ¡me cago en la mierda!, ¡me cago en la porra!, ¡me cago en la puta!, ¡me cago en la puta de oros [bastos]!, ¡me cago en los cojones!, ¡me cago en los cojones de Buda [Mahoma]!, ¡me cago en su madre!, ¡me cago en su padre!, ¡me cago en toda tu [su, vuestra] familia!, ¡me cago en tu [su, vuestra] estampa [sombra]!, ¡me cago en tu [su, vuestro] padre!, ¡me cago en tu [su, vuestra] [puta] madre!, ¡me cago en tus [sus, vuestros] muertos!, que *se caga* la perra, CAGATINTAS, CAGATORIO, CAGÓN, -A, CAGUETA, CAGUITIS, entrarle (la) *caguitis*, *canguelo* [canguis], CERDO, -A, CEROTE, CIEN, CISCARSE, *ciscarse* de miedo, caer en la *cochambre*, COCHINO, -A, con los *cojones* de [por] corbata, hacer[se] de *cuerpo*, CUESCO, CULAMEN, CULAZO, CULERAS, CULO, ESCAGARRUZARSE, plantar la *estaca*, tener el *fuelle* flojo, entrarle [ve-

290

nirle] (las) *ganas*, GAPO, GARGAJO, hacer de lo *gordo*, GUARRO-A, IRSE, JEBE, JINDAMA, JIÑAR[SE], LAPO, MARRANO, -A, MERDELLÓN, -A, *merdoso, -a*, [mierdoso, -a], ¡a la *mierda!*, cubrirse de *mierda*, de la *mierda*, de pura *mierda*, hecho una *mierda*, la *mierda* de, mandar a la *mierda*, ni *mierda*, ¡ni qué *mierda[s]!*, ¡qué *mierdas!*, ¿qué *mierdas?*, ¡una *mierda!*, ¡vete [que se vaya, etc.] a la *mierda!*, MIERDEAR, MIERDICA, ¡una *ñorda!*, OJETE, tirar los *pantalones*, irse por la *pata* abajo, PEDAZO, *pederse* [peerse], PEDO, PEDÓN, -A, PEDORRERA, *pedorrero, -a* [pedorro, -a], tener la *picha* hecha un lío, POLISÓN, POLLO, POMPIS, POPA, POSTERIDAD.

Cambiar [mudar] el *agua* a las castañas, cambiar el *agua* al canario, cambiar el *caldo* a las aceitunas, CHORRADA, echar la *chorrada*, cambiar el agua a los *garbanzos*, MEADA, echar una *meada*, MEADERO, estar *meado, -a*, MEADOS, MEAR[SE], *mearse* de risa, ¡a que te [le, etc.] *meo!*, MEÓN, -A, MEOS.

ABORTO, estar de buen *año*, *bandera* [de bandera],
BESTIAL, BIENHECHO, -A, *buena* [buenaza; buenona; buenorra], tía *buena*, *callo* [callicida], estar
como un *camión*, CANUTO, -A, CAÑÓN, *chata* [cha-
ti], CHORBA, COMERLA, más feo que el *culo* de
una mona, que te caes de *culo*, CURVAS, DESPAM-
PANANTE, ENGENDRO, estar *esculpida*, hacerle un
favor, FENOMENAL, FENÓMENO, -A, más *feo* que
pegar a un padre, FETO, GACHÍ, GAMBA, JA, JACA,
JAMÓN, -A, MACIZA, MALHECHO, -A, ¡viva la *madre*
que te [os, etc.] parió! [¡bendita sea la madre
que te (os, etc.) parió!], MONADA, MONUMENTO,
¡está[s] para una *noche!*, ¡qué *noche* tiene[s]!,
PECHUGÓN -A, PESTIÑO, PETARDO, *pichaoro* [pi-
chadeoro], PIPA, PISTONUDO, -A, ¡está[s] para
un *polvo!*, ¡qué *polvo* tiene[s]!, PRENDA, tía *pulpo*, ¡está[s] como *quiere*[*s*]*!*, estar *rica*, ROLLA-
ZO, ROLLO, estar mejor que *teta* de novicia, TÍA,
TIPAZO, estar como un *tren*, VIDA.

293

SEXO
y ÓRGANOS SEXUALES

SEXO (afines)

De la *acera* de enfrente, *amariconado, -a* [amaricado], AMARICONARSE, AMARIPOSADO, -A, AMARIPOSARSE, AVÍO, con el *bolo* colgando, enseñar [vérsele] las *bragas*, BRAGUETERO, -A, *bujarra* [bujarrón], CAMELAR, CAPADO, -A, CAPADOR, -A, CAPAR, CAPE, CARROZA, de la *cáscara* amarga, CERDADA, CERDAMENTE, CERDO, -A, CHALADO, -A, CHALUPA, CHELI, CHORBO, -A, COCHINADA, COCHINAMENTE, COCHINO, -A, CORTADILLO, con el *culo* al aire, enseñar el *culo*, DANTE, DESCOJONACIÓN, DESCOJONADO, -A, DESCOJONAR, DESHUEVADO, -A, DESHUEVAMIENTO, DESHUEVAR, DESPELOTADO, -A, DESPELOTAMIENTO, DESPELOTAR, EMPELOTARSE, estar *e n c h u l a d a* con, ENCOÑADO, -A, ENCOÑAMIENTO, ENCOÑARSE, GUARDAPOLVOS, GUARRADA, GUARRAMENTE, GUARRO, -A, JIBIA, *jula* [julai], *julandra* [julandrón], LANZADO, -A, LIGAR, LIGÓN, -A, LIGUE, MACARRA, MACHO, MACHOTE, según la ley de *Mahoma*, tan maricón es el que da como el que toma, hacer *manitas*, *marica* [mari, mariposa [mariposo], marinero], *maricón* [maricón de playa], MARICONADA, MARICONCETE, MARICONEAR, MARICONEO, MARIMACHO, MARIMARICA, *m a r i q u i t a* [mariquilla], MAROMO, MARRANADA, MARRANAMENTE, MARRANO, -A, PARIENTA, en *pelés*, en *pelotas* [en pelota (viva)], *pichafloja* [pichiflojo], *pichaoro* [pichadeoro], en *porreta*[s], PUTA, PUTO, *quedarse* con, QUEDÓN, -A, RARO, RESPECTIVE, no comerse una *rosca*, SARASA, de la *serie* D, TABLA, TOMANTE, TORTILLERA, VIRGO.

ALEGRÍAS, APARATO, ASUNTO, BOLO, CALIQUEÑO, CA-
NARIO, CARAJO, CEBOLLETA, CHISME, CHORIZO,
CHORRA, CHURRO, CHUZO, CIMBEL, CINGAMO-
CHO, CIPOTE, COLA, COSA, CUESTIÓN, ESCOPETA,
LAPICERO, LÁTIGO, LONGANIZA, MECHERO, *minga*
[mingo], MININA, MORCILLA, NABO, PÁJARO, PALO,
PEPINO, PERA, PICA, PICHA, PICHINA, PIJA, *pijo*
[pijote], PILILA, PINCHO, PIRINDOLO, *pirulo*
[pirula], PISTOLA, PISTOLÓN, PITO, PLATANITO,
PLUMA, POLLA, PORRA, QUILÉ, TRABUCO, *tranca*
[tronca], *tronco* [troncho], VERGA, VERGAJO,
zupo [¿zumbo?].

(afines)

AGILIPOLLADO, -A, AGILIPOLLARSE, cambiar el *agua*
al canario [a las castañas], estar [ponerse] *bestia*, con el *bolo* colgando, ser hombre de *bragueta*, BRAGUETERO, estar [ponerse] *bruto*, BU-
RRO, CACHONDEZ, CACHONDO, -A, CACHONDÓN, -A,
calcetín de viaje, cambiar el *caldo* a las aceitunas, CALENTARSE, CALENTÓN, -A, darse el *calentón*, CALENTORRO, -A, CALIENTE, CAPADO, -A, CAPA-
DOR, -A, CAPAR, CAPE, CAPULLO, tener la *caraja*,
¡CARAJO[s]!, de *carajo*[s], del *carajo*, en el [al,
del] quinto *carajo*, importar un *carajo* [tres
carajos], irse al *carajo*, mandar al *carajo*, ni
carajo[s], ¡ni qué *carajo*[s]!, ¡qué *carajo*[s]!,
¿qué *carajos*…?, ser el *carajo*, un *carajo*, ¡vete
[que se vaya, etc.,] al *carajo*!, CARAPIJO, ¡CA-
RAY!, CASCÁRSELA, CERDADA, CERDO, -A, CHORRADA,
echar la *chorrada*, CHUPÁRSELA, ¡y luego *me la
chupa*[s]!, poner[se] a *cien*, COCHINADA, CO-

297

CHINO, -A, CONDÓN, CORRERSE, CORRIDA, *cortapichas* [cortapitos], CORTÁRSELA, con el *culo* al aire, DESCAPULLAR, DESENFUNDÁRSELA, DESENVAINÁRSELA, ficha de *dominó*, EMBALADO, -A, EMBALARSE, EMPALMADO, EMPALMARSE, EMPELOTARSE, EMPINÁRSELE, ENFUNDÁRSELA, ENVAINÁRSELA, tenerla *floja*, traérsela *floja*, FOLLADOR, -A, FROTÁRSELA, GACHONA, cambiar el agua a los *garbanzos*, *gilipichas* [gilipichis], GILIPOLLADA, GILIPOLLAS, GILIPOLLEAR, GILIPOLLESCO, -A, *gilipollez* [gilipollería, gilipollismo], GLOBO, *goma* higiénica, GORRÓN, GOZAR, GUARDOPOLVOS, GUARRADA, GUARRO, -A, GUSTO, ponerse a *huevo*, *inflapollas* [inflagaitas], IRSE, JODEDOR, -A, LECHADA, LECHE, LEFA, MACHACÁRSELA, ¡me la *machaca*[s]!, ¡por mí como si se la *machaca*[n]!, *macho* cabrío, apearse en *marcha*, MARRANADA, MARRANO, -A, MEADA, echar una *meada*, MEADERO, MEADO, -A, MEA(D)OS, MEAR[SE], MENEÁRSELA, ¡me la *menea*[n]!, MEÓN, -A, MEOS, METÉR[SE]LA, estar tocándose el *nabo*, hacer[se] una *paja*, PAJILLERA, PAMPINFLÁRSELA, en *pelés*, hacerlo a *pelo*, en *pelotas* [en pelota (viva)], PICARLA, tener la *picha* hecha un lío, *pichabrava* [pichadura, pijabrava], *pichafloja* [pichiflojo], PICHAFRÍA, PICHAGORDA, *pichaoro* [pichadeoro], *pichazo* [pichada, pollazo], ser más tonto que *Pichote*, *pijada* [pijadita], PIJÁRSELA, PIJAS, ni *pijo*, ¡ni qué *pijo*[s]!, ¡qué *pijos*!, ¿qué *pijos* ...?, PIJOTADA, PIJOTERÍA, *pijotero*, -a, [pijolero, pijudo], hacer la *pirula*, estar tocándose el *pito*, importar un *pito* [tres pitos], de la *polla*, ¡ni qué *pollas*!, ¡qué *pollas*!, ¿qué *pollas*?, salirle de la *polla*, ¡una *polla* (como una olla)!, en *porreta*[s], REFANFINFLÁRSELA, ¡me la *refanfin-*

298

fla[*s*]*!*, REPAMPINFLÁRSELA, SACÁR[SE]LA, SALI-
DO, -A, SEMENTAL, *soplapollas* [soplapichas], SO-
PLAPOLLEZ, SOPLAR, SOPLÁRSELA, TENERLO, po-
nérsele [tenerla] *tiesa*, ponerse a *tiro*, TOCÁR-
SELA, VENIRLE, ZUMBÁRSELA.

TESTÍCULOS

BOLAMEN, BOLAS, BOLO, CANICAS, CATAPLINES, COJI-
NES, COJONADA, COJONAMEN, COJONAZOS, COJONES,
colgantes [colgajos, lo que cuelga], CRIADILLAS,
los *dos*, GANGLIOS, GÜITOS, HUEVADA, HUEVAMEN,
HUEVAZOS, HUEVOS, PELÉS, PELOTAMEN, PELOTAS,
PELOTAZAS, *péndulos* [péndolas], PERA, *pesas*
[pesos], PIRINDOLO, TESTICULAMEN.

(afines)

ACHANTADO, -A, *a c h a n t a m i e n t o* [achante],
ACHANTAR[SE], ACOJONADO, -A, ACOJONADOR, -A,
ACOJONAMIENTO, ACOJONANTE, ACOJONAR[SE],
acojono [acojone], ACOQUINAMIENTO, ACOQUI-
NAR[SE], AGALLAS, de *aquí* te espero, de *aúpa*,
bandera [de bandera], BÁRBARO, -A, ser más
basto que el forro de los cojones de un carabinero, BESTIAL, BOLO, estar con el *bolo* colgando,
estar tocándose el *bolo*, BOLSA, BRAGAZAS, ser
hombre de *bragueta*, de *buten*, estar *cachas*,
CAGADO, -A, *cagarse* de miedo, CAGÓN, -A, CAGUE-
TA, CAGUITIS, entrarle la *caguitis*, darse el *calentón*, *calzonazos* [calzorras], de *campeonato*,
CANDONGA, *canguelo* [canguis], pasarlas *canutas*, CANUTO, -A, CAÑÓN, CAPADO, -A, CAPADOR, -A,
CAPAR, CAPE, de *carajo*[s], CERDADA, CERDO, -A,
CEROTE, CHA[N]CHI, *chipén* [de chipén], *chipendi* lerendi, CHORRADA, CHUPI, *ciscarse* de
miedo, COCHINADA, COCHINO, -A, chupar [tocar]
un *cojón*, de *cojón* [de cojón de fraile, de cojón
de mico, de cojón de pato, de cojón de viudo],
importar [dársele] un *cojón*, [no] valer un
cojón, un *cojón* y la yema del otro, ¡(y) un

300

cojón!, como una patada en los *cojones*, con *cojones* [con dos cojones, con los cojones bien puestos, con los cojones cuadrados, con los cojones en su sitio, con muchos cojones, con un par de cojones, con unos cojones así de grandes, con unos cojones enormes], con los *cojones* de [por] corbata, con más *cojones* que nadie [Dios], de *cojones* [de tres pares de cojones], dejar los *cojones* en casa, de los *cojones*, ¡echale *cojones!* [¡tócate los cojones!], echarle *cojones* [arrimar los cojones], estar hasta los (mismísimos) *cojones* [cargársele; dolerle; hinchársele; sudarle los cojones], importar [dársele] tres *cojones*, ¡los hay con *cojones!*, ¡manda *cojones!* [¡tiene cojones la cosa!], ¡me cago en los *cojones!* [¡me cago en los cojones de Mahoma [Buda]!], meterse hasta los *cojones*, meterse la lengua [las manos] en los *cojones*, metérsele [ponérsele] en los *cojones*, ni *cojones*, ¡ni qué *cojones!*, no haber *cojones*, no haber [tener] más *cojones*, ¡olé tus [sus, vuestros] *cojones!*, partirse los *cojones*, pasarse por los *cojones*, poner los *cojones* encima de la mesa, ponérsele los *cojones* de [por] corbata, por *cojones*, ¡por los *cojones!* [¡los cojones!], ¡por mis *cojones!* [¡por éstos!], ¡qué *cojones!*, ¿qué *cojones...?*, salirle de los *cojones*, sin *cojones*, tener *cojones* [tener los cojones bien puestos [cuadrados, en su sitio]], tener más cojones que el caballo de Espartero [Santiago]], tocarle [chuparle] los *cojones*, tocarle los *cojones* una cosa, tocarse [estar tocándose] los *cojones*, COJONADA, COJONAZOS, COJONERA, COJONERO, -A, COJONUDAMENTE, COJONUDO, -A, COJUDO, -A, CORRIDA, CORRERSE, COR-

301

TÓN, -A, CULERAS, con el *culo* al aire, la *descojonación*, DESCOJONADO, -A, DESCOJONAMIENTO, DESCOJONANTE, DESCOJONAR, *descojonarse* [escojonarse vivo], *descojono* [descojone], DESHUEVADO, -A, DESHUEVAMIENTO, DESHUEVANTE, DESHUEVAR, DESHUEVARSE, DESHUEVE, DESPELOTADO, -A, DESPELOTAMIENTO, DESPELOTANTE, DESPELOTAR, DESPELOTARSE, DESPELOTE, de *embute*, EMPELOTARSE, pasarse por la *entrepierna*, de *espanto*, FENOMENAL, FENÓMENO, -A, *fetén* [fetén de la chupi], GOZAR, GUARRADA, GUARRO, -A, GUSTO, HÍGADOS, HINCHANTE, HUEVAZOS, HUEVERA, HUEVUDO, -A, IRSE, JINDAMA, pasarlas *jodidas*, LACHA, LANZADO, -A, LECHADA, LECHE, LEFA, MACANUDO, -A, MACHO, MACHOTE, de *marca* mayor, MARIMACHO, MARRANADA, MARRANO, -A, de *miedo*, MIERDA, MIERDICA, MONSTRUO, MORROCOTUDO, -A, achantar la *mui*, de *narices* [de tres pares de narices], de *órdago*, de *padre* y muy señor mío, de *pánico*, de *papo* de mona, irse por la *pata* abajo, ¡como te [le, etc.] dé una *patada* en los cojones! [¡te (le, etc.) voy a dar una patada en los cojones!], en *pelés*, en *pelotas* [en pelota (viva)], por *pelotones*, PELOTUDO, -A, estar tocándose la *pera*, *perendengues* [pelendengues], ¡tiene *perendengues* la cosa!, tener la *picha* hecha un lío, PICHAFRÍA, PICHAGORDA, PIPA, PISTONUDO, -A, en *porreta*[s], de *puñetas* [de tres pares de puñetas], de *puta* madre, pasarlas *putas*, RAJADO, -A, RAJARSE, ¡RECOJONES!, RE(D)AÑOS, RILADO, -A, RILARSE, costar [valer] un *riñón*, RIÑONES, RIÑONUDO, -A, TALEGA, TAPACOJONES, TENERLO, TENERLOS, *teta* [de teta de novicia], TIAZO, -A, TÍO, -A, un *tío* grande [con toda la barba], VIRGUERO, -A, VENIRLE.

302

ANGINAS, DELANTERA, ESCAPARATE, ESPETERA, GAN-
GLIOS, LIMONES, MARMELLAS, MOSTRADOR, PE-
CHOS, PITONES, PULMONES, TETAMEN, TETAS, *te-
tazas* [tetorras].

(afines)

De *admite*, ADMITIR, estar de buen *año*, APROVE-
CHARSE, ARRIMARSE, *bandera* [de bandera],
darse el *banquete*, BÁRBARA, estar [ponerse]
bestia, BIENHECHA, ponerse las *botas*, chupar
del *bote*, estar [ponerse] *bruto* [burro], *buena*
[buenaza, buenona, buenorra], tía *buena*, CA-
CHONDEZ, estar [ponerse] *cachondo*, -a, CA-
CHONDÓN, -A, CALENTAR, CALENTÓN, -A, CALENTO-
RRO, -A, CALIENTE, estar como un *camión*, CANU-
TA, CAÑÓN, cobrárselo en *carne*, CERDADA, CER-
DAMENTE, CERDO, -A, *chipén* [de chipén], CHU-
PÓN, -A, CHUPÓPTERO, -A, poner a *cien*, COCHI-
NADA, COCHINAMENTE, COCHINO, -A, COJONUDA,
COMERLA, CONSENTIDORA, CONSENTIR, CURVAS, DE-
JARSE, DESPAMPANANTE, ESCULPIDA, FACILONA,
¡está para hacerle un *favor!*, FENÓMENA, FENOME-
NAL, darse el *filete* [el gran filete, el filetazo],
FORRARSE, GACHÍ, GACHONA, GAMBA, GUARRADA,
GUARRAMENTE, GUARRO, -A, JACA, LISA, darse el
lote [el gran lote, el lotazo], MACANUDA, MACIZA,
MAGREADA, MAGREARLA, MAGREO, MAMAR, MAMAR-
SE, MAMÓN, -A, MAMONAZO, -A, meterla *mano*,
MARRANADA, MARRANAMENTE, MARRANO, -A, de
miedo, MONUMENTO, ponerse *morado*, MORRO-
COTUDA, estar loca por la *música*, ¡está[s] para
una *noche!*, ¡qué *noche* tiene[s]!, tener los *pe-*

chos bien puestos, PECHUGONA, *pegarse* (como una lapa), en *pelotas* [en pelota (viva)], PLANCHADA, ¡está[s] para un *polvo!*, ¡qué *polvo* tiene[s]!, en *porreta[s]*, de *puta* madre, ¡está[s] como *quiere*[s]!, ponerse como el *Quico*, RICA, SOBADA, SOBARLA, *teta* [de teta de novicia], mejor que *teta* de novicia, *tetuda* [tetona], TÍA, TIPAZO, TRAGAR, TRAGONA, estar como un *tren*, darse una ración de *vista*.

AGUJERO, ALMEJA, APARATO, ASUNTO, BEO, CASTAÑA, CHICHI, CHISME, CHOCHADA, CHOCHO, CHUMINADA, CHUMINO, CHUPAJORNALES, CIMBEL, CONEJO, COÑAZO, COÑO, COSA, CUESTIÓN, GUARDAPOLVOS, HAZANACUE(N)CO, HIGO, MOCHUELO, PAPO, PIMIENTO, QUISQUILLA, RAJA, SETA, TONTO.

(afines)

Mojar (la) *almeja,* CHOCHÍN, *chuminada* [chuminez], mojar el *churro,* CLAVÁRSELA, COLÁRSELA, COÑA, estar de *coña,* tomarse a *coña,* COÑAZO, *¡coñe!* [¡coña!], COÑEARSE, COÑEO, COÑERO, -A, [coñón, -a], *¡coño!* [¡coñó!], ¡ay, qué *coño!,* en el [al, del] quinto *coño,* estar hasta el mismísimo *coño,* ¡ni qué *coño!,* ¡qué *coño!,* ¡qué *coño* de...!, ¿qué *coño*[s]...?, tomar por el *coño* de la Bernarda, hacerla una *desgraciada,* estar *desvirgada,* DESVIRGAR, ESPATARRARSE, estar *follada,* picarle el *higadillo,* ponerse [estar] a *huevo,* ponerle una *inyección,* estar *jodida,* apearse en *marcha,* estar con el *mes* [tener el mes], METÉRSELA, ir al *papeo,* de *papo* de mona, PARIR, abrirse de *piernas,* ponerse [estar] a *tiro,* VIRGO, VIRGUERÍA, hacer *virguerías,* VIRGUERO, -A, darse una ración de *vista.*

305

20

De *admite*, ADMITIR, APROVECHARSE, ARRIMARSE, ASUNTO, darse el *banquete*, BENEFICIÁRSELA, poner[se] *bestia*, ponerse las *botas*, ser hombre de *bragueta*, BRAGUETERO, -A, poner[se] *bruto*, poner[se] *burro*, CACHONDAMENTE, CACHONDEZ, CACHONDO, -A, CACHONDÓN, -A, CALENTAR[SE], CALENTÓN, -A, darse el *calentón*, CALENTORRO, -A, CALIENTAPOLLAS, CALIENTE, cobrárselo en *carne*, poner[se] a *cien*, COMERLA, CONSENTIDORA, CONSENTIR, CUESTIÓN, DEJARSE, estar a *dieta* [tener a dieta], EMBALADO, -A, EMBALARSE, EMPALMADO, EMPALMARSE, EMPINÁRSELE, ESPATARRARSE, FACILONA, hacerle un *favor*, darse el (gran) *filete* [darse el filetazo], FOLLADA, FOLLADOR, -A, FOLLAJE, estar [ponerse] en *forma*, FORRARSE, GACHÓN, -A, dejar [quedarse] con las *ganas*, tener *ganas*, GORRÓN, pasar *hambre*, tener *hambre*, HAMBRIENTO, -A, picarle el *higadillo*, tener ganas de *hombre*, ponerse [estar] a *huevo*, JODEDOR, -A, *joder* más que las gallinas, JODIENDA, ¡la *jodienda* no tiene enmienda!, LANZADO, -A, darse la *lengua*, ponerse [estar] *loco, -a*, darse el (gran) *lote* [darse el lotazo], *macho* cabrío, estar *magreada*, MAGREARLA, MAGREARSE, MAGREO, meterla *mano*, meterse *mano*, ¡las *manos* quietas (que van al pan)!, *meneo* [meneíto], ponerse *morado*, *morderse* [morrearse], *mordisco* [morrada, morreo], darse el *mordisco*, MOVIMIENTO, NERVIOSILLO, -A, ¡está[s] para una *noche!*, ¡qué *noche* tiene[s]!, tomar el *número* cambiado, PAJILLERA, *pegarse* [pegarse como una lapa], *pichabrava* [pijabrava, pichadura], abrirse de *piernas*, estar [ponerse] en *plan*,

306

POLVETE, *polvo* [polvazo], ¡está[s] para un *polvo!*, ¡qué *polvo* tiene[s]!, ser más *puta* que las gallinas, ponerse como el *Quico*, REVOLCARSE, darse un *revolcón* [revolcones], SALIDO, -A, SEMENTAL, SOBADA, SOBARLA, *sobarse* [darse un sobo], SOBÓN, -A, sacar *tajada*, ponérsele [tenerla] *tiesa*, TIRARSE, ponerse [estar] a *tiro*, TOCÓN, -A, TRAGAR, TRAGONA, darse un *verde*, darse una ración de *vista*.

ASUNTO, COSA, CUESTIÓN, FOLLAJE, JODIENDA, *meneo*
[meneíto], MOVIMIENTO, *polvo* [polvete, pol-
vazo].

(afines)

AMIGO, -A, AMONTONARSE, APAÑO, ARREGLO, ARRE-
JUNTADO, -A, ARREJUNTARSE, ASUNTO, BOMBO, dejar [estar] con *bombo*, tener *bombo*, ser hombre de *bragueta*, BRAGUETERO, -A, CABRITO, hacerlo un *cabrito*, olerse el *cabrito*, CABRÓN, *calcetín* de viaje, CALIENTAPOLLAS, ser hombre de
cama, ponerle *casa*, CHAVALA, CHORRADA, CIPO-
TE, hacerlo *cojudo*, CONDÓN, CORNAMENTA, COR-
NUDO, CORNÚPETA, CORRERSE, CORRIDA, dar por
culo, tomar por *culo*, CUMPLIR, DÁRSELA, hacerla
una *desgraciada*, DESVIRGADA, estar [tener] a
dieta, ficha de *dominó*, ECHAR, ENCORNUDAR,
ENGAÑARLE, ESPATARRARSE, tenerla *floja*, FOLLA-
DA, FOLLADOR, -A, adornarle la *frente*, FULANA,
FURCIA, dejar [quedarse] con las *ganas*, tener
ganas, GLOBO, *goma* higiénica, pegar la *gorra*
[poner el gorro], GORRÓN, GOZAR, GUARDAPOLVOS,
GURRUMINO, GUSTO, hacerle un *hijo*, dejarla *hinchada*, HINCHARLA, tener ganas de *hombre*, ponerse [estar] a *huevo*, IRSE, JA, dar por el *jebe*,
joder más que las gallinas, JODEDOR, -A, JODIDA,
¡la *jodienda* no tiene enmienda!, JUNTARSE, LE-
CHADA, LECHE, LEFA, LIADO, -A, LIARSE, LIGUE,
LÍO, *macho* cabrío, apearse en *marcha*, estar
loca por la *música*, ¡está[s] para una *noche*!,
¡qué *noche* tiene[s]!, dar por el *ojete*, dejarla
con el *paquete*, PARIR, PEGÁRSELA, dar por donde amargan los *pepinos*, pichabrava [pichadu-

ra, pijabrava], *pichafloja* [pichiflojo], *pichaoro* [pichadeoro], abrirse de *piernas*, PLAN, una chica [mujer] de *plan*, ¡sábado sabadete, camisa limpia y *polvete!*, ¡está[s] para un *polvo!*, ¡qué *polvo* tiene[s]!, PONÉRSELOS, PREÑADA, PREÑARLA, PREÑEZ, ser más *puta* que las gallinas, *querido, -a* [querindango, querindongo], tenerla *retirada* [retirarla], dar por *saco*, SEMENTAL, casarse por el *sindicato* (de las prisas), SOPLAR, TENERLO, ponerse [estar] a *tiro*, TRACATRÁ, *trabajarlas* [trajinarlas], dejar [estar] con *tripa*, VENIRLE.

Acostarse con [acostarse juntos], mojar (la) *almeja*, hacerse el *amor*, pasarla por las *armas*, BIRLÁRSELA, dar el *braguetazo*, echar un *caliche*, MOJAR *caliente*, echar un *caliqueño*, llevársela a la *cama*, CARGÁRSELA, cobrárselo en *carne*, CEPILLÁRSELA, CHINCHAR, CHINGAR, mojar el *churro*, CLAVÁR[SE]LA, COLÁRSELA, CORRERLA, CUBRIRLA, hacerla una *desgraciada*, DESVIRGARLA, dar un *escopetazo*, ESPABILÁRSELA, hacerle un *favor*, echar un *feliciano*, echar un *flete*, FOLLAR, FOLLÁRSELA, GOZARLA, HACERLO, ponerle una *inyección*, JODER, JODÉRSELA, dar un *latigazo*, MEAR, METÉR[SE]LA, MOJAR, *montarla* [montar en barra], echar un *palo*, ir al *papeo*, hacerlo a *pelo*, PICARLA, dar un *pichazo* [una pichada, un pollazo], pasarla por la *piedra*, PIJÁRSELA, PINCHAR, echar un *polvo* [polvete, polvazo], QUILAR, echar un *quiqui*, SOPLAR, SOPLÁRSELA, TIRARSE, TIRÁRSELA, llegar a *todo*, TRINCÁRSELA, VENTILÁRSELA, dar un *vergajo*, ZUMBÁRSELA.

310

PROSTITUTA

BUSCONA, CANDONGA, CERDA, CHIPICHUSCA, COCHI-
NA, una *cualquiera*, FULANA, FURCIA, GOLFA, GO-
RRINA, GORRONA, del *gremio*, GUARRA, HORIZON-
TAL, IZA, LOBA, MARRANA, PAJILLERA, PELANDUSCA,
pelleja [pellejo], PENDÓN, PESETERA, PICULINA,
PINGO, PRÓJIMA, PUERCA, *puta* [putanga], PUTI-
PLISTA, *putona* [putorra], SOCIA, TÍA, TIPA, TI-
RADA, ZORRA, *zorrona* [zorrupia].

(afines)

De *admite*, ADMITIR, AMA, *andorrera* [andorra], ser
hombre de *bragueta*, dar el *braguetazo*, BRAGUE-
TERO, -A, CABRITO, *calcetín* de viaje, echar un
caliche, mojar *caliente*, echar un *caliqueño*, CA-
LLEJERA, hacer la *carrera*, CHINCHAR, CHINGAR,
CHORBO, CHORLITO, CHULEAR, *chulo* (de) putas,
mojar el *churro*, CONDÓN, CONSENTIDORA, CONSEN-
TIR, DEJARSE, *desocuparse* [estar desocupada],
ficha de *dominó*, estar *enchulada* con, dar un *escopetazo*, ESTRECHA, FACILONA, echar un *feliciano*, FLETE, echar un *flete*, FOLLADOR, -A, FOLLAR,
ir de *golfas*, *goma* higiénica, GORRÓN, GUARDA-
POLVOS, *hijo*, -*a* de puta [hijoputa, hijo de la
gran puta, hijo de la Gran Bretaña, hijo de su
madre [padre], hijo de tal], HIJOPUTADA, JODE-
DOR, -A, JODER, dar un *latigazo*, decirle las cuatro
letras, *macho* cabrío, MAGREADA, MAGREARLA, MA-
ROMO, MEAR, MOJAR, OCUPACIÓN, estar *ocupada*
[ocuparse], echar un *palo*, ir al *papeo*, hacer la
parada, PERICO, *pichabrava* [pichadura, pija-
brava], dar un *pichazo* [pollazo], PINDONGA,
PINDONGUEAR, ir [estar] de *pingo*, PINGONEAR,

311

PINGONEO, echar un *polvo* [polvete], ponerse al *punto*, de *puta* madre, ¡la *puta!* [¡anda, la puta!], ¡la muy *puta!* [¡grandísima puta!], ¡la *puta* de oros [bastos]!, ¡me cago en la *puta!*, ¡me cago en la *puta* de oros [bastos]!, ¡me cago en tu [su, vuestra] *puta* madre!, ser más *puta* que las gallinas, ir de *putas*, pasarlas *putas*, PUTADA, PUTADITA, PUTEADO, *putear* [putañear], PUTEO, *putería* [putaísmo, putanismo], *putero, -a*, [putañero, -a], PUTESCO, -A, PUTILLA, QUILAR, echar un *quiqui*, un *señor*, TIRARSE, TRAGAR, TRAGONA, dar un *vergajo*, ZORRILLA.

312

VIDA
Y ACTIVIDADES HUMANAS

VIDA (afines)

AGALLAS, cambiar el *agua* al canario, cambiar [mudar] el *agua* a las castañas, AMIGO, -A, AMONTONARSE, APAÑO, APIOLAR, ARREGLO, ARREJUNTADO, -A, ARREJUNTARSE, ASUNTO, el otro *barrio*, irse al otro *barrio*, BOMBO, dejar [estar] con *bombo*, tener *bombo*, chupar del *bote*, hecho una *braga*, BUCHE, BUSA, hecho un *cabrito* [como un cabrito], vivir *cabronamente*, CACA, CAGADA, *cagalera* [cagaleta], CAGAR[SE], cambiar el *caldo* a las aceitunas, CARGARSE, ponerle *casa*, CASCARLA, CATALINA, CEPILLARSE, CHAFADO, -A, CHAFAR, quedarse en el *chasis*, CHAVALA, CHORIZO, CHORRADA, echar la *chorrada*, CHUPÓN, -A, CHUPÓPTERO, -A, CIPOTE, CISCARSE, COJINES, COJONAZOS, COJONES, con *cojones*, sin *cojones*, tener *cojones*, COJONUDO, -A, tenerlos *cuadrados*, hacer de *cuerpo*, CUESCO, *descojonarse* [escojo-

313

narse vivo], DIÑARLA[S], vivir como *Dios*, echarse [darse, pegarse] una *dormida*, ESCAGARRUZARSE, ESPABILAR, ESPICHARLA[S], plantar la *estaca*, FORRARSE, FULANA, FURCIA, entrarle [venirle] (las) *ganas*, GAPO, cambiar el agua a los *garbanzos*, GARGAJO, hacer de lo *gordo*, GUSA, hacerle un *hijo*, dejarla [estar] *hinchada*, HINCHARLA, HUEVAZOS, HUEVOS, HUEVUDO, -A, IRSE, JA, JALAR, JALUFA, JAMAR[SE], JINDARSE, JIÑAR[SE], *joder* vivo, JODIDO, -A, JOROBADO, -A, JUNTARSE, LACHA, LAPO, LIADO, -A, LIARLAS, LIARSE, LÍO, LIQUIDAR, criar *malvas* [estar criando malvas], MAMAR, MAMÓN, -A, MANDANGA, MANDUCARSE, MEADA, echar una *meada*, MEADOS, MEAR[SE], MEOS, estar con el *mes* [tener el mes], MIERDA, hecho una *mierda*, ponerse *morado*, -*a*, MUERTO, ÑORDA, PALMARLA, tirar los *pantalones*, PAPARSE, dejarla con el *paquete*, PARIR, dar el *pasaporte*, estirar la *pata*, irse por la *pata* abajo, *pederse* [peerse], PEDO, PEDORRERA, PELMA, PELMAZO, PELOTAS, PELOTUDO, -A, PICHAFLOJA, PICHAFRÍA, PICHAGORDA, hincar el *pico*, PLAN, PLASTA, POLLO, dejarla [estar] *preñada*, PREÑARLA, PREÑEZ, PRINGAR, PRINGARLA, tenerlos bien *puestos*, QUERIDO, -A, *querindongo*, -*a* [querindango, a], ponerse como el *Quico*, REDAÑOS, tenerla *retirada* [retirarla], *reventar* [dar un reventón], RILADO, -A, RILARSE, RIÑONES, RIÑONUDO, -A, hacer *seda*, casarse por el *sindicato* (de las prisas), SOPLAR, estar [quedarse] *torrado*, -*a*, TORRARSE, TRINCARSE, dejarla [estar] con *tripa*, TRIPEAR, VIDA, contar la *vida*, darse [pegarse] la gran *vida* [darse la vida padre, darse vida de canónigo, darse la vidorra].

314

AGALLAS, *andorrera* [andorra], coger por *banda*, tener *bemoles*, *berzas* [berzotas], BESTIA, ser [estar hecho] un *bestia*, ser una mala *bestia*, BOFIA, estar tocándose el *bolo*, chupar del *bote*, dar el *bote*, hecho una *braga*, ligar *bronce*, BUSCONA, hecho un *cabrito* [como un cabrito], CABRONAMENTE, CACA, CAGARRUTA, CAGATINTAS, CALLEJERA, dar el *callo*, CANDONGA, hacer el *canelo*, pasarlas *canutas*, CAPULLO, tener la *caraja*, hacer la *carrera*, CERDA, CHACHA, CHAFADO, -A, CHAFAR, CHIPICHUSCA, CHOLLO, CHORBO, *choricero* [chori], CHORIZO, CHULEAR, *chulo* (de) putas, CHUPADO, -A, CHUPÓN, -A, CHUPÓPTERO, -A, CIPOTE, COCHINA, COJINES, no valer un *cojón*, COJONES, con *cojones*, echarle *cojones* [arrimar los cojones], meterse hasta los *cojones*, partirse los *cojones*, por *cojones*, sin *cojones*, tener *cojones*, tocarse los *cojones*, COJONUDO, -A, COJUDO, -A, ir de *cráneo*, una *cualquiera*, romperse los *cuernos*, ir con el *culo* a rastras, ir de (puto) *culo*, currar [currelar], *desocuparse* [estar desocupada], sudar [trabajar] más que *Dios*, vivir como *Dios*, estar *enchulada* con, ser [estar hecho] un *fiera*, FLETE, FULANA, FURCIA, GOLFA, no dar (ni) *golpe*, GORRINA, GORRONA, del *gremio*, GUARRA, GUIRI, GURI, HÍGADOS, HORIZONTAL, HUEVOS, por *huevos*, HUEVUDO, -A, IZA, pasarlas *jodidas*, JODIDO, -A, JOROBADO, -A, LARGAR, dar el *lique*, LOBA, MAMAR, MAMÓN, -A, MANGANTE, MARICONEO, MARMOTA, MAROMO, MARRANA, MEADO, -A, masturbarse la *mente*, MERDELLÓN, -A, MIERDA, hecho una *mierda*, estar de *miranda*, MUERTO, estar tocándose el *nabo*, por

315

narices, tocarse las *narices*, ÑORDA, dar [tener] *ocupación*, estar *ocupada* [ocuparse], PAJILLE-RA, hacer la *parada*, PARDILLO, -A, dar el *pasaporte*, PATADA, dar la *patada*, PATEAR, PELANDUSCA, *pelleja* [pellejo], PELOTA, por *pelotas*, por *pelotones*, PELOTUDO, -A, PENDÓN, estar tocándose la *pera*, *perendengues* [pelendengues], PERICO, PESETERA, PICULINA, PINDONGA, PINDONGUEAR, PINGO, ir [estar] de *pingo*, PINGONEAR, PINGONEO, POLI, POLIZONTE, hacer el *primo*, PRINGADO, -A, PRINGAR, PRÓJIMA, PUERCA, ponerse al *punto*, PUÑETERO, -A, *puta* [putanga], pasarlas *putas*, PUTEADO, -A, PUTEAR, *putería* [putaísmo, putanismo], PUTO, -A, *putona* [putorra], RANDA, REDAÑOS, REVENTARSE, RILADO, -A, RILARSE, RIÑONES, SOCIA, *sorchi* [sorche, chorchi], TÍA, TIPA, TIRADO, -A, TOCÁRSELA, *trabajarlas* [trajinarlas], darse [pegarse] la gran *vida* [darse la vida padre, darse la vidorra, darse vida de canónigo], VIRGUERÍA, hacer *virguerías*, VIRGUERO, -A, ZORRA, ZORRILLA, *zorrona* [zorrupia].

316

DINERO

ASUNTO, CHINA, COSA, CUARTOS, CUESTIÓN, GUITA, MONIS[ES], MOSCA, PANOJA, PARNÉ, PASTA, PLATA, TELA, TRIGO.

A) Moneda

Peseta

Las del *ala*, CALA, CALANDRIA, CANDONGA, CASTAÑA, CHUCHA, CUCA, LEA, LEANDRA, LÚA, PELA, PETA, PLUMA, PÚA, *rubia* [rupia].

Duro (moneda de cinco pesetas)

BOLO, MACHACANTE, MACHO, PAVO, TEJO.

B) Papel moneda

De cien pesetas

JULIO, *marrón* [marroncete], *pañuelo* [pañolito].

De mil pesetas

BILLETE, de los *grandes*, LECHUGA, PÁPIRO, SÁBANA, *verde* [verderón].

DINERO (afines)

ACLARARSE, AFANAR, AFLOJAR, AGAFAR, APANDAR, APA-
ÑAR, APIOLAR, APOQUINAR, BIRLAR, BOFIA, en *bragas*, hacer el *canelo*, CEPILLAR, sin *chapa*, CHO-
LLO, *choricear* [chorimanguear], *choricero*
[chori], CHORIZO, CHUPÓN, -A, CHUPÓPTERO, -A,
CHUTAR, un *cojón* (y la yema del otro), tomar
por el *coño* de la Bernarda, con el *culo* a ras-
tras, DESPLUMAR, ESPABILAR, *estrenarse* [expli-
carse, explicotearse], FINGAR, FORRADO, -A, *fo-
rrarse* [forrarse el riñón], ni *gorda*, de *gorra*,
GORRÓN, -A, GORRONEAR, *gorronería* [gorroneo],
GUINDAR, GUINDE, GUIRI, GURI, un *huevo*, sin
lata, LIMPIAR, MAMAR, MAMÓN, -A, MAMONAZO, -A,
MANGANTE, MANGAR, MANGUE(O), ir uno que se
mata, aflojar [soltar] la *mosca*, soltar la *pasta*,
PATEARSE, dejar en *pelotas*, PESETERA, POLI, POLI-
ZONTE, hacer el *primo*, PRONUNCIARSE, PULIR,
RANDA, RANDAR, RETRATARSE, costar un *riñón*,
SACUDIR, SOPLAR, a *tocateja*, TORRAR, TRINCAR.

318

DIVERSIÓN (afines)

BÁRBARAMENTE, BÁRBARO, -A, a *base* de bien, BES-TIALMENTE, pasarlo *bomba,* darse un *bureo,* irse de *bureo,* de *buten,* CACHONDAMENTE, CACHON-DEARSE, CACHONDEO, CACHONDO, -A, *cachondo, -a* mental, *camelista* [camelante], CAMELO, CAÑÓN, la *caraba,* el *carajo,* CARCAJEARSE, ¡toma, *cas-taña!,* CHA(N)CHI, *chipén* [de chipén], *chipen-di* lerendi, CHOTEARSE, CHOTEO, CHULEARSE, CHUNGA, de [en] *chunga,* CHUNGÓN, -A, CHUN-GUEARSE, CHUNGUERO, -A, ¡*chúpate* esa!, CHUPI, de *cojón,* de *cojones,* ¡olé tus [sus, vuestros] *cojones!,* partirse los *cojones,* pasarse por los *cojones,* COJONUDAMENTE, COJONUDO, -A, COJU-DO, -A, COJUELESCO, -A, COÑA, de *coña,* ¡*coñe!* [¡coña!], COÑEARSE, COÑEO, *coñero, -a,* [coñón, -a], ¡COÑO!, ¡ay, qué *coño!,* ¡qué *coño* de ... !, tomar por el *coño* de, caerse de *culo,* la *desco-jonación,* estar *descojonado, -a,* el *descojona-miento,* DESCOJONANTE, DESCOJONARSE, el *desco-jono* [descojone], estar *deshuevado, -a,* el *des-huevamiento,* DESHUEVANTE, DESHUEVARSE, el *deshueve,* estar *despelotado, -a,* el *despelota-miento,* DESPELOTANTE, DESPELOTARSE, el *despe-lote,* el *despiporren,* armar[se] la de *Dios,* ECHAR, divertirse como un *enano* [enanos], pa-sarse por la *entrepierna,* menear el *esqueleto,* FENOMENAL, FENÓMENO, -A, *fetén* [fetén de la chupi], ¡chupa [toma] del *frasco,* Carrasco!, darse un *garbeo,* HINCHANTE, ser la *hostia,* HUEVUDO, -A, ser la *leche,* LIGAR, LIGÓN, -A, LIGUE, MACANUDO, -A, ¡viva la *madre* que te [le, etc.] pa-rió! [¡bendita sea la madre que te [le, etc.] pa-rió!], MALAPATA, ¡me cago en la *mar* (salada)!, go-

319

zarlas más que un *marica* con lombrices, *mearse* de risa, de *miedo*, MORROCOTUDO, -A, PAJOLERO, -A, de *pánico*, ¡*pápate* esa!, de *papo* de mona, PELOTERA, PELOTUDO, -A, ser la *pera*, PIPA, irse de *pira*, PISTONUDO, -A, PITORREARSE, PITORREO, PITOTE, ser la *puñeta*, PUÑETERO, -A, de *puta* madre, *quedarse* con, QUEDÓN, -A, RECOCHINEARSE, RECOCHINEO, la *releche*, la *reoca*, REPAJOLERO, -A, la *repaminonda*, la *repanocha*, pasarse por el *sobaco*, TETA, de *teta* de novicia, VACILA, VACILAR, *vacile* [vacilada], estar de *vacile*, VACILÓN, -A, estar [ponerse] *vacilón*, -a, contar la *vida*, VIRGUERO, -A, darse un *voltio*.

320

¡Hay que *amolarse!*, de puta *angustia*, CAGADA, CAGAR, CAGARLA, *¡me cago* en ... ! [¡mecagüen!], pasarlas *canutas*, irse al *carajo*, ser el *carajo*, por un *casual*, CHAFAR, de [por] *chiripa*, CHO-RRA, de *chorra*, CHURRO, CENIZO, tener el *ceni-zo*, ¡échale *cojones!*, echarle *cojones* [arrimar los cojones], ¡manda *cojones!*, meterse hasta los *cojones*, ¡tiene *cojones* la cosa!, COLADURA, CO-LARSE, CORTE, ir de *cráneo*, que te *crió*, irse al *cuerno*, meter el *cuezo*, darse una *culada*, ir de (puto) *culo*, irse a tomar por *culo*, la *descojo-nación*, ser más *desgraciado* que el Pupas, ¡hay que *fastidiarse!*, ¡hay que *gibarse!*, hacer un pan como unas *hostias*, mala *hostia*, ser la *hos-tia*, IMPEPINABLE[MENTE], ¡hay que *jeringarse!*, JODERLA, JODERSE, ¡hay que *joderse!*, pasarlas *jodidas*, JOROBARSE, ¡hay que *jorobarse!*, LECHE, mala *leche* [milk], ser la *leche*, ¡tiene *leches* la cosa!, ¡maldita sea! [¡dita sea!], MIERDA, cubrir-se de *mierda*, de pura *mierda*, MISMAMENTE, ¡manda *narices!*, ¡tiene *narices* la cosa!, PARIR-LA, mala *pata*, metedura de *pata*, meter la *pata*, PATINAR, PATINAZO, ser la *pera*, ¡tiene *peren-dengues* la cosa!, meter la *pezuña*, PLANCHA, PLANCHAZO, POTRA, *potroso*, *-a* [potrudo, -a], PRINGARLA, ser la *puñeta*, pasarlas *putas*, la *re-leche*, la *reoca*, RESBALAR, hacer el *ridi*.

PRISA (afines)

¡Sin *apechugar!*, ARREAR, ¡sin *avasallar!*, darse el *bote*, COJONAZOS, tener *cojones*, COJONUDO, -A, ir con la hora pegada al *culo*, perder el *culo*, a toda *galleta*, *guillarse* [guillárselas], echando [cagando] *hostias*, HUEVAZOS, HUEVUDO, -A, la *inmediata*, JALAR, JALARSE, JAMARSE, LARGARSE, LECHE, a toda *leche*, echando [cagando] *leches*, darse el *lique*, MAMARSE, MANDANGA, MANDUCARSE, apearse en *marcha*, ¡*maricón*, el último!, en *menos* que se santigua un cura loco, MUERTO, salir de *naja* [najarse], PASMADO, -A, PATEAR, PELMA, PELMAZO, PICHAFRÍA, PICHAGORDA, irse de *pira*, PIRÁRSELAS, darse el *piro*, PRECIPOCIARSE, casarse por el *sindicato* (de las prisas), coger el *tole*, ¡tú, *tranquilo!*, TRAPO, a todo *trapo*, darse el *zuri*.

322

¡Sin *apechugar!*, ARREAR, ¡sin *avasallar!*, ¡como te [le, etc.] coja por *banda!*, aplaudir el *belfo*, partir la *boca*, *cachondo, -a* mental, CALENTAR, CANEAR, *canear* el morro, aplaudir la *cara*, echarse a la *cara*, partir [romper] la *cara*, CARGARSE, CASCAR, CASTAÑA, CATE, CHANGADO, -A, CHANGARSE, ¡*choca* esos cinco! [¡chócala!; ¡choca la pala!; ¡chócate esa!], CHUFA, CHULETA, CHUZO, COJONUDO, -A, COJUELESCO, -A, CORTE, CORTÓN, -A, romper[se] la *crisma*, romperse los *cuernos*, CULADA, caerse de *culo*, irse a tomar por *culo*, la *descojonación*, DESCOJONANTE, *descojonarse* [escojonarse vivo], el *descojono* [descojone], DESHUEVANTE, el *deshueve*, DESPELOTANTE, el *despelote*, ENDIÑAR, ESCOÑARSE, dar un *escopetazo*, ESCORNARSE, *follárselo* vivo, GALLETA, no dar (ni) *golpe*, GUARRA, HINCHANTE, HOSTIA, no tener media *hostia*, *hostiar* [inflar a hostias], dar un par de *hostias*, *hostiazo* [hostión], JETAZO, JODER, *joder* vivo, JODERSE, JODIDO, -A, JOROBADO, -A, dar un *latigazo*, LÁTIGO, LECHAZO, LECHE, tener una *leche* [un par de leches], LECHUGA, LEÑAZO, LIQUE, MACHACÁRSELA, según la ley de *Mahoma*, tan maricón es el que da como el que toma, MANDANGA, MANGURRINA, dar una media *mangurrina*, MELE, METIDO, hecho una *mierda*, sobar el *morro*, dar en los *morros*, partir los *morros*, romper[se] las *narices*, PALO, ¡como te [le, etc.] dé una *patada* en los cojones!, [¡te (le, etc.) voy a dar una patada en los cojones!], como una *patada* en el estómago [como una patada en los (mismísimos) cojones],

323

dar la *patada*, dar cien *patadas*, PICA, *pichazo* [pichada], POLLAZO, PORRA, SOPLAMOCOS, TOÑA, TOÑAZO, TORTA, TORTAZO, TRANCA, VERGA, VERGA-JO, VIAJE.

ESTUPENDO, EXTRAORDINARIO (afines)

ACOJONADOR, -A, ACOJONANTE, de *aquí* te espero, de *aúpa*, *bandera* [de bandera], BÁRBARAMENTE, BÁRBARO, -A, a *base* de bien, BESTIAL, BESTIAL-MENTE, la *Biblia* en verso, pasarlo *bomba*, de *buten*, CABRONCETE, CACA, CAGARRUTA, que *se caga* la perra, CAGATINTAS, de *campeonato*, pasarlas *canutas*, CANUTO, -A, CAÑÓN, la *caraba*, ser el *carajo*, CHA(N)CHI, *chipén* [de chipén], *chipendi* lerendi, CHUPI, caer en la *cochambre*, COCHINO, -A, de *cojón* [de cojón de fraile; de cojón de mico; de cojón de pato; de cojón de viudo], [no] valer un *cojón*, un *cojón* (y la yema del otro), COJONERO, -A, con *cojones*, de *cojones* [de tres pares de cojones], COJONUDA-MENTE, COJONUDO, -A, COJUDO, -A, ir de *cráneo*, como a un *Cristo* dos pistolas, *culo* de vaso, ir de (puto) *culo*, que te caes de *culo*, la *descojo-*

nación, DESCOJONAMIENTO, *descojono* [descojone], DESGRACIADO, -A, DESHUEVAMIENTO, DESHUEVE, DESPELOTAMIENTO, DESPELOTE, el *despiporren*, como *Dios*, que *echa* [tira] para atrás, de *embute*, divertirse como un *enano* [enanos], de *espanto*, FENOMENAL, FENÓMENO, -A, *fetén* [fetén de la chupi], FORRAPELOTAS, ser la *hostia*, un *huevo* (y la yema del otro), HUEVUDO, -A, pasarlas *jodidas*, JODIDO, -A, LAMECULOS, ser la *leche*, MACANUDO, -A, de *marca* mayor, gozarlas más que un *marica* con lombrices, de *miedo*, MIERDA, MIERDICA, la *monda*, MONSTRUO, MORROCOTUDO, -A, de mala *muerte*, de *narices* [de tres pares de narices], NINCHI, ÑORDA, de *órdago*, PADRE, de *padre* y muy señor mío, de *pánico*, de *papo* de mona, como una *patada* en el estómago [en los (mismísimos) cojones], de *pelotas* [de tres pares de pelotas], PELOTUDO, -A, ser la *pera*, PIERNAS, PIPA, PISTONUDO, -A, ser la *puñeta*, de *puñetas* [de tres pares de puñetas], PUÑETERO, -A, de *puta* madre, pasarlas *putas*, PUTO, -A, la *releche*, la *reoca*, la *repaminonda*, la *repanocha*, costar un *riñón*, *teta* [de teta de novicia], mejor que *teta* de novicia, que no *vea*[*s*], VIRGUERÍA, VIRGUERO, -A.

326

Achantarse como un muerto, ser más *basto* que el forro de los cojones de un carabinero [que pegar a un padre (con un calcetín sudado); que matar un cerdo a besos; que unas bragas de esparto], oír por la *bragueta* (como los gigantes), como una *cabra*, como un *cabrito*, como un *camión*, que *se caga* la perra, que te puedes echar a la *cara*, tener la *cara* más dura que el cemento armado, tener más *cara* que un buey con flemones [que un elefante con paperas; que un saco de perras chicas], como un *cencerro*, como una *chiva*, como una *chota*, con más *cojones* que nadie [Dios], tener más *cojones* que el caballo de Espartero [Santiago], como a un *Cristo* dos pistolas, como hay *Cristo* que, que te caes de *culo*, ser más *desgraciado* que el Pupas, como *Dios*, como hay *Dios* que, sudar [trabajar] más que *Dios*, que *echa* [tira] para atrás, como un *enano* [enanos], más *feo* que el culo de una mona [que pegar a un padre], más ... que la *hostia*, hacer un pan como unas *hostias*, *joder* más que las gallinas, tener más *lanas* que el borrego del Tercio, que no te [se, etc.] *lames*, más ... que la *leche*, ver menos que Pepe *Leches*, ¡por mí como si se la *machaca*[*n*]!, que ha parido *madre*, según la ley de *Mahoma*, tan maricón es el que da como el que toma, gozarlas más que un *marica* con lombrices, *meneársela* más que [como] un mico, en *menos* que se santigua un cura loco, más *negro* que los cojones de un grillo, como una *patada* en el estómago [en los (mismísimos) cojones], *pegarse* como una lapa [lapas], ser

327

más tonto que *Pichote*, más ... que la *puñeta*, el *Pupas*, ser más *puta* que las gallinas, ¡está[s] como *quiere*[*s*]*!*, ponerse como el *Quico*, como una *regadera*, el *tato*, estar mejor que *teta* de novicia, ser más *tonto* que hecho de encargo, estar como un *tren*, que no *vea*[*s*].

ACHANTADO, -A, *achantamiento* [achante], ACHANTAR, *achantarse* [achantarse como un muerto], ACOJONACIÓN, ACOJONADO, -A, ACOJONAMIENTO, ACOJONAR[SE], *acojono* [acojone], ACOQUINAMIENTO, ACOQUINAR[SE], *acordarse* de, AGALLAS, ¡ajo y agua!, AMOLAR[SE], APOQUINAR, hacer el *avión*, ¡como te [le, etc.] coja por *banda!*, estar hecho [ser] un *bestia*, ser una mala *bestia*, BIENHECHO, -A, partir la *boca*, BRAGAZAS, ser hombre de *braguета*, CABREANTE, CABRITADA, CABRITO, -A, *cabrón*, -a [cabrón con pintas], CABRONADA, CABRONAMENTE, CABRONCETE, tener mal *café*, CAGADO, -A, CAGARSE, *cagarse* de miedo, *cagarse* en, CAGÓN, -A, CAGUETA, CAGUITIS, entrarle la *caguitis*, CALAR, *calzonazos* [calzorras], *canguelo* [canguis], CAPULLO, [no] salirle del *capullo*, ponérsele en la punta del *capullo*, echarse a la *cara*, partir [romper] la *cara* [aplaudir la cara], importar un *carajo* [tres carajos], ponerle en *casa*, ¡toma, *castaña!*, CERDADA, CERDAMENTE, CERDO, -A, CEROTE, CHAFADO, -A, CHAFAR, CHINCHAR[SE], CHINGAR[SE], *chivarse* [chivatearse], *chivatazo* [chivatada], CHIVATO, -A, ¡choca esos cinco! [¡chócala!; ¡choca la pala!; ¡chócate esa!], CHORIZO, *chorrada* [chorradita], CHULANGA, CHULETA, CHULO, -A, *chuminada* [chuminez], ¡chúpate esa!, CHUPÁRSELA, poner a *cien*, CISCARSE, *ciscarse* de miedo, COCHINADA, COCHINAMENTE, COCHINO, -A, COJINES, chuparle un *cojón*, importar [dárgele] un *cojón*, COJONAZOS, con *cojones* [con dos cojones, con los cojones bien puestos, con los cojones cuadrados, con los cojones en su sitio, con muchos cojones,

329

con un par de cojones, con unos cojones así de grandes, con unos cojones enormes], de *cojones* [de tres pares de cojones], dejar los *cojones* en casa, echarle *cojones* [arrimar los cojones], importar [dársele] tres *cojones*, ¡los hay con *cojones!*, metérsele [ponérsele] en los *cojones*, no haber *cojones*, no haber más *cojones*, [no] salirle de los *cojones*, no tener más *cojones*, ¡olé tus [sus, vuestros] *cojones!*, partirse los *cojones*, pasarse por los *cojones*, poner los *cojones* encima de la mesa, por *cojones*, ¡por mis *cojones!* [¡por éstos!], sin *cojones*, tener *cojones*, tener más *cojones* que el caballo de Espartero [Santiago], tener más *cojones* que nadie [Dios], tocarle los *cojones*, COJONUDO, -A, COJUDO, -A, COMERLA, CONDENADO, -A, dar el *coñazo*, tomar por el *coño* de la Bernarda, tenerlos de [por] *corbata*, CORTÁRSELA, CORTÓN, -A, romper la *crisma*, como hay *Cristo* que, tenerlos *cuadrados*, romperse los *cuernos*, CULERAS, dar por *culo*, lamer el *culo*, perder el *culo*, poner el *culo*, ser *culo* de mal asiento, hacer la *cusca* [cusqui], como hay *Dios* que, partir por el *eje*, ENCABRITAR, ENCABRONAR, ENCOÑADO, -A, ENCOÑAMIENTO, ENCOÑAR, ENCOÑARSE, ENROLLARSE, pasarse por la *entrepierna*, ¡la cochina *envidia* que te [le, etc.] corroe!, ESCAGARRUZARSE, ESCORNARSE, FASTIDIARSE, coger *fila*, FILAR, estar hecho [ser] una *fiera*, traérsela *floja*, tener mala *follá*, FOLLAR[SE], *follárselo* vivo, traer al *fresco*, tener el *fuelle* flojo, [no] darle la *gana*, entrarle [venirle] (las) *ganas*, dejar [quedarse] con las *ganas*, tener *ganas*, GIBAR[SE], GILÍ, *gilipichas* [gilipichis], GILIPOLLAS, GILIPUERTAS, GILITONTO, caer *gordo*, -a, GORRINADA, GORRINA-

330

MENTE, GORRINO, -A, GUARRADA, GUARRAMENTE, GUARRO, -A, *guipar* [gipar], haces lo de *Herodes* (te jodes), importar un *higo, hijo, -a* de puta [hijoputa, hijo de la Gran Bretaña, hijo de la gran puta, hijo de su madre, hijo de su padre, hijo de tal], HIJOPUTADA, HINCHANTE, HINCHAR, hacerle un *hombre*, tener mala *hostia*, HUEVAZOS, HUEVOS, con *huevos*, de *huevos*, por *huevos*, INCORDIANTE, INCORDIAR, IRSE, JERINGAR[SE], JINDAMA, JIÑARSE, JODER, *joder* vivo, JODER[SE], JODIDO, -A, JOROBADO, -A, JOROBAR[SE], LACHA, LAMECULOS, mala *leche* [milk], ¡por la *leche* que mamó [mamé, etc.]!, tener una *leche*, ¡me la *machaca*[*s*]!, por mí como si se la *machaca!*, de puta *madre*, mentarle la *madre*, MALAPATA, *malasangre* [malaúva], MAMÓN, -A, MAMONCETE, MARICA, MARICÓN, -A, MARICONADA, MARICONAZO, MARICONCETE, MARRANADA, MARRANAMENTE, MARRANO, -A, MATAR, ¡a que te [le, etc.] *meo!*, ¡me la *menea* [meneas, etc.]!, ¡anda, tu [su] *mengui!*, cogerla *meona*, MERENGAR, MIERDA, MIERDEAR, MIERDICA, MOLAR, MONADA, dar en los *morros* con [pasar por los morros], partir los *morros*, achantar la *mui*, dar en las *narices* con, metérsele [ponérsele] en las *narices*, [no] salirle de las *narices*, por *narices*, ¡está[s] para una *noche!*, ¡qué *noche* tiene[s]!, tomar el *número* cambiado, ¡eres mi *padre!*, panoli, bajarse los *pantalones*, ¡pápate esa!, PARDILLO, -A, hacer[se] la *pascua*, irse por la *pata* abajo, ¡como te [le, etc.] dé una *patada* en los cojones! [¡te [le, etc.] voy a dar una patada en los cojones!], dar cien *patadas*, PELOTA, hacer la *pelota* [pelotilla], PELOTAS, con *pelotas*, de *pelotas*, por *pelotas*, PELOTILLERO, -A,

331

por *pelotones*, PELOTUDO, -A, importar un *pepino*, tener la *picha* hecha un lío, PICHAFRÍA, PICHAGORDA, más tonto que *Pichote*, hincar el *pico*, PIJADA, PIJAS, PIJO, -A, PIJOTADA, PIJOTERÍA, *pijotero*, *-a* [pijolero, pijudo], importar un *pimiento* [tres pimientos], hacer la *pirula*, importar un *pito*, [no] salirle de la *polla*, ¡está[s] para un *polvo!*, ¡qué *polvo* tiene[s]!, PRIMAVERA, PRIMO, -A, PUERCO, -A, tenerlos bien *puestos*, *puñeta* [puñetita], hacer[se] la *puñeta*, importADA, PUTADITA, PUTEADO, -A, PUTEAR, PUTERÍA, PUTADA, PUTADITA, PUTEADO, -A, PUTEAR, PUTERÍA, PUTERO, -A, PUTO, -A, *quedarse* con, ¡está[s] como *quiere*[s]!, importar un *rábano*, RAJADO, -A, RAJARSE, [no] darle la *realísima*, RECOCHINEARSE, RECOCHINEO, REDAÑOS, ¡me la *refanfinfla*[s]!, ¡no me haga[s] *reír!*, REPATEAR, RESBALAR, REVENTAR, REVENTARSE, RILADO, -A, RILARSE, RIÑONES, RIÑONUDO, -A, hacer la *rosca* [rosquilla], hacer la *santísima*, pasarse por el *sobaco*, *soplapollas* [soplapichas], ponerse a *tiro* [huevo], más *tonto* que hecho de encargo, *trabajarlas* [trajinarlas], *vacilar* con.

332

¡No te *amola* [amuela], ¡*amos* anda!, ¡*amos* corta!, ¡*amos* pira!, ¡*amos* venga!, ¡*amos* vete!, ¡*carajo*[s]!, importar un *carajo* [tres carajos], ni *carajo*, ¡ni qué *carajo*[s]!, ¡qué *carajo*[s]!, ¡(Y) un *carajo!*, naranjas de la *China*, ¡no diga[s] *chorradas!*, ¡Y luego me la *chupa*[s]!, ¡por los *cojines!*, importar [dársele] un *cojón*, tocarle un *cojón*, ¡Y un *cojón!*, importar [dársele] tres *cojones*, ni *cojones*, ¡ni qué *cojones!*, no salirle de los *cojones*, ¡por los *cojones!*, ¡qué *cojones!*, ni de *coña*, ¡ni qué *coño!*, ¡qué *coño!*, ¡no te lo *crees* ni tú!, no hay *cristiano* que, ni *Cristo*, ni para *Cristo*, no hay *Cristo* que, ¡un *cuerno!*, ¡vete [que se vaya, etc.] al *cuerno!*, ¡vete [que se vaya, etc.] a tomar por *culo!*, ¡no te *digo* (lo que hay)!, ni *Dios*, ni para *Dios*, no hay *Dios* que, ¡ELE!, ¡EQUILICUATRE!*, ¡por *éstos!*, ¡no *fastidie*[s]!, ¡no te *fastidia!*, traérsela *floja*, traer al *fresco*, ¡vete [que se vaya, etc.] a hacer *gárgaras!*, ¡no *gibe*[s]!, ¡no te *giba!*, de eso ni *hablar*, ni *hablar* (del peluquín), importar un *higo*, ¡HOSTIAS!, ni *hostia*, ¡ni qué *hostias!*, ¡qué *hostias!*, ¡(Y) un *jamón* (con chorreras)!, ¡no *jeringue*[s]!, ¡no te *jeringa!*, ¡no *joda*[s]!, ¡no te *jode!*, ni *jota*, ¡te lo *juro!*, ¡*leches!*, ni *leches*, ¡ni qué *leches!*, ¡qué *leches!*, ¡una *leche!*, ¡LECHUGAS!, ¡una *lechuga!*, ni *loco*, MAGRAS, ¡no te *mata!*, ni aunque te [le, etc.] *maten*, ni *mierda*, ¡ni qué *mierda*[s]!, ¡qué *mierda!*, ¡una *mierda!*, ¡vete [que se vaya, etc.] a la *mierda!*, lo más *mínimo*, de eso nada, *monada*, ¡vete [que se vaya, etc,] a tomar *morcillas!*, dar en los *morros* con [pasar por los morros], aún [todavía]

333

no ha *nacido* quien, NANAY, ¡narices!, dar en las *narices*, ni *narices*, ¡ni qué *narices!*, ¡unas *narices!*, de eso *nasti*, monasti, NATURACA, de *nen*, ¡ni qué niño muerto!, NONES, NPI, ¡una *ñorda!* ¡ni qué ocho *cuartos!*, ni *papa*, ni *patata*, importar un *pepino* [tres pepinos], ni *pijo*, ¡ni qué *pijo[s]!*, ¡qué *pijos!*, importar un *pimiento* [tres pimientos], ¡ni qué *pollas!*, ¡qué *pollas!*, ¡una *polla* (como una olla)!, ¡*porras!*, ¡ni qué *porras!*, ¡qué *porras!*, ¡una *porra!*, ¡la *puñeta!*, ni *puñeta[s]*, ¡una *puñeta!*, ¡*puñetas!*, importar tres *puñetas*, ¡ni qué *puñetas!*, ¡qué *puñetas!*, ni *quisqui*, ¡un *rábano!*, importar un *rábano*, cuando las *ranas* críen pelos (debajo del sobaco), resbalar, ¡*tararí* (que te vi)!, ¡tu *tía*, la gorda!, no hay tu *tía*, en toda *tierra* de garbanzos, ni *torta*, ¡TRACATRÁ!, ¡TURURÚ!, ¡venga ya!

334

ACHANTADO, -A, *achantamiento* [achante], ACHAN-TAR, *achantarse* [achantarse como un muerto], ACOJONACIÓN, ACOJONADO, -A, ACOJONAMIENTO, ACOJONANTE, ACOJONAR[SE], *acojono* [acojone], ACOQUINAMIENTO, ACOQUINAR[SE], AGALLAS, *ahuecar* el ala, ¡amos, anda!, ¡amos, corta!, ¡amos, pira!, ¡amos, venga!, ¡amos, vete!, APROVECHAR-SE, darse el *bote*, BRAGAZAS, ser hombre de *bragueta*, CADENAS, CAGADO, -A, *cagarse* de miedo, CAGÓN, -A, CAGUETA, entrarle la *caguitis*, *calzonazos* [calzorras], *canguelo* [canguis], pasarlas *canutas*, CARA, echarle [tener] *cara*, tener la *cara* más dura que el cemento armado, tener más *cara* que un buey con flemones [que un elefante con paperas; que un saco de perras chicas], CARADURA, CAROTA, CEROTE, CHAFADO, -A, CHAFAR, CHULANGA, CHULETA, *chulo* [chulo (de) putas], *ciscarse* de miedo, COJINES, COJONAZOS, COJONES, con *cojones* [con dos cojones; con los cojones bien puestos; con los cojones cuadrados; con los cojones en su sitio; con muchos cojones; con un par de cojones; con unos cojones así de grandes; con unos cojones enormes], con los *cojones* de [por] corbata, de *cojones* [de tres pares de cojones], dejar los *cojones* en casa, echarle *cojones* [arrimar los cojones], ¡los hay con *cojones!*, meterse hasta los *cojones*, no haber *cojones*, partirse los *cojones*, poner los *cojones* encima de la mesa, ¡por mis *cojones!* [¡por éstos!], sin *cojones*, tener más *cojones* que el caballo de Espartero [Santiago], tener más *cojones* que nadie [Dios], COJONUDO, -A, COJUDO, -A, escupir por el *colmillo*,

335

tenerlos de [por] *corbata*, CORTÁRSELA, COR-
TÓN, -A, como hay *Cristo* que, CULERAS, poner el
culo, como hay *Dios* que, FANTASMA, *fantasmada*
[fantasmeo], FANTASMEAR, FANTASMÓN, -A, FAR-
DADA, FARDAR, FARDE, *fardón*, -a [fardero, -a], ¡no
fastidie[*s*]!, ¡no *gibe*[*s*]!, GUILLÁRSELAS, HÍGA-
DOS, HUEVAZOS, HUEVUDO, -A, ¡no *jeringue*[*s*]!,
JETA, JETUDO, -A, JINDAMA, JIÑARSE, ¡no *joda*[*s*]!,
pasarlas *jodidas*, escupir de medio *lado*, LAN-
ZADO, LARGARSE, ¡por la *leche* que mamó [ma-
mé, etc,]!, darse el *lique*, MACHO, MACHOTE, meterla *mano*, ¡a que te [le, etc,] *meo!*, ¡anda, tu
mengui!, MIERDA, MIERDICA, achantar la *mui*,
hacer *mutis* por el foro, aún [todavía] no *ha
nacido* quien, salir de *naja* [najarse], bajarse
los *pantalones*, irse por la *pata* abajo, PELO-
TUDO, -A, tener la *picha* hecha un lío, PICHA-
FRÍA, PICHAGORDA, hincar el *pico*, irse de *pira*,
PIRÁRSELAS, darse el *piro*, pasarlas *putas*, RAJA-
DO, -A, RAJARSE, RE[D]AÑOS, ¡no me haga[s]
reír!, RILADO, -A, RILARSE, RIÑONES, RIÑONUDO,
ROSTRO, TIAZO, TÍO, -A, un *tío* grande [un tío
con toda la barba], darse el *zuri*.

336

HONOR (afines)

AMIGO, -A, AMONTONARSE, APAÑO, ARREGLO, ARRE-
JUNTADO, -A, ARREJUNTARSE, ASUNTO, estar con el
bolo colgando, chupar del *bote*, enseñar [vér-
sele] las *bragas*, dar el *braguetazo*, CABRITO,
hacerlo un *cabrito*, olerse el *cabrito*, CABRÓN,
CABRONADA, *camelista* [camelante], CARA, echarle [tener] *cara*, CARADURA, CAROTA, ponerle *casa*,
CERDADA, CERDAMENTE, CERDO, -A, CHAVALA, CHO-
RREAR, echar un *chorreo*, CHUPÓN, -A, CHUPÓP-
TERO, -A, caer en la *cochambre*, COCHINADA, CO-
CHINAMENTE, COCHINO, -A, dejar los *cojones*
en casa, hacerlo *cojudo*, CORNAMENTA, CORNU-
DO, CORNÚPETA, CORTÁRSELA, ponerle los *cuernos*, enseñar el *culo*, ir [estar] con el *culo* al
aire, lamer el *culo*, perder el *culo*, poner el *culo*,
DÁRSELA, hacerla una *desgraciada*, estar *desvirgada*, DESVIRGAR, EMPELOTARSE, estar *enchulada*
con, ENCORNUDAR, ENGAÑARLE, ESPATARRARSE, es-

337

22

tar *follada*, adornarle la *frente*, FULANA, FURCIA, de *gorra*, pegar la *gorra* [poner el gorro], GORRÓN, -A, GORRONEAR, *gorronería* [gorroneo], GUARRADA, GUARRAMENTE, GUARRO, -A, GURRUMINO, JA, JETA, JETUDO, -A, JUNTARSE, LACHA, LAMECULOS, LIADO, -A, LIARSE, LIGONA, LÍO, hacerse el *longuis*, MACHO, MACHOTE, según la ley de *Mahoma*, tan maricón es el que da como el que toma, MAMAR, MAMÓN, -A, MANGANTE, MARRANADA, MARRANAMENTE, MARRANO, -A, MEAR, tomar el *número* cambiado, bajarse los *pantalones*, poner a *parir*, PEGÁRSELA, en *pelés*, PELOTA, hacer la *pelota* [pelotilla], en *pelotas* [en pelota viva], *pelotillero, -a*, [pelotilla], hincar el *pico*, abrirse de *piernas*, PLAN, una chica [mujer] de *plan*, PONÉRSELOS, en *porreta[s]*, PUTERO, -A, QUEDONA, QUERIDO, -A, *querindongo, -a* [querindango, -a], tenerla *retirada* [retirarla], hacer el *ridi*, ROLLISTA, hacer la *rosca* [rosquilla], ROSTRO, casarse por el *sindicato* (de las prisas), TÍO, un *tío* grande, un *tío* con toda la barba, TIRARSE.

338

¡*Amos*, anda!, ¡*amos*, corta!, ¡*amos*, pira!, ¡*amos*, vete!, ser [estar hecho] un *bestia*, ser una mala *bestia*, BIENHECHO, -A, BIRLAR, CACHONDEARSE, *cachondeo* [cachondeíto], CACHONDO, -A, CACHONDÓN, -A, CAMELADOR, -A, *camelista* [camelante], CAMELO, dar el *camelo*, hacer el *canelo*, importar un *carajo*, ¡vete [que se vaya, etc,] al *carajo*!, ¡vete [que se vaya, etc.] a escardar *cebollinos*!, CHOTEARSE, CHOTEO, CHULEARSE, CHUNGA, de [en] *chunga*, *chungón*, -a, [chunguero, -a], CHUNGUEARSE, CHUPÁRSELA, chupar [tocar] un *cojón*, importar [dársele] un *cojón*, COJONAZOS, chuparle [tocarle] los *cojones*, importar [dársele] tres *cojones*, pasarse por los *cojones*, tener *cojones*, COJONUDO, -A, COÑA, de *coña*, COÑEARSE, COÑEO, *coñero*, -a [coñón, -a], tomar por el *coño* de la Bernarda, ¡*corta*! [¡corta Blas, que no me vas!, ¡corta el rollo (repollo)!, ¡cortando suave!, ¡corta y rema (que vienen los vikingos)!], ¡no te lo *crees* ni tú!, ¡un *cuerno*!, ¡vete [que se vaya, etc.] al *cuerno*!, ¡vete [que se vaya, etc.] a tomar por *culo*!, DÁRSELA, ¡no te *digo* (lo que hay)!, ¡tú *deliras*!, pasarse por la *entrepierna*, ¡no *fastidie*[*s*]!, ser [estar hecho] un *fiera*, traérsela *floja*, traer al *fresco*, ¡vete [que se vaya, etc.] a hacer *gárgaras*!, ¡no *gibe*[*s*]!, importar un *higo*, ¡HOSTIAS!, HUEVAZOS, HUEVUDO, -A, ¡no *jeringue*[*s*]!, ¡no *joda*[*s*]!, ¡no *jorobe*[*s*]!, ¡una *leche*.!, ¡LECHES!, ¡una *lechuga*!, ¡LECHUGAS!, ¡me la *machaca*[*s*]!, ¡por mí como si se la *machaca*[*n*]!, MANDANGA, MANGANCIA, ¡a que te [le, etc.] *meo*!, ¡me la *menea*[*s*]!, ¡anda, tu [su] *mengui*!, ¡una *mierda*!, ¡vete [que se

339

vaya, etc.] a la *mierda!*, MONADA, ¡vete [que se vaya, etc.] a freír *monas!*, ¡vete [que se vaya, etc.] a tomar *morcillas!*, aún [todavía] no ha *nacido* quien, de eso *nada*, monada, NANAY, ¡unas *narices!*, de eso *nasti*, monasti, ¡una *ñorda!*, OLVIDAR, ¡vete [que se vaya, etc.] a *paseo!*, ¡como te [le, etc.] dé una *patada* en los cojones! [¡te [le, etc.] voy a dar una patada en los cojones!], PEGÁRSELA, importar un *pepino* [tres pepinos], importar un *pimiento* [tres pimientos], importar un *pito* [tres pitos], PITORREARSE, PITORREO, ¡una *polla* (como una olla)!, ¡vete [que se vaya, etc.] a la *porra!*, hacer el *primo*, ¡ahí te *pudras!*, ¡la *puñeta!*, ¡una *puñeta!*, ¡PUÑETAS!, importar tres *puñetas*, ¡vete [que se vaya, etc.] a hacer *puñetas!*, de *puta* madre, putería, *quedarse* con, QUEDÓN, -A, importar un *rábano*, ¡que te [le, etcétera] parta un *rayo!*, RECOCHINEARSE, RECOCHINEO, ¡me la *refanfinfla[s]!*, ¡no me haga[s] *reír!*, RESBALAR, ¡qué *rollo* más pobre!, ¡vete [que se vaya, etc.] a tomar por *saco!*, pasarse por el *sobaco*, ¡tararí, que te vi!, cuéntaselo a tu *tía*, ¡tu *tía*, la gorda!, ¡TRACATRÁ!, ¡TURURÚ!, VACILA, VACILAR, *vacile* [vacilada], estar de *vacile*, VACILÓN, -A, estar [ponerse] *vacilón, -a*, ¡venga ya!, contar la *vida*.

340

ACOJONADO, AGILIPOLLADO, AMARICONADO, ANIMAL, ANORMAL, *berzas* [berzotas], BESTIA, ser una mala *bestia*, BOCAZAS, BOCERAS, BRAGAZAS, BUSCONA, CABRITO, -A, CABRÓN, -A, *cabronazo*, -a [el muy cabrón], CABRONCETE, CABRONZUELO, -A, CAGADO, -A, ¡me *cago* en el padre que te [le, etc.] hizo!, ¡me *cago* en la leche que te [le, etc.] han da(d)o!, ¡me *cago* en la madre que te [le, etc.] parió [echó]!, ¡me *cago* en tu [su, vuestra] madre!, ¡me *cago* en tu [su, vuestra] puta madre!, ¡me *cago* en tu [su, vuestro] padre!, ¡me *cago* en toda tu [su, vuestra] familia!, ¡me *cago* en tu [su, vuestra] estampa [sombra]!, ¡me *cago* en tus [sus, vuestros] muertos!, CAGÓN, -A, CAGUETA, *calzonazos* [calzorras], CANDONGA, CAPULLO, CARAPIJO, CERDO, -A, CHIPICHUSCA, CHORIZO, CHORRA, *chulo* [chulo (de) putas], CIPOTE, COCHINO, -A, COJONAZOS, una *cualquiera*, CULERAS, *desgraciado*, -a [el muy desgraciado], FULANA, FURCIA, *gilí* [gili], *gilipichas* [*gilipichis*], GILIPOLLAS, GILIPUERTAS, GILITONTO, GOLFA, GORRINO, -A, GORRÓN, -A, GUARRO, -A, *hijo*, -a de puta [hijoputa, hijo de la Gran Bretaña, hijo de la gran puta, hijo de su madre [padre], hijo de tal], HUEVAZOS, *inflapollas* [inflagaitas], JULA, MAMERTO, MAMÓN, -A, MAMONAZO, -A, MARICA, MARICÓN, -A, MARICONAZO, -A, MARIMARICA, *mariquita* [mariquilla], MARRANO, -A, MIERDA, MIERDICA, NARIZOTAS, PANOLI, PASMADO, -A, PELANDUSCA, *pelleja* [pellejo], PENDÓN, PERICO, hijo, -a de *perra*, PESETERA, más tonto que *Pichote*, PIJO, PUERCO, -A, *puta* [la muy puta, grandísima puta, putanga], PUTILLA, PUTIPLISTA, PUTO, *putona* [pu-

341

torra], SARASA, *soplapollas* [soplapichas], TÍA, TIPA, TIRADA, *tonto, -a* del culo [de las narices, de los cojones, etc.], más *tonto, -a* que hecho de encargo, ZORRA, ZORRILLA, *zorrona* [zorrupia].

(afines)

ABORTO, *acordarse* de, AGILIPOLLARSE, *andorrera* [andorra], ser [estar hecho] un *bestia*, ser una mala *bestia*, como una *cabra*, *cagarse* en, ¡me *cago* en ... ! [¡mecagüen!], CAGATINTAS, CALLEJERA, *callo* [callicida], del *carajo*, mandar al *carajo*, ¡vete [que se vaya, etc.] al *carajo!*, mandar a escardar *cebollinos*, como un *cencerro*, CHALADO, -A, CHALUPA, CHELI, CHEPA, como una *chiva*, CHORBO, -A, como una *chota*, CHUPÁRSELA, CHUPÓN, -A, CHUPÓPTERO, -A, chuparle [tocarle] un *cojón*, no valer un *cojón*, de los *cojones*, ¡me cago en los *cojones* de Buda [Mahoma]!, CONDENADO, -A, mandar al *cuerno*, ¡vete [que se vaya, etc.] al *cuerno!*, del *culo*, ¡que te [le, etc.] den por *culo!*, mandar a tomar por *culo*, ¡vete [que se vaya, etc.] a tomar por *culo!*, ¡que te [le, etc.] den dos *duros!*, ENGENDRO, mandar a freír *espárragos*, FETO, ser [estar hecho] un *fiera*, traérsela *floja*, FORRAPELOTAS, GACHÓ, mandar a hacer *gárgaras*, ¡vete [que se vaya, etc.] a hacer *gárgaras!*, hacer el *gilí* [gili], GILIPOLLEAR, GILIPOLLESCO, -A, GILIPOLLEZ, *guillado, -a* [guilloti], de la *hostia*, JA, ¡que te [le, etc.] den por el *jebe!*, JIJAS, JODIDO, -A, LAMECULOS, de la *leche*, decirle las cuatro *letras*, LIGONA, LILA, ¡me la *machaca[s]!*, ¡por mí como si se la *machaca[n]!*, MACHO, MACHOTE, de puta *madre*, mentarle la *madre*, tu [su, vuestra] *madre*, según la ley de

342

Mahoma, tan maricón es el que da como el que toma, *majareta* [majara], MALAPATA, *malasangre* [malaúva], ¡*maldito, -a*, sea [seas, etc.]!, MAMONCETE, MANÚS, ¡*maricón*, el último!, MARICONCETE, MARIMACHO, MARMOTA, MAROMO, MEAR, ¡me la *menea*[*s*]!, MERDELLÓN, -A, de la *mierda*, la *mierda* de, mandar a la *mierda*, ¡vete [que se vaya, etc.] a la *mierda*!, MOCHALES, mandar a freír *monas*, mandar a tomar *morcillas*, de las *narices*, NINCHI, ¡que te [le, etc.] den por el *ojete*!, tu [su, vuestro] *padre*, PAJOLERO, -A, PARDILLO, -A, poner a *parir*, mandar a *paseo*, ¡vete [que se vaya, etc.] a *paseo*!, PENDÓN, ¡que te [le, etc.] den por donde amargan los *pepinos*!, PESTIÑO, PETARDO, PIERNAS, *pijotero, -a*, [pijolero, -a; pijudo, -a], PINDONGA, PINDONGUEAR, PINGO, ir [estar] de *pingo*, PINGONEAR, PINGONEO, PIRADO, -A, de la *polla*, de la *porra*, mandar a la *porra*, ¡vete [que se vaya, etc.] a la *porra*!, PRIMAVERA, PRIMO, -A, PRÓJIMO, -A, de la[s] *puñeta*[*s*], mandar a hacer *puñetas*, ¡vete [que se vaya, etc.] a hacer *puñetas*!, PUÑETERO, -A, QUEDONA, *querindongo, -a* [querindango, -a], ¡que te [le, etc.] parta un *rayo*!, ¡me la *refanfinfla*[*s*]!, como una *regadera*, REPAJOLERO, -A, ROLLO, ¡que te [le, etc.] den por *saco*!, mandar a tomar por *saco*, ¡vete [que se vaya, etc.] a tomar por *saco*!, SONADO, -A, SOPLAPOLLEZ, TARADO, -A, TARARÍ, TÍO, -A, TIPO, -A, TRAGONA, TRONCO, TURURÚ, ¡que te [le, etc.] *zurzan*!

343

DESPRECIO (afines)

¡No te *amola!*, ¡nos *ha amola(d)o!*, ¡que *se amo-le*[*n*]*!*, *andorrera* [andorra], *andoba* [andoval], ANORMAL, BIENHECHO, -A, BOCAZAS, BOCERAS, CABRITO, CABRONAZO, CABRONCETE, CACA, CAGARRU-TA, CAGATINTAS, del *carajo*, importar un *carajo*, CARAPIJO, CHACHA, CHACHO, -A, CHALADO, -A, *chata* [chati], CHELI, ¡que *se chinche*[*n*]*!*, ¡que *se chingue*[*n*]*!*, CHORBO, -A, CHORIZO, CHUPA-DO, -A, CHUPÁRSELA, ¡todavía hay *clases!* [¡siem-pre hubo clases!], caer en la *cochambre*, COCHI-NO, -A, chupar [tocar] un *cojón*, importar [dár-sele] un *cojón*, no valer un *cojón*, de los *cojo-nes*, importar [dársele] tres *cojones*, pasarse por los *cojones*, tocarle los *cojones*, CONDENA-DO, -A, ¡allá, *cuida(d)os!*, *culo* de vaso, del *culo*, meterse por el *culo* [por donde le quepa], ¡no te *digo* (lo que hay)!*, ¡tú *deliras!*, *desgracia-do*, *-a* [el muy desgraciado], pasarse por la *entrepierna*, FACILONA, ¡no te *fastidia!*, ¡nos *ha fastidia(d)o!*, ¡que *se fastidie*[*n*]*!*, traérsela *flo-ja*, FORRAPELOTAS, traer al *fresco*, GACHÓ, GAMBA, ¡no te *giba!*, ¡nos *ha giba(d)o!*, ¡que *se gibe*[*n*]*!*, gilí, importar un *higo*, de la *hostia*, no tener me-dia *hostia*, JEFE, ¡no te *jeringa!*, ¡nos *ha jerin-ga(d)o!*, ¡que *se jeringue*[*n*]*!*, ¡no te *jode!*, ¡nos *ha jodi(d)o!*, ¡que *se joda*[*n*]*!*, JODIDO, -A, ¡no te *joroba!*, ¡nos *ha joroba(d)o!*, ¡que *se jorobe*[*n*]*!*, LAMELUCOS, de la *leche*, LIGONA, ¡me la *macha-ca*[*s*]*!*, ¡por mí como si se la *machaca*[*n*]*!*, MA-CHO, MACHOTE, que ha parido *madre*, MAESTRO, MALHECHO, -A, MAMÓN, -A, MAMONAZO, -A, MA-MONCETE, MANÚS, MARICONCETE, MARIMACHO, MARMOTA, MAROMO, MEADO, -A, ¡me la *menea*[*s*]*!*,

344

MERDELLÓN, -A, *merdoso, -a* [mierdoso, -a], MIER-DA, de la *mierda*, la *mierda* de, MIERDICA, MONA-DA, dar en los *morros* con, pasar por los *morros*, de mala *muerte*, dar en las *narices*, de las *narices*, NINCHI, ÑORDA, OLVIDAR, PARDILLO, -A, ¡como te [le, etc.] dé una *patada* en los cojones! [¡te [le, etc.] voy a dar una patada en los cojones!], ¡allá, *películas!*, PENDÓN, importar un *pepino* [tres pepinos], PERICO, PICHAFRÍA, PICHI, PIER-NAS, importar un *pimiento* [tres pimientos], PINDONGA, importar un *pito* [tres pitos], ¡a mí, *plin!*, de la *polla*, de la *porra*, PRENDA, PRÓJI-MO, -A, ¡ahí te *pudras!*, de la[s] *puñeta*[s], importar tres *puñetas*, ¡que se haga[n] la *puñeta!*, PUÑETERO, -A, PUTO, -A, QUEDONA, importar un *rábano*, ¡me la *refanfinfla*[s]!, REPAJOLERO, -A, RES-BALAR, RICO, -A, RICURA, pasarse por el *sobaco*, *tía* buena, *tía* pulpo, TIAZO, -A, TÍO, -A, TIPO, -A, TIRADO, -A, TRAGONA, TRONCO, VIDA.

345

ENFADO, IRRITACIÓN (afines)

AMOLARSE, ¡hay que *amolarse!*, ¡tiene *bemoles* la cosa!, CABREADO, -A, CABREAR[SE], CABREO, entrarle el *cabreo*, de mal *café*, *¡me cago* en …! [¡me cagüen!], ¡CARAJO[S]!, del *carajo*, mandar al *carajo*, ¡ni qué *carajo*[s]!, ¡qué *carajo*[s]!, ¡vete [que se vaya, etc.] al *carajo!*, ¡CARAY!, mandar a escardar *cebollinos*, CHINCHAR[SE], CHINGADO, -A, CHINGAR[SE], poner a *cien*, ¡COJINES!, ¡COJONES!, cargársele [dolerle] los *cojones*, de los *cojones*, ¡échale *cojones!* [¡tócate los cojones!], estar hasta los (mismísimos) *cojones*, hinchársele [sudarle] los *cojones*, ¡manda *cojones!* [¡tiene cojones la cosa!], ¡me cago en los *cojones!*, ¡me cago en los *cojones* de Mahoma [Buda]!, ¡ni qué *cojones!*, ¡qué *cojones!*, tocarle los *cojones*, ¡*coñe!* [¡coña!], ¡COÑO!, ¡ay, qué *coño!*, estar hasta el mismísimo *coño*, ¡ni qué *coño!*, ¡qué *coño!*, ¡qué *coño* de …!, mandar al *cuerno*, ¡vete [que se vaya, etc.] al *cuerno!*, ¡a tomar por *culo!*, dar por *culo*, del *culo*, mandar a tomar por *culo*, meterse por el *culo* [por donde le quepa], ¡que te [le, etc.] den por *culo!*, ¡te [le, etc.] van a dar mucho por *culo!*, ¡vete [que se vaya, etc.] a tomar por *culo!*, ¡me cago en *diez!*, ¡DIOS!, ¡la madre de *Dios!*, ¡que te [le, etc.] den dos *duros!*, ENCABRITADO, -A, ENCABRITAMIENTO, ENCABRITAR[SE], ENCABRONADO, -A, ENCABRONAMIENTO, ENCABRONAR[SE], ENCOÑAR, ¡me cago en tu [su, vuestra] *estampa* [sombra]!, acordarse de la *familia* [cagarse en la familia], FASTIDIAR[SE], ¡no te *fastidia!*, ¡nos *ha fastidia(d)o!*, FOLLAR[SE], [no] darle la *gana*, mandar a hacer *gárgaras*, ¡vete [que se vaya, etc.] a hacer *gárgaras!*,

346

GIBAR, ¡no te *giba!*, ¡nos *ha giba(d)o!*, ¡GIBAR!, GIBARSE, ¡GIBARSE!, ¡hay que *gibarse!*, ¡HOSTI!, ¡HOSTIA[s]!, de la *hostia*, ¡la *hostia!*, poner de mala *hostia*, ponerse [estar] de mala *hostia*, echar [cagar] *hostias*, ¡ni qué *hostia[s]!*, ¡qué *hostias!*, ¡que te [le, etc.] den por el *jebe!*, JERINGARSE, ¡¡jeringarse!*, ¡JO!, ¡JOBAR! [¡jobá!], JODER, ¡¡jodamos que todos somos hermanos!*, ¡no te *jode!*, ¡nos *ha jodido!* [¡nos ha jodido mayo (con sus flores), ¡nos ha jodido mayo, si no llueve!] ¡JODER!, JODERSE, ¡hay que *joderse!*, ¡JODERSE!, ¡¡jolín! [¡jolines!], ¡¡jopé! [¡jopín!], ¡joroba!, JOROBAR[SE], ¡hay que *jorobarse!*, ¡leche[s]!*, de la *leche*, ¡la *leche!*, ¡la *leche* puta!, ¡me cago en la *leche!*, ¡me cago en la *leche* puta [jodía]!, ¡me cago en la *leche* que te [le, etc.] han da(d)o!, ¡ni qué *leche[s]!*, poner de mala *leche* [milk], ponerse [estar] de mala *leche* [milk], ¡qué *leche!*, echar [cagar] *leches*, ¡LECHUGAS!, ¡LEÑE!, ¡me cago en su *madre!*, tu [su, vuestra] *madre*, ¡maldita sea! [¡dita sea!], ¡me cago en la *mar* (salada)!, de la *mierda*, la *mierda* de, mandar a la *mierda*, ¡me cago en la *mierda!*, ¡vete [que se vaya, etc.] a la *mierda!*, MIERDEAR, mandar a freír *monas*, estar hasta el *moño*, mandar a tomar *morcillas*, estar de *morros*, ¡me cago en tus [sus, vuestros] *muertos!*, ¡NARICES!, de las *narices*, estar hasta las *narices*, hinchársele las *narices*, ¡ni qué *narices!*, ¡qué *narices!*, ¡tiene *narices* la cosa! [¡manda narices!], ¡ni qué *niño* muerto!, ¡ni qué ocho *cuartos!*, ¡que te [le, etc.] den por el *ojete!*, ¡te [le, etc.] van a dar mucho por el *ojete!*, ¡me cago en tu [su, vuestro] *padre!*, tu [su, vuestro] *padre*, PAJOLERO, -A, mandar a *paseo*, ¡vete [que se

347

vaya, etc.] a *paseo!*, ¡que te [le, etc.] den por donde amargan los *pepinos!*, ¡tiene *perendengues* la cosa!, ¡ni qué *pijo[s]!*, ¡qué *pijos!*, de la *polla*, ¡ni qué *pollas!*, ¡qué *pollas!*, ¡una *polla* (como una olla)!, ¡a la *porra!*, de la *porra*, mandar a la *porra*, ¡me cago en la *porra!*, ¡una *porra!*, ¡vete [que se vaya, etc.] a la *porra!*, ¡*porras!*, ¡ni qué *porras!*, ¡qué *porras!*, ¡*puñeta[s]!*, de la[s] *puñeta[s]*, hacer[se] la *puñeta*, ¡ni qué *puñeta[s]!*, ¡a hacer *puñetas!*, mandar a hacer *puñetas*, ¡qué *puñetas!*, ¡vete [que se vaya, etc.] a hacer *puñetas!*, ¡la *puta!*, ¡la *puta* de oros [bastos]!, ¡me cago en la *puta!*, ¡me cago en la *puta* de oros [bastos]!, ¡me cago en tu [su, vuestra] *puta* madre!, PUTEADO, -A, PUTEAR, ¡que te [le, etc.] parta un *rayo!*, ¡RECOJONES!, ¡REHOSTIAS!, REPAJOLERO, -A, REPATEAR, REVENTAR, mandar a tomar por *saco*, ¡vete [que se vaya, etc.] a tomar por *saco!*, su *tía*, ¡su *tía!*, ¡que te [le, etc.] *zurzan!*

348

ACOJONADO, -A, ACOJONADOR, -A, ACOJONAMIENTO, ACOJONANTE, ACOJONAR, ¡hay que *amolarse!*, de *aquí* te espero, ¡ARREA!, de *aúpa*, BÁRBARO, -A, BESTIAL, la *Biblia* (en verso), coger [pillar] en *bragas*, de *buten*, *¡me cago en ...!* [¡mecagüen!], que *se caga* la perra, de *campeonato*, la *caraba*, *¡carajo[s]!*, de *carajo[s]*, ser el *carajo*, ¡CARAY!, ¡toma, *castaña!*, CHAFADO, -A, CHAFAR, *¡chúpate* esa!, ¡COJINES!, de *cojón* [de cojón de fraile; de cojón de mico; de cojón de pato; de cojón de viudo], *¡cojones!*, de *cojones* [de tres pares de cojones], ¡échale *cojones!* [¡tócate los cojones!], ¡manda *cojones!*, ¡me cago en los *cojones!* [¡me cago en los cojones de Mahoma [Buda]!], ¡tiene *cojones* la cosa!, COJONUDO, -A, COJUDO, -A, CO-JUELESCO, -A, *¡coñe!* [¡coña!], *¡coño!* [¡coñó!], CORTAR, CORTE, CORTÓN, -A, ir de *cráneo*, caerse de *culo*, que te caes de *culo*, ir de (puto) *culo*, la *descojonación*, DESCOJONAMIENTO, DESCOJO-NANTE, *descojono* [descojone], DESHUEVAMIEN-TO, DESHUEVANTE, DESHUEVE, DESPAMPANANTE, DESPELOTAMIENTO, DESPELOTANTE, DESPELOTE, el *despiporren*, ¡me cago en *diez!*, ¡DIOS!, ¡la madre de *Dios!*, partir por el *eje*, de *embute*, de *espanto*, de *extranjis* (banjis), ¡no *fastidie[s]!*, ¡hay que *fastidiarse!*, FENOMENAL, FENÓMENO, -A, ¡chupa [toma] del *frasco*, Carrasco!, ¡GIBAR!, ¡no *gibe[s]!*, ¡GIBARSE!, ¡hay que *gibarse!*, ¡HOSTI!, ¡HOSTIA[s]!, ¡anda, la *hostia!*, ¡la *hostia!*, ser la *hostia*, HUEVUDO, -A, ¡hay que *jeringarse!*, ¡no *jeringue[s]!*, ¡JO!, *¡jobar!* [¡jobá!], *¡joder!*, ¡no *joda[s]!*, *¡joderse!*, ¡hay que *joderse!*, *¡jodo!* [¡jodó!, ¡jodo, petaca!], *¡jolín!* [¡jolines!],

349

¡*jopé!* [¡jopín!], ¡JOROBA!, ¡no *jorobe*[*s*]*!,* ¡JO-
ROBARSE!, ¡hay que *jorobarse!,* que no se [te,
etc.] *lame,* ¡LECHE!, ¡anda, la *leche!,* ¡la *leche!,*
¡la *leche* puta!, ¡me cago en la *leche!,* ¡me cago
en la *leche* puta [jodía]!, ser la *leche,* ¡tiene
leches la cosa!, ¡LECHUGAS!, ¡LEÑE!, MACANU-
DO, -A, ¡anda, mi [tu, su] *madre!,* de puta *ma-*
dre, ¡la *madre* que lo [la, etc.] parió!, ¡me
cago en su *madre!,* ¡su *madre!,* ¡me cago en la
mar (salada)!, de *marca* mayor, MATAR, ¡anda,
tu [su] *mengui!,* de *miedo,* ¡me cago en la
mierda!, la *monda,* MONSTRUO, MORROCOTU-
DO, -A, de *muerte,* de *narices* [de tres pares de
narices], ¡tiene *narices* la cosa! [¡manda narices!], ¡tócate las *narices!,* quedarse *nota,* de *ór-*
dago, ¡anda la *órdiga!,* ¡OSTRAS!, PADRE, ¡anda,
mi [tu, su] *padre!,* de *padre* y muy señor mío,
¡su *padre!,* de *pánico,* ¡*pápate* ésa!, de *papo* de
mona, PASMADO, -A, coger [pillar] en *pelotas,*
de *pelotas* [de tres pares de pelotas], PELOTU-
DO, -A, ser la *pera,* ¡tiene *perendengues* la cosa!,
PISTONUDO, -A, ¡*puñeta*[*s*]*!,* de *puñetas* [de tres
pares de puñetas], ser la *puñeta,* ¡anda, la *puta!,*
¡la *puta* de oros [bastos]!, ¡me cago en la *puta!,*
¡me cago en la *puta* de oros [bastos]!, salir
rana, ¡RECOJONES!, ¡REHOSTIAS!, la *releche,* la
reoca, la *repaminonda,* la *repanocha,* ¡SOPLA!,
TETA, de *teta* de novicia, ¡su *tía!,* ¡*toma* Jeroma, pastillas de goma!, VIRGUERÍA.

¡*Ajo* y agua!, AMOLAR[SE], ¡hay que *amolarse!*, morirse de *asco*, hacer el *avión*, CABREANTE, CABRITADA, CABRITO, -A, hecho un *cabrito* [como un cabrito], *cabrón, -a* [cabrón con pintas], CABRONADA, CABRONCETE, ¡*carajo*[s]!, del *carajo*, mandar al *carajo*, ¡ni qué *carajo*[s]!, ¡qué *carajo*[s]!, ¡vete [que se vaya, etc.] al *carajo!*, ¡CARAY!, ¡toma, *castaña!*, CERDADA, CERDO, -A, CHINCHAR[SE], CHINGADO, -A, CHINGAR, *chivarse* [chivatearse], *chivatazo* [chivatada], CHIVATO, -A, *chorrada* [chorradita], *chuminada* [chuminez], ¡*chúpate* esa!, poner a *cien*, COCHINADA, COCHINO, -A, ¡COJINES!, ¡*cojones!*, de los *cojones*, ¡echale *cojones!* [¡tócate los cojones!], ¡me cago en los *cojones!*, ¡me cago en los *cojones* de Mahoma [Buda]!, meterse la lengua [las manos] en los *cojones*, ¡ni qué *cojones!*, ¡qué *cojones!*, ¡tiene *cojones* la cosa! [¡manda cojones!], tocarle los *cojones*, CONDENADO, -A, COÑAZO, dar el *coñazo*, ¡*coñe!* [¡coña!], ¡*coño!*, ¡ay, qué *coño!*, ¡ni qué *coño!*, ¡qué *coño!*, ¡qué *coño* de ...!, mandar al *cuerno*, ¡vete [que se vaya, etc.] al *cuerno!*, ¡a tomar por *culo!*, dar por *culo*, del *culo*, mandar a tomar por *culo*, meterse la lengua en el *culo*, ¡vete [que se vaya, etc.] a tomar por *culo!*, ¡me cago en *diez!*, ¡DIOS!, ¡la madre de *Dios!*, partir por el *eje*, ENCABRITAR, ENCABRONAR, ENCOÑAR, ENDIÑAR, ENROLLARSE, parecer un *entierro* de tercera, mandar a freír *espárragos*, ¡me cago en tu [su, vuestra] *estampa* [sombra]!, FASTIDIAR, ¡no te *fastidia!*, ¡nos *ha fastidiado!*, FASTIDIARSE, tener mala *follá*, FOLLAR[SE], *follárselo* vivo, ¡chupa

351

[toma] del *frasco*, Carrasco!, mandar a hacer *gárgaras*, ¡vete [que se vaya, etc.] a hacer *gárgaras!*, GIBAR, ¡no te *giba!*, ¡nos *ha giba(d)o!*, ¡GIBAR!, GIBARSE, ¡*gibarse!*, GILIPOLLEZ, GUARRADA, GUARRO, -A, haces lo de *Herodes*, te jodes; *hijo*, -a, de puta [hijoputa; hijo de la Gran Bretaña, hijo de la gran puta, hijo de su madre [padre], hijo de tal], HIJOPUTADA, HINCHANTE, HINCHAR, ¡HOSTI!, ¡HOSTIA[s]!, de la *hostia*, ¡la *hostia!*, ¡ni qué *hostia[s]!*, ¡qué *hostia[s]!*, echar [cagar] *hostias*, INCORDIANTE, INCORDIAR, INCORDIO, JERINGAR, ¡no te *jeringa!*, ¡nos *ha jeringa(d)o!*, JERINGARSE, ¡JO!, ¡*jobar!* [¡jobá!], JODER, ¡no te *jode!*, ¡nos *ha jodido!* [¡nos ha jodido mayo (con sus flores)!, ¡nos ha jodido mayo, si no llueve!], ¡*joder!*, ¡*joderse!*, JODIDO, -A, JODIENDA, ¡*jolín!* [¡jolines!], ¡*jopé!* [¡jopín!], ¡JOROBA!, JOROBADO, -A, JOROBAR[SE], ¡*jorobarse!*, ¡hay que *jorobarse!*, LECHE, ¡*leche!*, ¡anda, la *leche!*, de la *leche*, ¡la *leche* puta!, ¡me cago en la *leche!*, ¡me cago en la *leche* puta [jodía]!, ¡me cago en la *leche* que te [le, etc.] han dado!, echar [cagar] *leches*, ¡LECHUGAS!, ¡LEÑE!, LIARSE, ¡la *madre* que lo [les, etc.] parió!, MALAPATA, *malasangre* [malaúva], ¡me cago en la *mar* (salada)!, MARICA, MARICÓN, -A, MARICONADA, MARICONAZO, -A, MARICONCETE, MARRANADA, MARRANO, -A, MATAR, ¡no te *mata!*, ¡nos *ha matado!*, MERENGAR, de la *mierda*, la *mierda* de, mandar a la *mierda*, ¡vete [que se vaya, etc.] a la *mierda!*, MIERDEAR, mandar a freír *monas*, MOÑAZO, MUERTO, ¡NARICES!, de las *narices*, ¡ni qué *narices!*, ¡qué *narices!*, ¡tiene *narices* la cosa! [¡manda narices!], ¡tócate las *narices!*, ¡ni qué *niño* muerto!, ¡anda,

352

la *órdiga!*, ¡OSTRAS!, ¡su *padre!*, PALIZAS, *¡pápate esa!*, hacer[se] la *pascua*, mandar a *paseo*, ¡vete [que se vaya, etc.] a *paseo!*, como una *patada* en el estómago [en los (mismísimos) cojones], dar cien *patadas*, PELMEZ, PELMA, PELMAZO, ¡que te [le, etc.] den por donde amargan los *pepinos!*, ¡tiene *perendengues* la cosa!, PESTIÑAZO, PESTI-ÑO, PETARDO, PIJADA, PIJAS, PIJO, -A, ¡ni qué *pijo[s]*, *pijotada* [pijotería], *pijotero, -a* [pijo-lero, pijudo], hacer la *pirula*, PLASTA, de la *polla*, ¡ni qué *pollas!*, ¡qué *pollas!*, de la *porra*, ¡*porras!*, ¡ni qué *porras!*, ¡qué *porras!*, PUÑETA, ¡*puñeta[s]!*, de la[s] *puñeta[s]*, hacer[se] la *puñeta*, mandar a hacer *puñetas*, ¡vete [que se vaya, etc.] a hacer *puñetas!*, PUÑETERÍA, PUÑE-TERO, -A, ¡la *puta!*, ¡la *puta* de oros [bastos]!, ¡me cago en la *puta!*, ¡me cago en la *puta* de oros [bastos]!, PUTADA, PUTADITA, PUTEADO, -A, PUTEAR, PUTO, -A, *quedarse* con, QUEDÓN, -A, RE-COCHINEO, ¡RECOJONES!, ¡REHOSTIAS!, REPATEAR, REVENTAR, ROLLAZO, ROLLISTA, ROLLO, hacer la *santísima*, ¡su *tía!*, *vacilar* con [vacilar con diez de higos [pipas]], contar la *vida*, VIRGUERÍA.

353

23

HABLAR (afines)

ACHANTADO, -A, ACHANTAMIENTO, ACHANTAR, *achantarse* [achantarse como un muerto], ACOJONADO, -A, ACOJONAMIENTO, ACOJONAR[SE], *acojono* [acojone], ACOQUINAMIENTO, ACOQUINAR[SE], AGALLAS, AMIGO, -A, hacerse el *amor*, ANUNCIAR, BASTEZ, ser más *basto* que el forro de los cojones de un carabinero [que matar un cerdo a besos; que pegar a un padre (con un calcetín suda(d)o); que unas bragas de esparto], BIENHECHO, -A, BOCAZAS, BOCERAS, tía *buena*, BUJERO, CACHONDEO, CACHONDO, -A, *cachondo* mental, CADENAS, CAGADA, CAGARLA, CAGADO, -A, CAGÓN, -A, CAGUETA, CAMELAR, *camelista* [camelante], CAMELO, mandar al *carajo*, ¿qué *carajo*[s]...?, parar el *carro* [¡alto el carro!], ponerle *casa*, CASCAR, mandar a escardar *cebollinos*, el *chache*, CHACHO, -A, CHAFADO, -A, CHA-

355

FAR, CHALADO, -A, *chamullar* [chamullar caló], echar un *charla(d)o*, *chata* [chati], CHELI, *chivarse* [chivatearse], *chivatazo* [*chivatada*], CHIVATO, -A, CHORBO, -A, CHORIZO, ¡no diga[s] *chorradas!*, CHORREAR, CHORREO, echar un *chorreo*, CHOTEO, CHUNGA, en *chunga*, estar de *chunga*, CHUNGÓN, -A, CHUNGUERO, -A, COJINES, COJONES, con *cojones*, dejar los *cojones* en casa, meterse la lengua en los *cojones*, ¿qué *cojones...?*, sin *cojones*, COLADURA, COLARSE, CONDENADO, -A, COÑA, de *coña*, COÑAZO, dar el *coñazo*, COÑEO, *coñero*, -*a* [coñón, a], ¿qué *coño*[*s*]...?, *¡corta!* [¡corta Blas, que no me vas!, ¡corta el rollo, repollo!, ¡cortando suave!, ¡corta y rema (que vienen los vikingos)!], CORTE, CORTÓN, -A, echar la *cremallera*, hablar en *cristiano*, mandar al *cuerno*, meter el *cuezo*, darse una *culada*, CULERAS, lamer el *culo*, mandar a tomar por *culo*, meterse la lengua en el *culo*, ¡que te [le, etc. ...] den por *culo!*, este *cura*, DELIRAR, DESEMBUCHAR, ¡(anda y) que te [le, etc.] den dos *duros!*, partir por el *eje*, ENGAÑARLE, ENROLLARSE, ENVAINÁRSELA, ¡la cochina *envidia* que te [le, etc.] corroe!, FANTASMA, FANTASMADA, FANTASMEAR, FANTASMÓN, -A, FARDADA, FARDE, *fardón*, -*a* [fardero, -a] ¡echa el *freno*, Ma(g)-daleno!, FULANA, GACHÓ, GAMBA, mandar a hacer *gárgaras*, GOZAR, HÍGADOS, el *hijo* de mi madre, hacer un pan como unas *hostias*, ¿qué *hostias...?*, HUEVOS, ¡que te [le, etc.] den por el *jebe!*, JEFE, JODERLA, JURAR, LAMELUCOS, LANZADO, -A, ¿qué *leche*[*s*] ...?, y tanta *leche* [y mucha leche], ¿qué *lechugas* ...?, decirle las cuatro *letras*, LIARSE, ídem de *lienzo*, LIGAR, LIGÓN, -A, LIGUE, MACHO, MACHOTE, MAESTRO, MAL-

356

HECHO, -A, MARCARSE, MAROMO, MAYORMENTE, *menda* [mi menda, menda lerenda, mendi lerendi], cogerla *meona*, METIDO, cubrirse de *mierda*, mandar a la *mierda*, ¿qué *mierdas* ...?, MISMAMENTE, MOLAR, MOLÓN, -A, MONADA, mandar a freír *monas*, MOÑAZO, mandar a tomar *morcillas*, MUERDO, MUERTO, achantar la *mui*, ¡*mutis!* [¡mutis y a la gavia!], hacer *mutis*, ¿qué *narices* ...?, el *niño*, ¡que te [le, etc.] den por el *ojete!*, OLVIDAR, PALIZAS, poner a *parir*, PARIRLA, mandar a *paseo*, metedura de *pata*, meter la *pata*, PATINAR, PATINAZO, PELMA, PELMAZO, PELOTA, hacer la *pelota* [pelotilla], *pelotillero*, -a, [pelotilla], ¡que te [le, etc.] den por donde amargan los *pepinos!*, PERSONAL, PESTIÑAZO, PESTIÑO, PETARDO, meter la *pezuña*, PICHI, cerrar [callar] el *pico*, ¿qué *pijos* ...?, PITORREO, PLANCHA, PLANCHAZO, PLASTA, ¿qué *pollas* ...?, mandar a la *porra*, PRENDA, tía *pulpo*, mandar a hacer *puñetas*, ¿qué *puñetas* ...?, *quedarse* con, QUEDÓN, -A, dar el *queo*, QUERIDO, -A, RAJAR, ¡que te [le, etc.] parta un *rayo!*, RECOCHINEO, REDAÑOS, RICO, -A, RICURA, RIÑONES, ROLLAZO, ROLLISTA, ROLLO, dar el *rollo*, ¡qué *rollo* más pobre!, hacer la *rosca* [rosquilla], no comerse una *rosca*, ¡que te [le, etc.] den por *saco!*, *tío* grande, TRONCO, VACILA, *vacilar* con [vacilar con diez de higos [pipas]], *vacile* [vacilada], estar de *vacile*, VACILÓN, -A, estar [ponerse] *vacilón*, VENDER, VIDA, contar la *vida*, ¡que te [le, etc.] *zurzan!*

357

TONTERIA (afines)

ACHANTAR, ACOJONANTE, AGILIPOLLADO, -A, AGILIPO-
LLARSE, ANORMAL, de *aquí* te espero, morirse
de *asco*, de *aúpa*, no estar bien de la *azotea*,
berzas [berzotas], BESTIA, estar hecho un *bestia*, ser una mala *bestia*, la *Biblia* en verso, de
bigote[*s*], BOCAZAS, BOCERAS, estar tocándose
el *bolo*, de *buten*, como una *cabra*, CABREANTE,
CABRONCETE, CACA, *cachondo* mental, CADENAS,
CAGADA, CAGARLA, CAGARRUTA, que *se caga* la perra, CAMELADOR, -A, CAMELAR, *camelista* [came-
lante], CAMELO, dar el *camelo*, de *campeonato*,
hacer el *canelo*, CAPULLO, que te puedes echar
a la *cara*, ser la *caraba*, de *carajo*[*s*], ser el *carajo*, tener la *caraja*, CARAPIJO, como un *cencerro*, CHAFAR, CHALADO, -A, CHALUPA, como una
chiva, CHOLA, CHORIZO, CHORRA, CHORRADA,
¡no diga[s] *chorradas!*, como una *chota*, CHU-
LANGA, CHULETA, CHULO, *chuminada* [chumi-
nez], CHUPADO, -A, CIPOTE, de *cojón*, valer un
cojón (y la yema del otro), COJONADA, COJONA-
ZOS, estar tocándose los *cojones*, de *cojones*
[de tres pares de cojones], COJONUDO, -A, COLA-
DURA, COLARSE, escupir por el *colmillo*, COÑAZO,
dar el *coñazo*, meter el *cuezo*, darse una *culada*,
que te caes de *culo*, DÁRSELA, la *descojonación*,
el *descojonamiento*, el *descojono* [descojone],
DESGRACIADO, -A, el *deshuevamiento*, el *deshueve*, el *despelotamiento*, el *despelote*, el *despiporren*, de *embute*, ENROLLARSE, [no] *enterarse*,
parecer un *entierro* de tercera, de *espanto*, FAN-
TASMA, *fantasmada* [fantasmeo], FANTASMEAR,
FANTASMÓN, -A, FARDADA, FARDAR, FARDE, *fardón, -a* [fardero, -a], estar hecho [ser] un *fiera*,

358

FORRAPELOTAS, GILÍ, hacer el *gilí*, *gilipichas* [gilipichis], GILIPOLLADA, GILIPOLLAS, GILIPOLLEAR, GILIPOLLESCO, -A, GILIPOLLEZ [gilipollería, gilipollismo], GILIPUERTAS, GILITONTO *guillado*, *-a* [guilloti], GUILLARSE, HINCHANTE, ser la *hostia*, hacer un pan como unas *hostias*, HUEVAZOS, de *huevos* [de tres pares de huevos], HUEVUDO, -A, INCORDIANTE, *inflapollas* [inflagaitas], JIJAS, JODERLA, JODIDO, -A, JOROBADO, -A, JULA, escupir de medio *lado*, LAMECULOS, que no te [se, etc.] *lames*, LECHE, ser la *leche*, LIARSE, LILA, hacerse el *longuis*, MACHADA, MACHO, MACHOTE, *majareta* [majara], MALAPATA, MAMERTO, MAMÓN, -A, MAMONAZO, -A, MANDANGA, MANGANCIA, de *marca* mayor, MARICA, estar *meado, -a,* chorreo [diarrea] *mental*, MERDELLÓN, -A, de *miedo*, MIERDA, cubrirse de *mierda*, MIERDICA, MOCHALES, MOLAR, MOLÓN, -A, MOLLERA, ser la *monda*, MOÑAZO, estar tocándose el *nabo*, de *narices* [de tres pares de narices], meter las *narices* en, tocarse las *narices*, NARIZOTAS, NINCHI, de *órdago*, PAJOLERO, -A, PALIZAS, de *pánico*, PANOLI, de *papo* de mona, PARDILLO, -A, PARIDA, PARIRLA, PASMADO, -A, metedura de *pata*, meter la *pata*, PATINAR, PATINAZO, PEGÁRSELA, PELMA, PELMAZO, -A, de *pelotas* [de tres pares de pelotas], PELOTUDO, -A, estar tocándose la *pera*, ser la *pera*, PESTIÑAZO, PESTIÑO, PETARDO, meter la *pezuña*, tener la *picha* hecha un lío, más tonto que *Pichote*, PIERNAS, PIJADA, PIJAS, PIJO, -A, PITOTADA, PIJOTERÍA, *pijotero, -a,* [pijudo, pijolero], PIRADO, -A, *plancha* [planchazo], PLASTA, PRIMAVERA, PRIMO, -A, hacer el *primo*, PRINGARLA, PUÑETA, ser la *puñeta*, de *puñetas* [de tres pares de puñetas], PUÑETERÍA, PU-

359

ÑETERO, -A, PUTADITA, PUTERÍA, PUTERO, -A, PU-TO, -A, *quedarse* con, QUEDÓN, -A, como una *re-gadera*, ser la *releche*, ser la *reoca*, ser la *re-paminonda*, ser la *repanocha*, RESBALAR, hacer el *ridi*, ROLLAZO, ROLLISTA, ROLLO, no comerse una *rosca*, SESERA, SONADO, -A, *soplapollas* [so-plapichas], SOPLAPOLLEZ, TARADO, -A, TARARÍ, TÍO, un *tío* con toda la barba, un *tío* grande, estar *tirado*, -a, *tonto* del culo, *tonto* de las narices, *tonto* de los cojones, ser más *tonto* que hecho de encargo, estar con la *torta*, TURURÚ, VACILA, *vacilar* con [vacilar con diez de higos [pipas]], *vacile* [vacilada], estar de *vacile*, estar [poner-se] *vacilón*, -a, que no *vea*[s], contar la *vida*, VIRGUERÍA.

Cambiar el *agua* al canario, cambiar [mudar] el *agua* a las castañas, ¡ajo y agua!, ALEGRÍAS, APARATO, ¡sin *apechugar*!, ¡sin *avasallar*!, AZOTEA, ser más *basto* que el forro de los cojones de un carabinero [que matar un cerdo a besos; que pegar a un padre (con un calcetín sudado); que unas bragas de esparto], BEBERCIO, BOLAMEN, CADERAMEN, CAGATORIO, CAGUITIS, *calcetín* de viaje, ir a golpe de *calcetín*, cambiar el *caldo* a las aceitunas, CANICAS, CATALINA, quedarse en el *chasis*, CHICHI, CHIMENEA, CHIRIMOYA, *chola* [cholla], CHUPÓPTERO, ¡todavía hay *clases*! [¡siempre hubo clases!], COCO, COJINES, COJONAMEN, CORNÚPETA, echar la *cremallera*, CRIADILLAS, CRISMA, donde *Cristo* perdió la gorra, CULAMEN, *culo* de mal asiento, este *cura*, DESENFUNDÁRSELA, hacerla una *desgraciada*, ENFUNDÁRSELA, ENVAINÁRSELA, ¡la cochina *envidia* que te [le, etc.] corroe!, *guipar* [gipar], GÜITOS, haces lo de *Herodes* (te jodes), hacerle un *hombre*, inflar a *hostias*, ¡jodamos, que todos somos hermanos!, ¡nos *ha jodido* mayo con sus flores! [¡nos ha jodido mayo, si no llueve!], ¡la *jodienda* no tiene enmienda!, MACHACÁRSELA, según la ley de *Mahoma*, tan maricón es el que da como el que toma, criar *malvas* [estar criando malvas], MANDUCA, MANDUCAR[SE], ¡maricón, el último!, MEADERO, *melón* [meloncio], en *menos* que se santigua un cura loco, masturbarse la *mente*, MOCHA, MOLONDRA, MUSLAMEN, ¡eres mi *padre*!, PAMPINFLÁRSELA, PATA, estirar la *pata*, PELOTA, PELOTAMEN, PEPINO, PIANTE, PIARLAS, PICHABRAVA, PICHAFLOJA, PICHAFRÍA, PICHAGOR-

361

DA, PICHAORO, hincar el *pico*, PIRINDOLO, vérsele la *planta* de los pies, POLISÓN, POPA, POSTERIDAD, PRECIPOCIARSE, PUTIPLISTA, cuando las *ranas* críen pelos (debajo del sobaco), REFANFINFLÁRSELA, REPAMPINFLÁRSELA, RETRATARSE, hacer *seda*, casarse por el *sindicato* de las prisas, oler a *sobaco* de comanche, TESTICULAMEN, TETAMEN, oler a *tigre*, ponerse a *tiro*, ser más *tonto* que hecho de encargo, ¡tú, *tranquilo!*, contar la vida.

362

PONDERACION (afines)

De *aquí* te espero, de *aúpa*, a *barullo*, a *base* de bien, la *Biblia* en verso, de *bigote*[s], una *burrada*, de *buten*, que *se caga* la perra, de *campeonato*, que te puedes echar a la *cara*, la *caraba*, ser el *carajo*, de *carajo*[s], de *chipén*, de *cojón* [de cojón de fraile, de cojón de mico, de cojón de pato, de cojón de viudo], de *cojones* [de tres pares de cojones], que te caes de *culo*, la *descojonación*, el *descojonamiento*, el *descojono* [descojone], el *deshuevamiento*, el *deshueve*, el *despelotamiento*, el *despelote*, el *despiporren*, sudar [trabajar] más que *Dios*, que *echa* [tira] para atrás, de *embute*, de *espanto*, *fetén* de la chupi, más... que la *hostia*, ser la *hostia*, que no te [se, etc.] *lames*, más... que la *leche*, ser la *leche*, MACHO, MACHOTE, ciento y la *madre*, que ha parido *madre*, de *marca* mayor, de *miedo*, la *monda*, de *muerte*, de *narices* [de tres pares de narices], de *órdago*, de *pánico*, de *papo* de mona, a *patadas*, de *pelotas* [de tres pares de pelotas], la *pera*, una *porrada*, de *puñetas* [de tres pares de puñetas], más ... que la *puñeta*, ser la *puñeta*, el *Pupas*, de *puta* madre, la *releche*, la *reoca*, la *repamimonda*, la *repanocha*, el *tato*, TIAZO, -A, TÍO, -A, un *tío* grande, un *tío* con toda la barba, la *tira*, la *torta*, que no *vea*[s].

363

ABORTO, morirse de *asco*, darse el *banquete*, BES-
TIAL, la *Biblia* en verso, partir la *boca*, estar
[dejar] hecho una *braga*, *cabrón* con pintas,
cagarse de miedo, que *se caga* la perra, *callo*
[callicida], ponérsele en la punta del *capullo*,
partir la *cara* [romper [aplaudir] la cara], poner[se] a *cien*, *ciscarse* de miedo, un *cojón* y
la yema del otro, como una patada en los (mismísimos) *cojones*, con los *cojones* cuadrados,
con los *cojones* de [por] corbata, con más *cojones* que Dios, de tres pares de *cojones*, hinchársele [dolerle] los *cojones*, meterse la lengua en los *cojones*, partirse los *cojones*, ir de
cráneo, lamer el *culo*, más feo que el *culo* de
una mona, meterse la lengua en el *culo*, oír
por el *culo*, perder el *culo*, que te caes de *culo*,
la *descojonación*, el *descojonamiento*, DESCOJO-
NARSE, *descojono* [descojone], sudar [traba-
jar] más que *Dios*, ENGENDRO, ESCULPIDA, plantar la *estaca*, FETO, hacerle un *hombre*, echar
[cagar] *hostias*, hacer un pan como unas *hostias*, inflar a *hostias*, no tener media *hostia*,
echar [cagar] *leches*, MACHACÁRSELA, MATAR,
mearse de risa, en *menos* que se santigua un
cura loco, masturbarse la *mente*, hecho una
mierda, MONSTRUO, MONUMENTO, estar hasta el
moño, partir los *morros*, MUERTO, de tres pares
de *narices*, estar hasta las *narices*, hinchársele
las *narices*, metérsele en las *narices*, romperse
las *narices*, [no] salirle de las *narices*, ¡eres mi
padre!, irse por la *pata* abajo, como una *patada*
en el estómago, dar cien *patadas*, PEANA, PEZU-
ÑAS, vérsele la *planta* de los pies, ¡una *polla*

364

como una olla!, de tres pares de *puñetas*, como una *regadera, reventar* [dar un reventón], costar un *riñón*.

¡No te *amola!*, ¡nos *ha amolado!*, ¡amos anda!, ¡amos corta!, ¡amos pira!, ¡amos venga!, ¡amos vete!, ANUNCIAR, ¡sin *apechugar!*, ¡sin *avasallar!*, aplaudir el *belfo*, darse un *bureo*, hacer el *canelo*, parar el *carro* [¡alto el carro!], *chata* [chati], CHELI, CHORBO, -A, CHUFA, ¡corta! [¡corta Blas, que no me vas!; ¡corta el rollo, repollo!; ¡cortando suave!; ¡corta y rema (que vienen los vikingos!)], ¡no te *digo* (lo que hay)!, ¡tú *deliras!*, ENTERARSE, menear el *esqueleto*, FARDADA, ir bien *fardado*, -a, FARDAR, FARDE, *fardón*, -a [fardero, -a], ¡no te *fastidia!*, ¡nos *ha fastidiado!*, ¡echa el *freno*, Ma(g)daleno!, GACHÍ, GACHÓ, GAMBA, ¡no te *giba!*, ¡nos *ha gibado!*, una *guarra*, *guipar* [gipar], el *hijo* de mi madre, JEFE, ¡no te *jeringa!*, ¡no *jeringue*[s]!, ¡nos *ha jeringado!*, ¡no *joda*[s]!, ¡nos *ha jodido!* [¡nos ha jodido mayo con sus flores!; ¡nos ha jodido mayo, si no llueve!], ¡no *jorobe*[s]!, ¡nos *ha jorobado!*, LILA, ¡me la *machaca!*, ¡por mí como si se la *machaca!*, MACHO, MAESTRO, MANGURRINA, ir bien *maqueado*, -a, MARCARSE, MAROMO, ¡no te *mata!*, ¡nos *ha matado!*, ¡a que te [le, etc.] *meo!*, MELE, *menda* [mi menda; menda lerenda; mendi lerendi], ¡me la *menea*[s]!, ¡anda tu [su] *mengui!*, ¡nos *ha merenga(d)o!*, MOLAR, MOLÓN, -A, MONADA, canear [sobar] el *morro*, achantar la *mui*, ¡mutis y a la gavia!, ¡aún [todavía] no *ha nacido* quien!, ¡NAJENCIA!, de eso *nasti*, monasti, ¡NATURACA!, de *nen*, NINCHI, el *niño*, OLVIDAR, ¡choca esos cinco [¡chócala!, ¡choca la pala!, ¡chócate esa!], PARNÉ, PICHI, ¡una *polla* como una olla!, PRECIPOCIARSE,

PRENDA, PRIMAVERA, PRONUNCIARSE, ¡no me haga[s] *reír*, RESPECTIVE, RICO, -A, RICURA, hacer el *ridi*, ¡qué *rollo* más pobre!, ¡*tararí*, que te vi!, ¡TRACATRÁ!, ¡tú, *tranquilo!*, TRONCO, ¡TURURÚ!, VACILA, *vacilar* [vacilar con diez de higos [pipas]], *vacile* [vacilada], VACILÓN, -A, VENDER, ¡*venga* ya!, VIDA, darse un *voltio*, darse el *zuri*.

Andoba [andoval], CAMELADOR, CAMELAR, CAMELISTA [camelante], CAMELO, dar el *camelo, canguelo* [canguis], CHALADO, -A, *chamullar* caló, CHAVALA, CHELI, *chipén* [de chipén], *chipendi* lerendi, DIÑARLA[S], ENDIÑAR, FETÉN, GACHÍ, GACHÓ, GACHÓN, -A, *gilí* [gili], *guillado, -a* [guilloti] (?), *guillarse* (?) [guillárselas] (?), GUIRI (?), JA, JALAR[SE], JALUFA, JAMAR[SE], JINDAMA, JINDAR[SE], JIÑAR[SE], LACHA, MANÚS, *manús* de la Tolsiba, *menda* [mi menda; menda lerenda; mendi lerendi], PARNÉ, PELÉ, en *pelés*, PINREL, irse de *pira*, PIRADO, -A, PIRÁRSE[LAS], darse el *piro*, QUILAR, QUILÉ.

1 y 2. ATLAS HISTÓRICO MUNDIAL * y **
DE LOS ORÍGENES A LA REVOLUCIÓN FRANCESA
DE LA REVOLUCIÓN FRANCESA A NUESTROS DÍAS

He aquí una nueva fórmula para comprender la Historia
a través de su desarrollo político, social, económico,
bélico y cultural.
Las claves de este desarrollo se encuentran en todo momento contrastadas con su marco geográfico gracias a
un abundante material (más de 600 mapas a todo color,
planos, diagramas, etcétera) que hace posible la fácil
síntesis de los datos ordenados cronológicamente en el
texto.
La síntesis viene facilitada, además, por secciones de
páginas-texto dedicadas a temas generales: Economía,
Sociedad, Cultura, etc.
Esta obra, cuyas sucesivas ediciones en alemán, fran-
cés, inglés e italiano la han convertido en uno de los
mayores éxitos editoriales mundiales de los últimos años,
ha sido enriquecida en su versión española con nume-
rosas ampliaciones relativas a la historia de la Península Ibérica y del continente americano.

170 ptas. (Volúmenes especiales.)

3. LA AMÉRICA HISPANOHABLANTE
UNIDAD Y DIFERENCIACIÓN DEL CASTELLANO
Bertil Malmberg

El profesor sueco Bertil Malmberg—sobresaliente ro-
manista y uno de los primeros fonetistas de nuestro
tiempo—estudia la fragmentación lingüística sufrida por
el castellano al ser trasplantado al Nuevo Mundo, no
sólo desde la vertiente estricta de su especialidad, sino
en función de los complejos fenómenos y fuerzas que
suelen presentarse cuando una cultura conquistadora
extiende su lengua y su sistema político-social a una
población muy diferenciada. A partir de la formación
de la lengua de Castilla, examina la cuestión de la evolución histórica del castellano, el problema del origen
regional de los emigrantes a América, las posibles influencias del substrato en el aprendizaje o expresión

369

de los americanos, y, finalmente, procede al análisis de las formas argentinas, chilenas, peruanas, paraguayas, mexicanas, etc.

100 ptas. (Volumen sencillo.)

4. TEORÍA DE LA EVOLUCIÓN
John Maynard Smith

En este análisis del proceso evolutivo, basado en la variación, selección y herencia observables en animales y plantas *actualmente vivientes,* John Maynard Smith —uno de los hombres de ciencia más destacados en la actualidad—hace «la aportación acaso más importante realizada por un biólogo para ayudar a comprender cómo es el mundo y en razón de qué ha llegado a ser así». La cuestión del origen de las especies y las diferentes tesis derivadas de su estudio—desde el problema de la adaptación y la selección natural hasta una primera fijación de los derroteros del proceso de evolución—se complementa con un contraste entre los cambios evolutivos y los históricos, indicando la importancia relativa de ambos procesos.

130 ptas. (Volumen doble.)

5, 6 y 7. HISTORIA GENERAL DE LA MÚSICA*, **
y ***
DE LAS FORMAS ANTIGUAS A LA POLIFONÍA
DESDE EL RENACIMIENTO AL BARROCO
DEL CLASICISMO AL SIGLO XX
Dirigida por A. Robertson y D. Stevens

Una explicación de las formas musicales a partir de su contexto cultural, religioso e histórico, que supera los habituales tratamientos, ceñidos generalmente a simples enumeraciones de obras y compositores. Riguroso y sistemático, el análisis técnico llevado a cabo por los autores (P. Crossley-Holland, G. Reaney, B. Trowell, A. Milner, H. Raynor, A. Harman, H. Ottaway y A. J. B. Hutchings) abarca todas las manifestaciones musicales, desde las formas primitivas hasta las contemporáneas, y desmenuza su significación e importancia dentro del proceso global del tema tratado.

150 ptas. (Volúmenes triples.)

370

8. LA LENGUA Y EL HOMBRE

INTRODUCCIÓN A LOS PROBLEMAS GENERALES DE LA LINGÜÍSTICA

Bertil Malmberg

A lo largo de este libro—de fácil acceso al lector medio—el autor expone los principales aspectos que hoy se debaten en torno a la lengua, y presenta un panorama crítico de las diversas tesis sostenidas por los especialistas. Preocupado por proporcionar una obra auténticamente introductoria, Malmberg estudia el mecanismo del habla, los signos y los símbolos, las convenciones, la expresión, los fonemas y las letras, el contenido, el significado, el lenguaje y el pensamiento, lo individual y lo colectivo y la lengua infantil, para concluir con un examen del estado actual de las investigaciones sobre el origen del lenguaje.
La edición española de esta obra ha sido traducida directamente del sueco por el profesor J. López-Facal y por K. Lindström, que han adaptado a nuestra lengua todos los ejemplos del original.

100 ptas. (Volumen sencillo.)

9. LOS VASCOS

Julio Caro Baroja

En su tercera edición, este estudio sigue constituyendo el más valioso análisis de conjunto, desde un punto de vista antropológico e histórico, sobre el pueblo vasco. Dejando a un lado hipótesis acientíficas—que, por lo demás, el tiempo se ha encargado de invalidar—, el gran antropólogo e historiador Caro Baroja examina diacrónica y sincrónicamente las formas de población, tanto en su génesis como en su desenvolvimiento moderno, así como los aspectos agrícola, pastoril, náutico, comercial e industrial, para pasar después a un examen de la estructura social, la mentalidad, el mundo mítico y ritual, las artes plásticas, la música, la poesía, la danza y el teatro de los vascos.

130 ptas. (Volumen doble.)

10. EL ORIGEN DE LA VIDA

Christian Léourier

Junto a una rigurosa exposición de las principales teorías sobre el origen de la vida, Christian Léourier—uno

371

de los más destacados valores jóvenes de la ciencia francesa—presenta una panorámica de los métodos utilizados en la investigación, así como de sus posibles tendencias en el futuro. Apoyándose fundamentalmente en la química, aunque sin marginar las más recientes contribuciones de la astronomía, la cosmofísica y la geología, establece series de conjeturas. Y, a partir de las formulaciones de Oparín, que la experimentación posterior—Calvín en 1951 y, sobre todo, S. L. Miller desde 1953—ha confirmado en gran parte, el autor describe el estado actual de los conocimientos biológicos, los cuales han venido a replantear, en términos nuevos, una pregunta capital: ¿qué es la vida?

100 ptas. (Volumen sencillo.)

11. LOS JUDEOCONVERSOS EN ESPAÑA Y AMÉRICA
Antonio Domínguez Ortiz

La minoría de los judeoconversos—llamados también cristianos nuevos, judaizantes y marranos—tuvo que enfrentarse, entre los siglos xv y xix, con las consecuencias de haberle sido impuesto «un pecado de origen en el que su voluntad no había tenido parte». A través de una exposición de los antecedentes del problema, de las consecuencias de la expulsión y de las conversiones forzadas, así como de un análisis de las posiciones de la Iglesia y la Corona, el profesor Domínguez Ortiz estudia la realidad de esa minoría como clase social en España y América, y considera, finalmente, las importantes implicaciones de este hecho en las características literarias, artísticas, religiosas y políticas de nuestra sociedad. Tras este impresionante acopio de datos, el autor formula una conclusión: «Nada hay que, de cerca ni de lejos, pueda calificarse de conjuración judaica contra el Imperio español.»

100 ptas. (Volumen sencillo.)

12. BREVE HISTORIA DE LA LITERATURA PORTUGUESA
Antonio José Saraiva

El Profesor A. J. Saraiva, de la Universidad de Amsterdam, es bien conocido por sus trabajos monográficos. Con su *Breve historia de la Literatura portuguesa*—que abarca desde los orígenes, con la influencia de la lírica

372

gallega y la cultura monacal, hasta las últimas manifestaciones de la prosa narrativa, la poesía y el teatro—presenta ahora una síntesis que, por primera vez, permite insertar los movimientos literarios y los autores portugueses dentro del proceso histórico general.

La versión española, especialmente revisada y ampliada por el autor, servirá ciertamente para que resulte más asequible al mundo hispanohablante una literatura que, si bien cercana e importante, se mantiene poco conocida en España y América.

100 ptas. (Volumen sencillo.)

13. INTRODUCCIÓN A LA ETNOGRAFÍA
Marcel Mauss

Las enseñanzas de Marcel Mauss (maestro de Lévy-Strauss y de toda una generación de grandes renovadores de la Etnología) «señalan un momento decisivo no sólo para la Etnografía, sino para las ciencias humanas en general».

En este manual, ya clásico a pesar de su modernidad, se describen detalladamente los fenómenos tecnológicos, económicos, sociales, jurídicos, morales, religiosos y estéticos de las poblaciones primitivas, procurando hacer compatibles los conceptos etnológicos con los sociológicos.

La edición española está enriquecida con abundantes notas aclaratorias del traductor F. del Pino, profesor de Antropología de la Universidad de Madrid.

100 ptas. (Volumen sencillo.)

14. LENGUAS Y PUEBLOS INDOEUROPEOS
Francisco Villar

En muchas ocasiones el «problema indoeuropeo» ha sido tratado a partir de supuestos arbitrarios y de prejuicios de todo tipo. Pero los conocimientos actuales sobre las lenguas y los pueblos englobados en esta familia—arios, griegos, latinos, germanos, bálticos, eslavos, celtas, hetitas, tocarios, ilirios, vénetos, etc.—permiten ya un mejor esclarecimiento de la cuestión. F. Villar, profesor de Lingüística indoeuropea de la Universidad de Madrid, aborda aquí, a la luz de las más recientes investigaciones, los controvertidos problemas de la localización geográfica originaria y los aspectos ra-

373

ciales, culturales y religiosos de los indoeuropeos, para terminar con un análisis de los elementos lingüísticos comunes—únicos que, en definitiva, parecen justificar el establecimiento de un vínculo entre tan diversas etnias y culturas.

100 ptas. (Volumen sencillo.)

15 y 16. LOS DOMINIOS DE LA PSICOLOGÍA * y **
M. Richard.

Estos dos volúmenes constituyen el *primer panorama sistemático* que se ha elaborado hasta ahora acerca de los diversos dominios de la Psicología: abarca desde el niño, la escuela, la reeducación, la inadaptación, la psicopatología y la estructura familiar, hasta el trabajo, el medio industrial y la conducta social, pasando por el estudio de las relaciones de cada uno de dichos dominios con las ciencias sociales y con los fundamentos específicos de la propia Psicología. A través de la exposición de las actitudes de escuela adoptadas ante los distintos problemas, Michel Richard y sus colaboradores J.-M. Fournier y J.-F. Skzypczack, profesores de la Universidad de Lyon, consiguen hacer llegar a cuantos se interesan por este tema una síntesis clara del desarrollo de la Psicología desde Freud hasta Lacan.

130 ptas. (Volúmenes dobles.)

17 y 18. HISTORIA DEL ARTE EN ESPAÑA * y **
DESDE LA PREHISTORIA HASTA LA ILUSTRACIÓN
DESDE GOYA HASTA NUESTROS DÍAS
Valeriano Bozal

Un panorama sistemático de las artes plásticas—pintura, escultura, arquitectura—en España, desde sus comienzos prehistóricos hasta los movimientos más recientes (realismo, informalismo, arte analítico), donde se abarcan, además, algunas manifestaciones del arte popular. En esta *Historia*—con cerca de 600 páginas y 300 ilustraciones, índices onomástico, de obras y de fuentes informativas—Valeriano Bozal logra integrar en una evolución coherente las expresiones artísticas en relación con la sociedad en que se han desarrollado. Cada uno de los dos tomos proporciona una información solvente tanto para el lector medio que desea iniciarse en estas cuestiones como para el estudiante que necesita simultáneamente un libro de síntesis y de consulta.

170 ptas. (Volúmenes especiales.)

19. HISTORIA Y ESTRUCTURA DE LA POBLACIÓN MUNDIAL
W. D. Borrie

Junto a un examen de los problemas demográficos del presente, el profesor Borrie—consejero de las Naciones Unidas y, probablemente, el primer especialista de nuestro tiempo en cuestiones de población—procede a elaborar un panorama histórico del crecimiento de la población mundial desde la Antigüedad, e introduce al lector en el conocimiento de algunos conceptos básicos: densidad, estructura, fertilidad, tasas específicas de fecundidad, tasas de reproducción bruta y neta, etc. No descuida el señalar las relaciones existentes con la Economía y la Sociedad, y examina, finalmente, las diferentes políticas de control con que se ha intentado o intenta influir sobre los procesos demográficos.

130 ptas. (Volumen doble.)

20. INTRODUCCIÓN AL CANTE FLAMENCO
APROXIMACIONES A LA HISTORIA Y A LAS FORMAS DE UN ARTE GITANO-ANDALUZ
M. Ríos Ruiz

El autor, escritor y folklorista bien conocido, ha dedicado muchos años a la investigación del flamenco. En esta *Introducción* parte de un análisis de los sustratos humanos y folklóricos del cante y de las principales influencias musicales que en él cabe percibir, para estudiar a continuación las épocas básicas y las evoluciones fundamentales del género. Examina también las características de las «comarcas cantaoras», la aportación gitana, los ciclos de revalorización, las teorías musicales, el valor literario de las coplas y las grandes figuras del cante, para concluir con una descripción de los estilos: tonás, corríos, romances, martinetes, seguiriyas, soleares, tangos, tientos, etc. Un apéndice bibliográfico y una bien seleccionada discografía completan este panorama riguroso y esclarecedor del flamenco.

100 ptas. (Volumen sencillo.)

21 y 22. HISTORIA DE LA FILOSOFÍA * y **
FILOSOFÍA ANTIGUA Y MEDIEVAL
FILOSOFÍA MODERNA Y CONTEMPORÁNEA
Felipe Martínez Marzoa

A lo largo de los dos volúmenes que constituyen esta
Historia de la Filosofía, F. Martínez Marzoa se remite
fundamentalmente a la obra original de los pensadores
de que trata, y expone en cada caso la raíz histórica de
los conceptos filosóficos básicos, en vez de limitarse a
reconstruir con ellos los diversos «sistemas». En este
sentido, la idea central del libro radica en que una
historia de la filosofía ha de ser, ante todo, una investigación sobre la carta de naturaleza de sus propios
conceptos, que—filosóficamente o no—empleamos constantemente. Pese a la novedad de muchos de los aspectos que el autor desarrolla, nos encontramos ante un
texto rigurosamente introductorio: no exige, por parte
del lector, una previa cultura filosófica o filológica.
Aunque sí requiere, en cambio—puesto que intenta re-
solver cuestiones sin eludir dificultades—, una cierta
aptitud para el esfuerzo intelectual.

150 ptas. (Volúmenes triples.)

23. LA IDEA DE AMÉRICA
ORIGEN Y EVOLUCIÓN
J. L. Abellán

La idea de América—qué es y en qué consiste América,
y cómo se ha ido forjando la idea que los americanos
tienen de ella—es un enfoque historicista y dialéctico
del tema, en el que, a partir de la profunda unidad histórica de Hispanoamérica y del sentido universal de su
cultura, se analizan los contrastes entre la colonización
ibérica y la anglosajona, así como las peripecias de dicha idea—panamericanismo, interamericanismo, etc.—en
busca de la identidad de su ser. El autor, José Luis
Abellán, profesor de Historia del Pensamiento Hispano-
americano en la Universidad de Madrid, introduce en
el tema, con claridad y documentación, tanto a los es-
tudiosos de la Historia de las ideas como a quienes se
interesan por el «ser americano» y su futuro.

100 ptas. (Volumen sencillo.)

24 y 25. LAS GRANDES RELIGIONES DE ORIENTE Y OCCIDENTE * y **

DESDE LA PREHISTORIA HASTA EL AUGE DEL ISLAM
DESDE EL AUGE DEL ISLAM HASTA NUESTROS DÍAS

Trevor Ling

Dentro del prolongado período de tiempo que comienza hacia el año 1500 antes de Jesucristo y llega hasta nuestros días, Trevor Ling—*senior lecturer* de Religiones Comparadas en la Universidad de Leeds—traza una perspectiva del desarrollo del judaísmo, el zoroastrismo, el cristianismo, el hinduismo, el islamismo y el budismo, e investiga los factores histórico-sociales implicados en su desarrollo. Las tradiciones religiosas de Asia y Europa son consideradas no sólo como entes hasta cierto punto contradictorios—religiones «místicas» frente a religiones «proféticas»—, sino también en su recíproca vinculación e interdependencia, subrayando los procesos paralelos y las divergencias significativas. Trevor Ling elabora así, paso a paso, una auténtica historia comparada de las grandes religiones de la humanidad.

130 ptas. (Volúmenes dobles.)

26. LOS ORÍGENES DE LA NOVELA

Carlos García Gual

Con el nombre de «novela» designamos un género fundamental en la literatura de Occidente. Pero ¿qué factores de diverso orden determinaron su nacimiento en un lugar y en un momento concretos, hace más de dos mil años?

El profesor García Gual, catedrático de la Universidad de Barcelona, estudia el surgimiento de la novela desde el punto de vista de sus raíces literarias, lo sitúa a continuación dentro del proceso histórico general, analiza después el problema de los gustos y exigencias de la sociedad de la época y traza, finalmente, el proceso de la paulatina diversificación temática, diversificación en la que hallamos ya ciertos condicionamientos paralelos a los actuales *(suspense, happy end,* etc.). Para concluir, el autor procede a un análisis particular de cada una de las novelas que pueden considerarse como iniciadoras del género. Esta visión panorámica de los orígenes de la novela constituye, probablemente, el examen más

377

sistemático, informativo y sugerente que hasta hoy se ha escrito sobre el tema.

130 ptas. (Volumen doble.)

27. PROBLEMATICA DEL SOCIALISMO
Claude Willard

Las consecuencias de la edificación del Estado soviético, la política de acuerdos entre diversos movimientos («frentes populares»), las peculiaridades de la Revolución china y la configuración, a partir de 1945, de un sistema socialista mundial, son los cuatro hechos principales que subyacen a la actual problemática del socialismo. Pero Claude Willard, profesor de la Universidad de París, estudia esta problemática de hoy dentro de un contexto histórico general que abarca a los comunistas de los siglos XVI y XVII, a los igualitarios del XVIII, a los utopistas de la primera mitad del XIX y, a partir de ahí, a Marx y los marxistas.
No solamente no elude ninguna cuestión, sino que propone nuevos planteamientos que obligan a considerar a la historia del socialismo como un proceso dinámico, donde ningún aspecto puede quedar ajeno a la erosión de la dialéctica de la historia.

100 ptas. (Volumen sencillo.)

28. EL PENSAMIENTO DEL ISLAM
Cristóbal Cuevas

Cristóbal Cuevas, profesor de la Universidad de Madrid, presenta en este libro lo que él llama «una efigie del Islam»: el nacimiento y desarrollo paulatino de su espíritu y de su cultura, su peripecia vital, su empuje histórico. Estudia metódicamente desde el Islam primitivo hasta los posteriores conflictos ideológicos internos y las diversas formas de religiosidad, analizando al mismo tiempo tanto los factores de revelación—expresados en el Corán—como los transmitidos por la tradición, o *sunna*. Esta visión global no deja de precisar, sin embargo, aquellos elementos—como la influencia en la mística española, por ejemplo—que parecen más esenciales en la génesis y estructuración del concepto de vida y cultura propios de los pueblos de la Península Ibérica.

130 ptas. (Volumen doble.)

29. HISTORIA DEL DINERO
   E. Víctor Morgan

E. Víctor Morgan, profesor del Swansea University College y autoridad mundial en temas monetarios, estudia ante todo el dinero a través de su desarrollo histórico, y examina después las ideas, instituciones y formas asociadas a ese desarrollo (signos de representación de riqueza, orígenes de la contabilidad, formación de la banca, mercado del dinero, etc.). El análisis del significado del capital le lleva a un agudo enfoque de la relación entre los procesos recíprocos del poder político y del dinero, en el que abarca desde las finanzas gubernamentales de Atenas hasta la estructura y funciones del Fondo Monetario Internacional, así como la teoría y política monetarias en el mundo contemporáneo. Esta edición de la *Historia del dinero* ha sido ampliada por el profesor E. de la Fuente, de la Universidad de Madrid, con observaciones y anotaciones relativas a la moneda española.

150 ptas. (Volumen triple.)

30. LAS LENGUAS DE ESPAÑA: CASTELLANO CATALÁN, VASCO Y GALLEGO-PORTUGUÉS
   William J. Entwistle

En esta obra, que constituye una minuciosa historia de las lenguas de España, el profesor Entwistle traza el panorama del desarrollo y el proceso interno de esas lenguas. Tomando como punto de partida el período prerromano (en el cual incluye su actual supervivencia lingüística, el vasco), describe la latinización de Hispania y sugiere las causas que pudieron determinar la ruptura de la latinización común y el consiguiente paso a unos tipos de lenguas del Este (catalán) y del Oeste (castellano, galaico-portugués). Trata, además, los problemas de ciertas formas dialectales—astur-leonés, navarro-aragonés, etc.—para concluir con un análisis de los fenómenos configuradores del español *standard* y del abanico de sus variaciones modernas.

150 ptas. (Volumen triple.)

31. LAS CLASES PRIVILEGIADAS EN LA ESPAÑA DEL ANTIGUO RÉGIMEN
Antonio Domínguez Ortiz

Desde la Baja Edad Media hasta los inicios del siglo XIX, las clases privilegiadas—nobleza y clero—ejercieron un dominio absoluto sobre la vida española, estructurada, como en los demás países del Occidente europeo, en un sistema de tipo estamental. Apoyado sobre fuentes documentales en parte inéditas, el profesor Antonio Domínguez Ortiz analiza los rasgos peculiares de esas clases a través del estudio de su importancia numérica, sus formas de vida, sus estatutos jurídicos, su poder económico y, en definitiva, su función política. *Las clases privilegiadas en la España del Antiguo Régimen* es, además de una contribución fundamental a la historiografía de nuestros días en el campo de la estricta investigación, una aportación capital para esclarecer los caracteres reales de las capas dirigentes de la sociedad tradicional española.

150 ptas. (Volumen triple.)

32 y 33. HISTORIA DEL DESARROLLO ECONÓMICO INTERNACIONAL * y **
DESDE 1820 HASTA LA PRIMERA GUERRA MUNDIAL
DESDE LA PRIMERA GUERRA MUNDIAL HASTA NUESTROS DÍAS
A. G. Kenwood y A. L. Lougheed

Los profesores A. G. Kenwood (historia de la Economía) y A. L. Lougheed (estructura del comercio internacional), de la Universidad de Queensland, «con su excelente introducción a la historia del desarrollo económico en el mundo contemporáneo, ponen el tema—aún tan insuficientemente estudiado—al alcance del lector corriente» *(Económica).* «Se aborda la cuestión mediante un tratamiento auténticamente global, lo que permite hacer explícito el fenómeno en áreas habitualmente descuidadas por los textos convencionales» *(The Economic Journal).* «Si dejamos aparte las obras de Ashworth, Kuznets, Maddison y algún otro, nos encontramos ante el más riguroso e informativo de los libros dedicados a la historia del desarrollo económico; pero, además, en este caso, ante el más asequible de todos» *(British Book News).*

100 ptas. (Volúmenes sencillos.)

380

34 y 35. EL DESARROLLO ECONÓMICO SOVIÉTICO, 1917-1970 * y **
HISTORIA Y PLANIFICACIÓN
CLAVES Y PROCESO DEL CRECIMIENTO
R. Hutchings

El proceso de formación y desarrollo de un sistema económico de nuevo cuño es estudiado aquí a partir del contexto histórico de su punto de partida: la Revolución de Octubre de 1917. Se exponen los factores comunes y no comunes a otros sistemas—socialización, colectivización, migraciones, progreso técnico, incremento demográfico, conflictos bélicos—y las etapas específicas, como el «comunismo de guerra», la NEP, el primer plan quinquenal, etc. Una amplia consideración del ciclo 1933-1945 permite el profundo análisis estructural del período presente, desde los presupuestos, las formas de inversión y la política de distribución hasta las series de crecimiento y el comercio exterior. El profesor Hutchings, sucesivamente *senior research fellow* de la National University de Australia e investigador agregado de Economía soviética en la Chatam House de Londres, ha logrado una obra rigurosamente informativa, desprovista de cualquier consideración polémica.

130 ptas. (Volúmenes dobles.)

36 y 37. HISTORIA DE LOS ESTILOS ARTÍSTICOS * y **
DESDE LA ANTIGÜEDAD HASTA EL TIEMPO PRESENTE
Dirigida por Ursula Hatje

Bajo la dirección de Ursula Hatje, un equipo de prestigiosos especialistas—Werner Fuchs (Antigüedad clásica), Hans Bott (época de las grandes migraciones), Irmgard Hutter (artes paleocristiano y bizantino), Wolfgang Clasen (Alta Edad Media, Románico y Gótico), Hartmut Biermann (Renacimiento y Manierismo), Lilian Châtelet-Lange (Barroco), Werner Hofmann (siglos XIX y XX)—ha elaborado este panorama general de la estilística, donde junto al dato preciso e indispensable se expresan las características históricas generales de cada tendencia artística, incluidos los movimientos renovadores más recientes. Una profusa ilustración (más de 800 reproducciones de pinturas, esculturas, monumentos arquitectónicos, etcétera) permite al lector relacionar constantemente las explicaciones del texto con el objeto plástico de que se trata.

170 ptas. (Volúmenes especiales.)

38. PEQUEÑO DICCIONARIO DEL TEATRO MUNDIAL
Genoveva Dieterich

Un conjunto de más de 600 artículos componen este completo panorama del teatro, desde sus orígenes hasta nuestros días, fruto de una minuciosa investigación que abarca las principales manifestaciones teatrales mundiales y presta particular atención a las de España y América. Tanto el lector corriente como el estudioso pueden encontrar en él detallada información sobre autores, géneros, movimientos, compañías, escuelas de arte dramático, locales de representación, directores, escenógrafos, términos específicos, líneas fundamentaels de la teoría del teatro, etc. Esta copiosa documentación, ordenada conforme a un principio de selección crítica, a la par que constituye una valiosa guía para la lectura del teatro de todos los tiempos, hace del libro una útil fuente de datos para la ilustración de comentarios, diálogos, teatroforums, etc.

130 ptas. (Volumen doble.)

39, 40 y 41. INTRODUCCIÓN AL PENSAMIENTO FILOSÓFICO *, ** y ***
Michel Gourinat

150 ptas. (Volúmenes triples.)

42 y 43. LA ROMANIZACIÓN * y **
José María Blázquez

130 y 150 ptas. (Volúmenes doble y triple.)

382